최상위 사고력을 위한 특별 학습 서비스

문제풀이 동영상

최고난도 문제를 동영상으로 제공하여 줍니다.

최상위 사고력 6A

펴낸날 [초판 1쇄] 2019년 8월 9일 [초판 2쇄] 2021년 5월 25일
펴낸이 이기열
대표저자 한헌조
펴낸곳 (주)디딤돌 교육
주소 (03972) 서울특별시 마포구 월드컵북로 122 청원선와이즈타워
대표전화 02-3142-9000
구입문의 02-322-8451
내용문의 02-323-9166
팩시밀리 02-338-3231
홈페이지 www.didimdol.co.kr
등록번호 제10-718호
구입한 후에는 철회되지 않으며 잘못 인쇄된 책은 바꾸어 드립니다.

초등 6A

상위권의 기준

최상위 사고력

수학 좀 한다면

선 하나를 내리긋는 힘!

직사각형이 있습니다.
윗변의 어느 한 점과 밑변의 두 끝을 연결한
삼각형을 만듭니다.

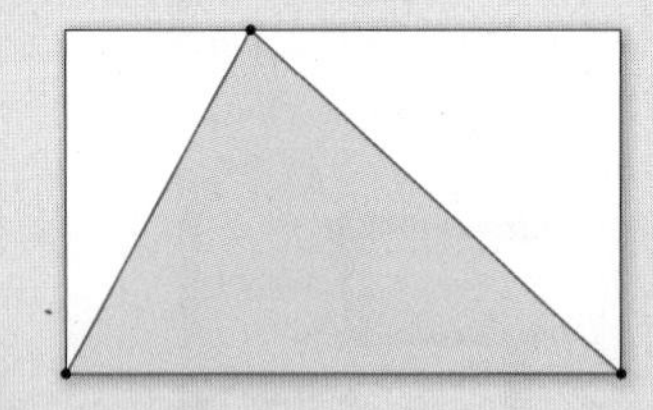

이 삼각형은 직사각형 전체 넓이의 얼마를 차지할까요?

옛 수학자가 이 문제를 푸느라
몇 날 며칠 밤, 땀을 뻘뻘 흘립니다.

그러다 문득!
삼각형의 위쪽 꼭짓점에서 수직으로 선을 하나 내리긋습니다.

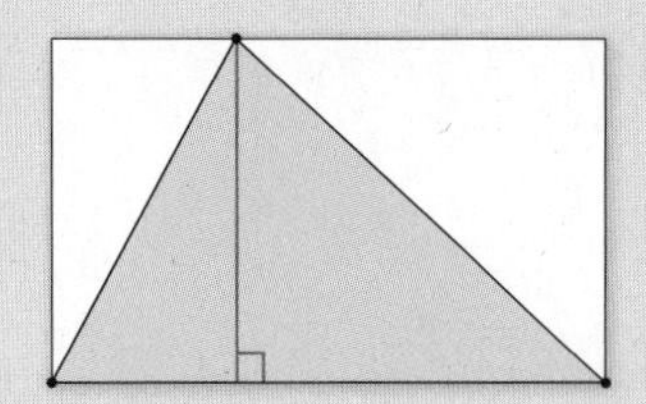

이제 모든 게 선명해집니다.
직사각형은 2개로 나뉘었고
각각의 직사각형은 삼각형의 두 변에 의해 반씩 나누어 집니다.

정답은 $\frac{1}{2}$

그러나 중요한 건 정답이 아닙니다.
문제를 해결하려 땀을 뻘뻘 흘리다, 뇌가 번쩍하며
선 하나를 내리긋는 순간!
스스로 수학적 개념을 발견하는 놀라움!

삼각형, 직사각형의 넓이 구하는 공식을 달달 외워
기계적으로 문제를 푸는 것이 아닌

진짜 수학적 사고력이란 이런 것입니다.
문제에 부딪혔을 때, 문제를 해결하는 과정 속에서
스스로 수학적 개념을 발견하고 해결하는 즐거움.
이러한 즐거운 체험의 연속이 수학적 사고력의 본질입니다.

선 하나를 내리긋는 놀라운 생각.
디딤돌 최상위 사고력입니다.

수학적 개념을 발견하고 해결하는 즐거운 여행

정답을 구하는 것이 목적이 아니라
생각하는 과정 자체가 목적이 되는 문제들로 구성하였습니다.

4-2. 모양을 겹쳐서 도형 만들기

낯설지만 손이 가는 문제

어려워 보이지만 풀 수 있을 것 같은,
도전하고 싶은 마음이 생깁니다.

1 겹쳐진 부분을 찾아 색칠하고 색칠한 도형의 개수를 각각 쓰시오.

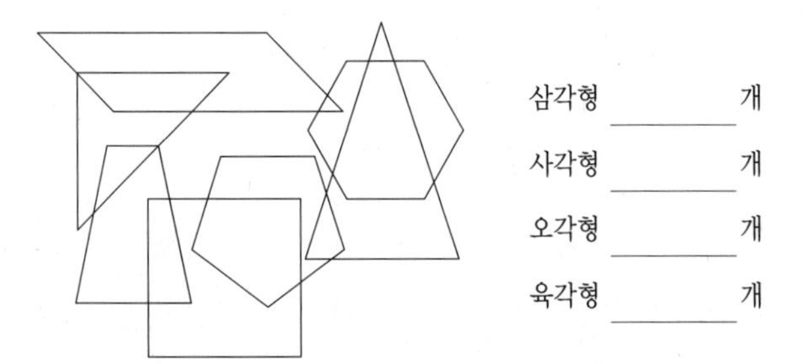

2 크기와 모양이 같은 삼각형 2개를 겹쳤을 때 겹쳐진 부분의 모양이 오각형과 육각형이 되도록 그리시오.

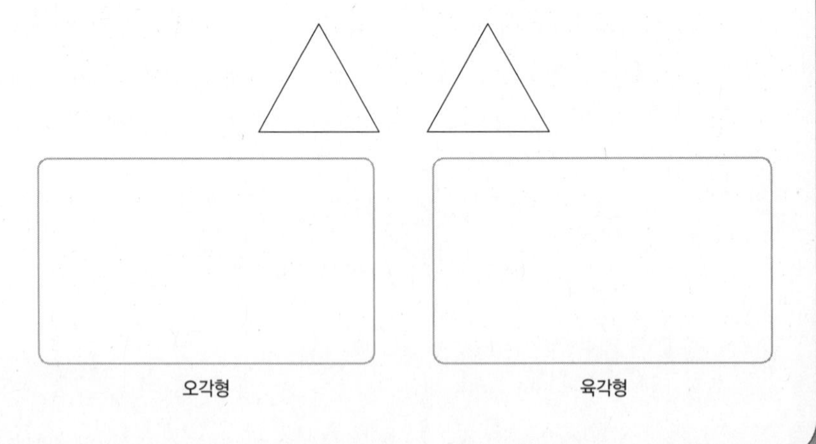

땀이 뻘뻘

첫 번째 문제와 비슷해 보이지만 막상 풀려면
수학적 개념을 세우느라 머리에 땀이 납니다.

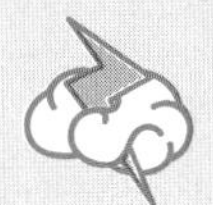

뇌가 번쩍

앞의 문제를 자신만의 방법으로 풀면서 뒤죽박죽 생각했던 것들이
명쾌한 수학개념으로 정리됩니다. 이제 똑똑해지는 기분이 듭니다.

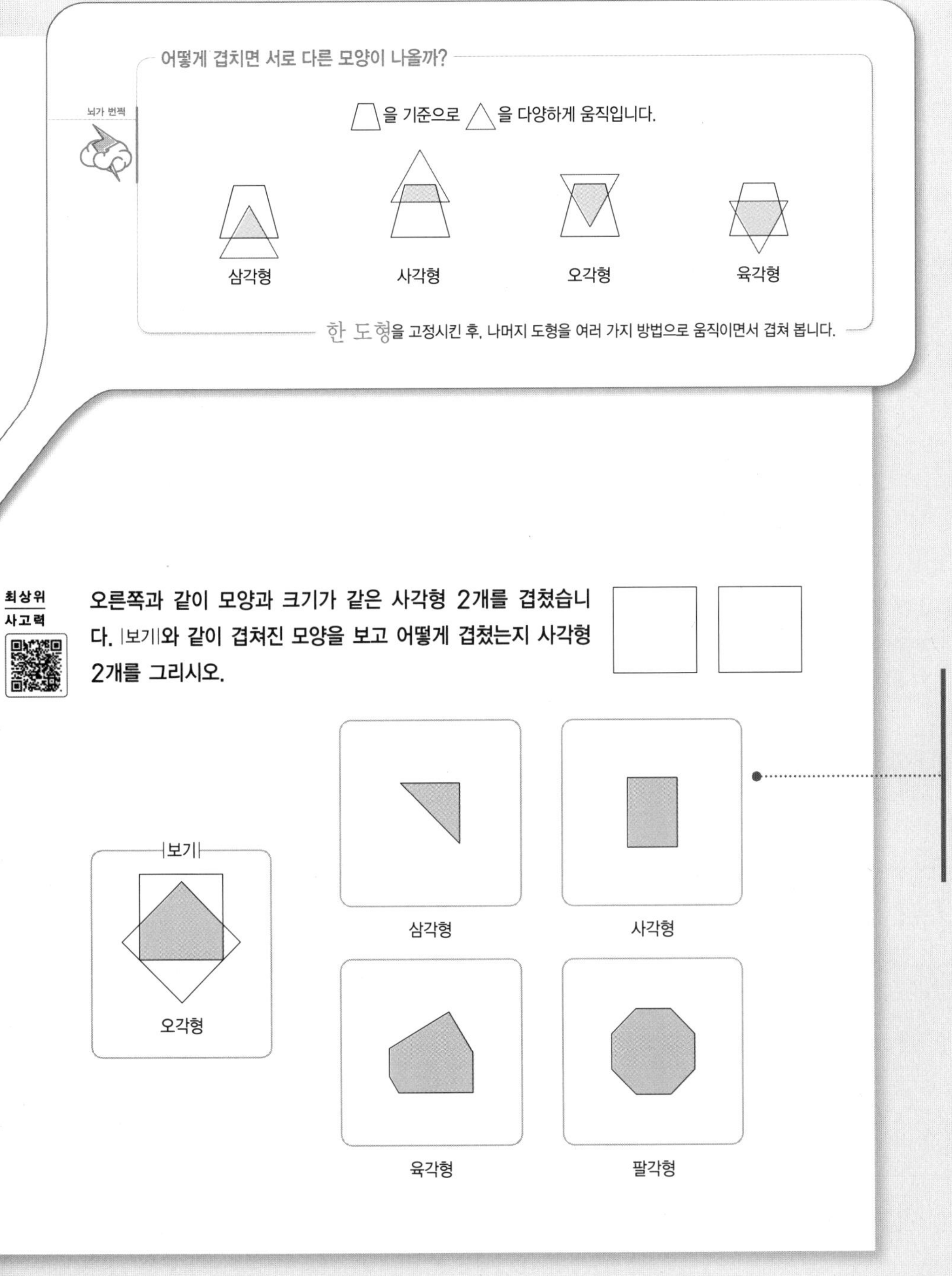

최상위 사고력 문제

뇌가 번쩍을 통해 알게된 개념을
다양한 관점에서
이해하고 해석해 봄으로써
한 단계 더 깊게 생각하는
힘을 기릅니다.

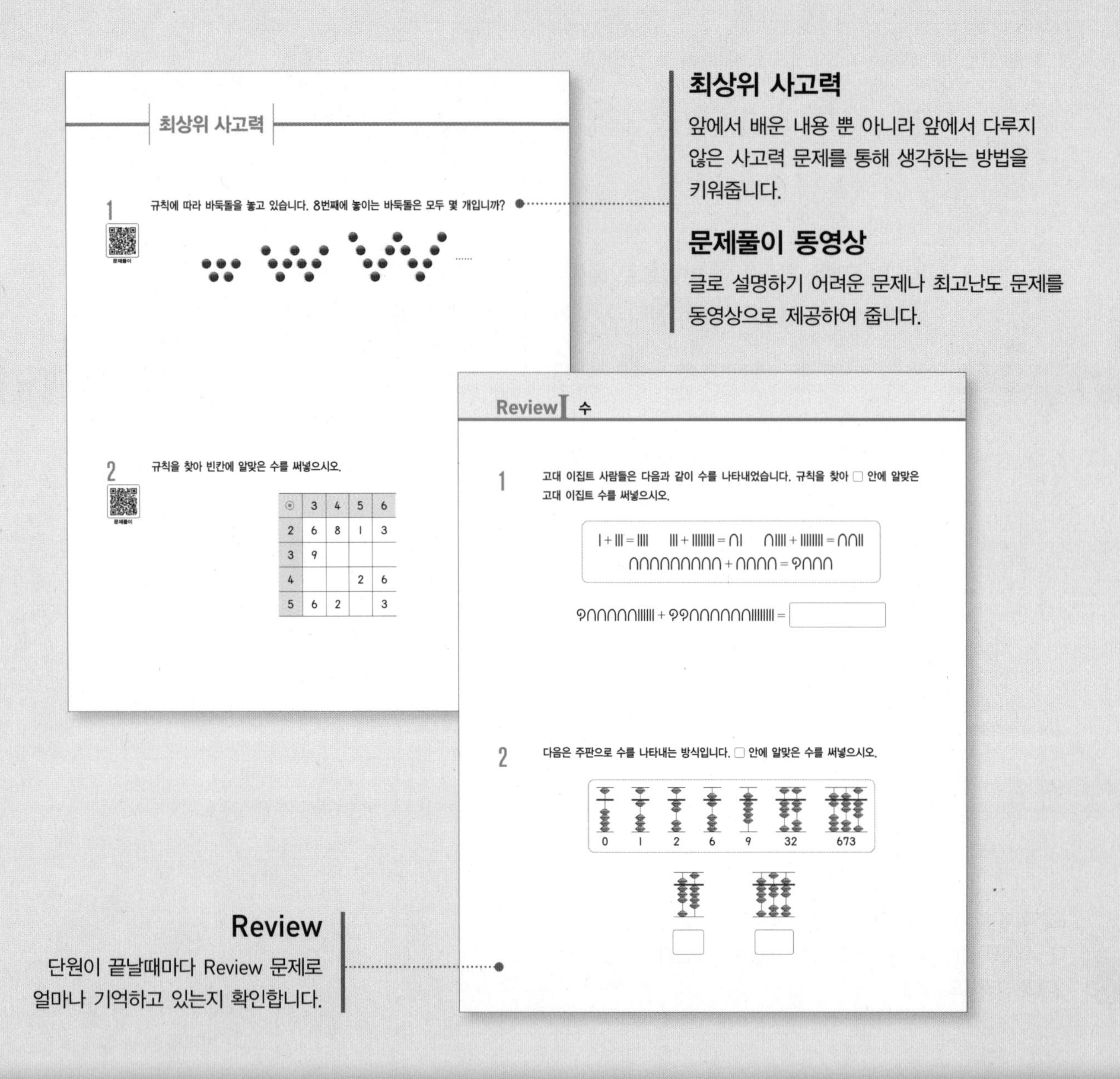

최상위 사고력

앞에서 배운 내용 뿐 아니라 앞에서 다루지 않은 사고력 문제를 통해 생각하는 방법을 키워줍니다.

문제풀이 동영상

글로 설명하기 어려운 문제나 최고난도 문제를 동영상으로 제공하여 줍니다.

Review

단원이 끝날때마다 Review 문제로 얼마나 기억하고 있는지 확인합니다.

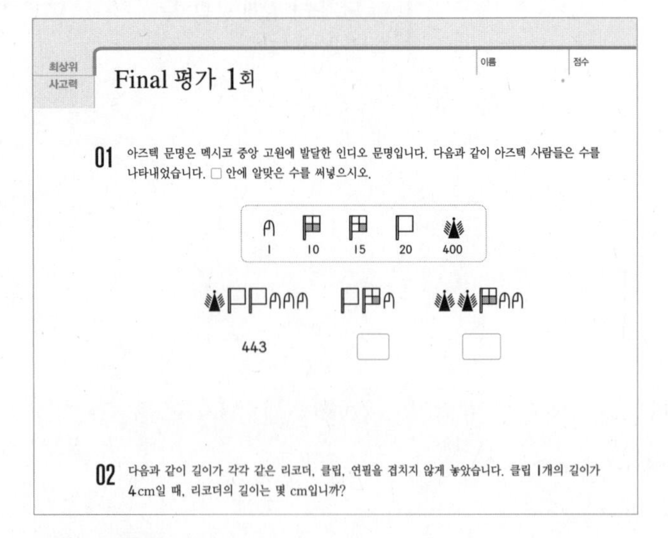

Final 평가

이 책에서 다룬 사고력 문제를 시험지 형식으로 풀어보며 실전 감각을 키웁니다.

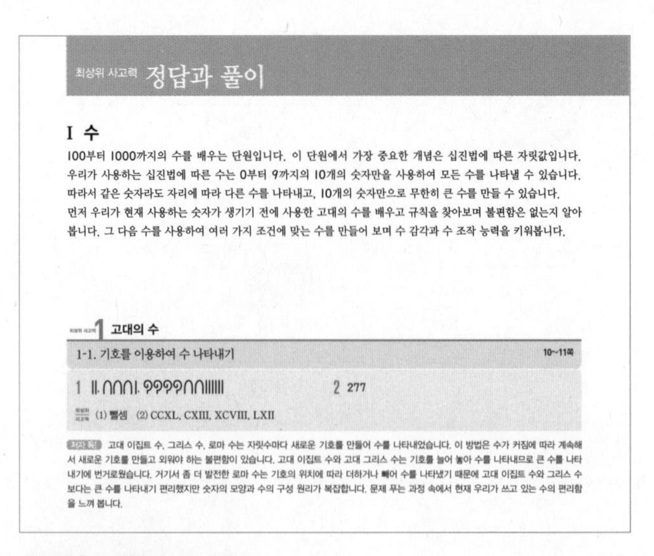

친절한 정답과 풀이

단원 배경 설명, 저자 톡!을 통해 문제를 선정하고 배치한 이유를 알려줍니다. 문제마다 좀 더 보기 쉽고, 이해하기 쉽게 설명하려고 하였습니다.

contents

Ⅰ 연산

Ⅱ 입체도형

Ⅲ 규칙

Ⅳ 측정

Ⅴ 확률과 통계

연산

I

1-1. 간단히 계산하기

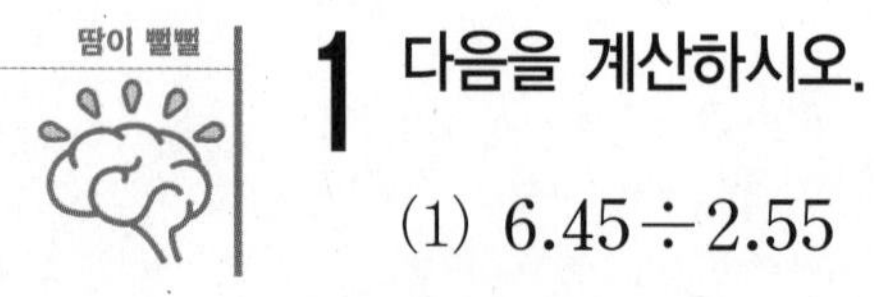

1 다음을 계산하시오.

(1) $6.45 \div 2.55$

(2) $(4.69 \times 2.32 + 53.1 \times 0.232) \div 2.32$

(3) $\frac{3}{4} \times 2.84 \div 3\frac{3}{5} \div \left(1\frac{1}{2} \times 1.42\right) \times 1\frac{4}{5}$

(4) $\left(9999 \times \frac{1}{6} + 3333 \times \frac{1}{2} - 6666 \times \frac{1}{9}\right) \div \frac{7}{9} - 3300$

(5) $1993 \div 1993\frac{1993}{1995}$

(6) $99999.9 \div 5 + 9999.9 \div 5 + 999.9 \div 5 + 99.9 \div 5 + 9.9 \div 5$

뇌가 번쩍

복잡한 식을 간단히 계산하는 방법은?

① 공통인 수로 묶기

$$999\times\frac{1}{6}+333\times\frac{1}{2}+333\times3\times\frac{1}{6}+333\times\frac{1}{2}=333\times\left(\frac{1}{2}+\frac{1}{2}\right)$$

② 나눗셈을 곱셈으로 나타낸 뒤 한 번에 약분하기

$$\frac{4}{27}\div\frac{8}{9}\times\frac{3}{4}=\frac{\overset{1}{\cancel{4}}}{\underset{\underset{1}{\cancel{3}}}{\cancel{27}}}\times\frac{\overset{1}{\cancel{9}}}{\underset{2}{\cancel{8}}}\times\frac{\overset{1}{\cancel{3}}}{4}=\frac{1}{8}$$

③ 수를 분해하기

$$999.9\div2+99.9\div2=(999.9+99.9)\div2$$
$$=(999.9+0.1-0.1+99.9+0.1-0.1)\div2$$
$$=(1000+100-0.1\times2)\div2$$
$$=(1100-0.2)\div2$$

최상위 사고력

다음을 계산하시오.

(1) $51\frac{2}{3}\div\frac{5}{3}+71\frac{3}{4}\div\frac{7}{4}+91\frac{4}{5}\div\frac{9}{5}$

(2) $\left(\left(\frac{49}{12}-\frac{63}{20}+\frac{77}{30}-\frac{91}{42}+\frac{105}{56}\right)-3\frac{1}{6}\right)\div\frac{1}{24}$

정답과 풀이 10쪽 ►

1-2. 번분수

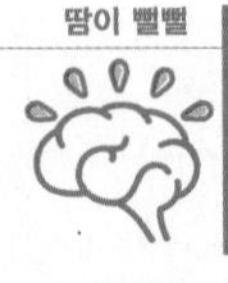

1 분수의 분모와 분자 중에서 적어도 하나가 분수인 복잡한 분수를 번분수라고 합니다. 번분수를 간단히 나타내시오.

(1) $\dfrac{1}{\dfrac{2}{7}}$

(2) $\dfrac{8}{\dfrac{4}{3}}$

(3) $\dfrac{\dfrac{10}{3}}{\dfrac{2}{9}}$

(4) $1+\dfrac{1}{1+\dfrac{1}{2}}$

번분수의 계산 방법은?

$\dfrac{\dfrac{㉣}{㉢}}{\dfrac{㉡}{㉠}}=\dfrac{㉣}{㉢}\div\dfrac{㉡}{㉠}=\dfrac{㉣}{㉢}\times\dfrac{㉠}{㉡}=\dfrac{㉣\times㉠}{㉢\times㉡}$

예 $1+\dfrac{3}{2-\dfrac{1}{2}}=1+\dfrac{3}{\dfrac{3}{2}}=1+\dfrac{\dfrac{3}{1}}{\dfrac{3}{2}}=1+\dfrac{\overset{1}{\cancel{3}}\times2}{1\times\underset{1}{\cancel{3}}}=1+2=3$

최상위 사고력 A

분수식을 계산하여 간단히 나타내시오.

$$\frac{3-\cfrac{1}{1+\cfrac{1}{2}}}{\cfrac{1}{2-\cfrac{1}{2}}+\cfrac{1}{1-\cfrac{1}{3}}}$$

최상위 사고력 B

●, ▲, ■에 알맞은 자연수를 구하시오.

$$3+\cfrac{1}{●+\cfrac{1}{▲+\cfrac{1}{■}}}=3\frac{11}{13}$$

정답과 풀이 13쪽 ►

1-3. 규칙과 약속

1 ▲와 ♣를 다음과 같이 약속할 때 다음을 계산하시오.

가▲나=(가÷나)+(나×가)	가♣나=(가+나)÷가×나

(1) $0.6▲1\frac{1}{2}$

(2) $2\frac{2}{5}♣1.2$

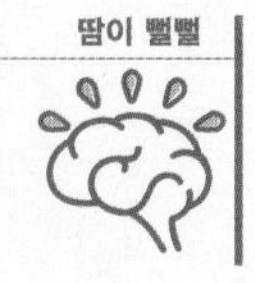

2 ◎가 나타내는 규칙을 찾아 □ 안에 알맞은 수를 구하시오.

2◎3=8	1◎4=5	3◎2=9
4◎3=16	6◎2=18	5◎6=35

(7◎□)◎2=28

새로운 연산 기호의 규칙은 어떻게 찾을까?

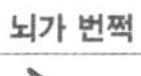

'가◉나＝다'에서 ◉의 규칙 찾기

① ◉에 ＋, －, ×, ÷를 넣어 식이 성립하는지 알아보기
② ①에서 구한 값에 일정한 수를 더하거나 빼거나 곱하거나 나누어 알아보기
③ '가'와 '나' 중 한 수의 몇 배에 다른 수를 더하거나 빼서 알아보기

최상위 사고력

▲와 ★이 나타내는 규칙을 찾아 다음을 계산하시오.

3▲2 = 5	1★2 = 5
1▲5 = 24	3★2 = 13
5▲3 = 16	4★5 = 41
7▲9 = 32	3★4 = 25

((0.6▲0.5)＋(0.4★0.8))÷((1.2★1.6)－(0.65▲1.35))

정답과 풀이 14쪽 ►

최상위 사고력

1 ※을 다음과 같이 약속할 때 □ 안에 알맞은 수를 구하시오.

㉠이 ㉡보다 크거나 같을 때 ➡ ㉠※㉡=㉠×3+㉡×2
㉠이 ㉡보다 작을 때 ➡ ㉠※㉡=㉠×2+㉡×3

□※2=7

| 경시대회 기출 |

2 □ 안에 1보다 작은 소수 한 자리 수를 넣어 다음 식의 계산 결과가 소수 한 자리 수가 되도록 하려고 합니다. □ 안에 알맞은 수를 모두 구하시오.

문제풀이

$$2\frac{1}{4}\times 2+1\frac{2}{5}\div\square$$

3

소수 0.2422를 번분수로 나타내려고 합니다. □ 안에 알맞은 수를 써넣으시오.

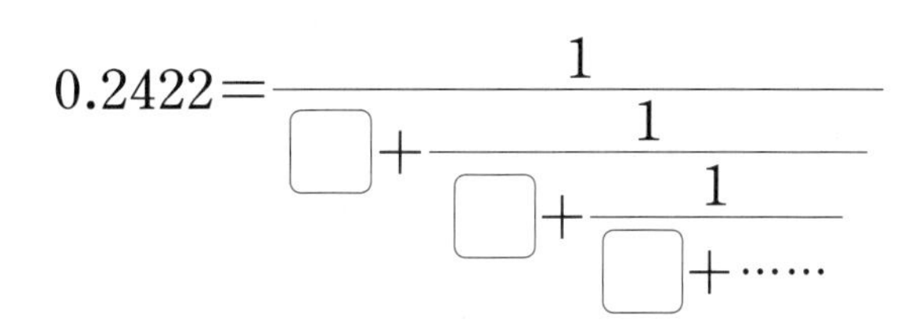

4

$\{㉠\}$은 ㉠의 소수 부분을 나타내고 $[㉠]$은 ㉠을 초과하지 않는 가장 큰 자연수를 나타냅니다. $f(㉠)=\dfrac{㉠+2}{2\times㉠+1}$라 할 때 다음 값을 구하시오.

$\{2.3\}=0.3,\quad \{4.52\}=0.52,\quad [1.3]=1,\quad [4.5]=4$

(1) $\left\{f\left(\dfrac{1}{3}\right)\right\}$

(2) $\left[f\left(\dfrac{3}{7}\right)\right]$

정답과 풀이 15쪽 ►

2-1. 숫자 없는 시계

1 숫자가 없는 시계입니다. 주어진 각도를 이용하여 시계가 가리키는 시각을 구하시오.

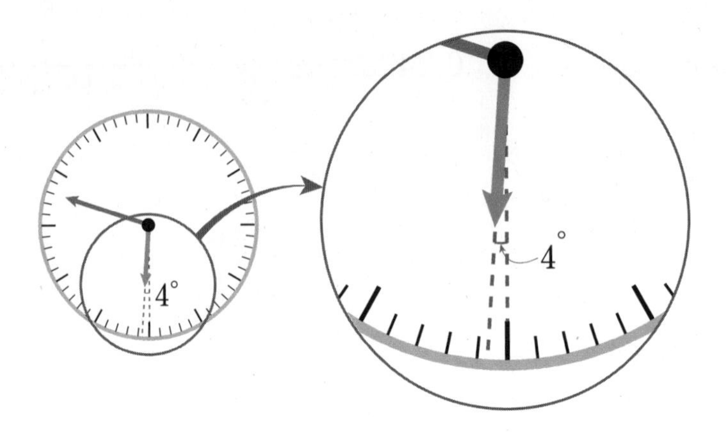

TIP

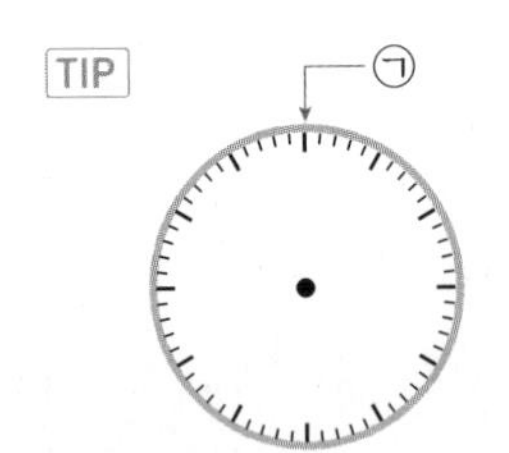

숫자가 쓰여 있지 않은 시계에서 ㉠ 위치의 숫자가 반드시 12인 것은 아닙니다.

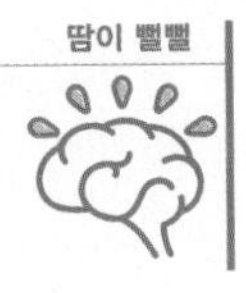

2 숫자가 없는 시계입니다. 시계의 시침과 분침이 이루는 작은 쪽의 각의 크기가 $125°$일 때 시계가 가리키는 시각은 몇 시 몇 분인지 구하시오.

숫자 없는 시계에서 시각을 알 수 있는 방법은?

시침은 60분에 30°를 움직이므로 1분에 0.5°를 움직입니다.

① 시침이 큰 눈금에서 움직인 각도를 보고 시침이 움직인 시간 구하기
2°를 움직였으므로 $2° \div \underline{0.5} = 4$(분) 지났습니다.
(0.5: 1분에 움직인 각도)

② 분침이 가리키는 곳이 4분이므로

③ 작은 눈금 4칸만큼 시계 반대 방향으로 움직여 12의 위치를 찾습니다.

➡ 시계가 가리키는 시각: 9시 4분

시침이 움직인 각도를 먼저 생각합니다.

최상위 사고력

분침만 있는 시계입니다. 시계가 가리키는 시각에 시계의 시침과 분침이 이루는 작은 쪽의 각의 크기가 110°일 때 시계가 가리키는 시각으로 가능한 시각을 모두 구하시오.

2-2. 일정한 각도일 때의 시각

1 시계가 가리키는 시각을 보고 시침과 분침이 이루는 작은 쪽의 각의 크기를 구하시오.

(1)

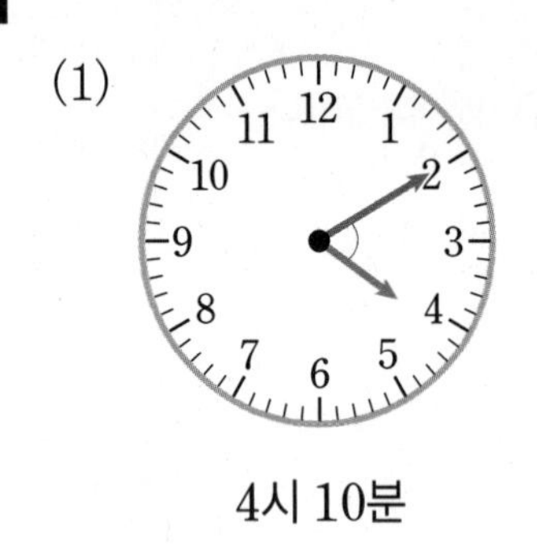

4시 10분

(2)

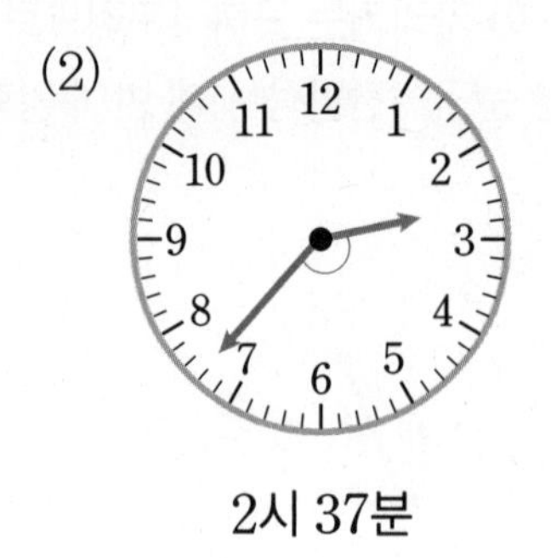

2시 37분

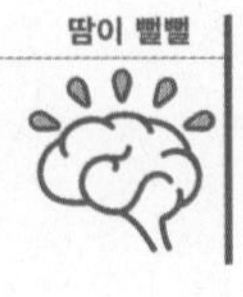

2 시계의 시침과 분침이 이루는 작은 쪽의 각의 크기는 $47°$입니다. 시계가 가리키는 시각을 구하시오.

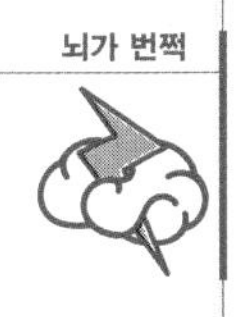

2시 ? 분

① 2시에서부터 분침이 시침보다 20°($60°-40°$)만큼 더 움직이면 됩니다.

② 분침은 시침보다 1분에 5.5°($6°-0.5°$) 더 움직입니다.

③ $20° \div 5.5° = 3\frac{7}{11}$이므로

왼쪽 시계가 가리키는 시각은 2시 $3\frac{7}{11}$분입니다.

분침이 시침보다 1분에 5.5° 더 움직이는 것을 이용합니다.

최상위 사고력

병호는 오후 4시에 놀이공원에 입장했습니다. 놀이공원에서 놀다가 시계의 시침과 분침이 이루는 작은 쪽의 각의 크기가 130°일 때 놀이공원에서 나왔습니다. 놀이공원에서 1시간 이상 놀지 않았다고 할 때 병호가 놀이공원에서 나온 시각을 구하시오.

2-3. 시침과 분침이 겹쳐지는 시각

땀이 뻘뻘

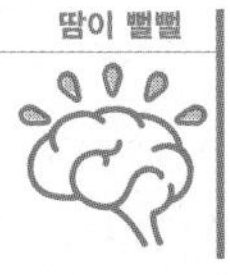

1 **다음과 같이 시계의 시침과 분침이 겹쳐질 때가 있습니다. 물음에 답하시오.**

(1) 밤 12시부터 낮 12시까지 시침과 분침이 겹쳐지는 때는 모두 몇 번인지 구하시오. (단, 밤 12시는 횟수에 포함하지 않습니다.)

(2) 하루 동안 시침과 분침이 겹쳐지는 때는 모두 몇 번인지 구하시오.

(3) 낮 12시에 시침과 분침이 겹쳐진 후 처음으로 시침과 분침이 다시 겹쳐지는 때는 몇 시 몇 분인지 구하시오.

시침과 분침이 겹쳐진 상태에서 처음으로 다시 겹쳐지는 데 걸리는 시간은?

뇌가 번쩍

- 시침과 분침은 밤 12시부터 낮 12시까지 11번 겹쳐집니다.
- 겹쳐지는 시간의 간격은 일정합니다.

➡ 시침과 분침이 겹쳐진 상태에서 처음으로 다시 겹쳐지는 데 걸리는 시간은

$12 \div 11 = \frac{12}{11} = 1\frac{1}{11}$(시간)

$720 \div 11 = 65\frac{5}{11}$(분) ➡ 1시간 $5\frac{5}{11}$분

$$\frac{\text{12시간(=720분)}}{\text{12시간(밤12시~낮12시) 동안 시침과 분침이 겹쳐지는 횟수}}$$

최상위 사고력 A

수지는 어제 오후에 고속버스를 타고 할머니 댁에 갔습니다. 집에서 출발한 시각과 할머니 댁에 도착한 시각에 시계의 시침과 분침이 다음과 같이 모두 겹쳐졌습니다. 수지가 할머니 댁에 가는 데 걸린 시간은 몇 시간 몇 분인지 구하시오. (단, 수지네 집에서 할머니 댁까지 가는 데 걸린 시간은 3시간이 넘지 않습니다.)

최상위 사고력 B

오후 9시부터 오후 10시 사이에 시계의 시침과 분침이 일직선을 이루는 시각을 구하시오.

TIP 오전 6시부터 오후 6시까지 12시간 동안 시침과 분침이 일직선을 이루는 횟수는 모두 몇 번인지 알아봅니다.

최상위 사고력

| 경시대회 기출 |

1 시계의 시침과 분침이 직각을 이룬 후 처음으로 시침과 분침이 다시 직각을 이루는 때까지 걸리는 시간은 몇 분인지 구하시오.

문제풀이

2 2시에 시계의 시침과 분침이 이루는 각도와 2시 이후에 처음으로 같은 각도가 나오는 시각은 몇 시 몇 분인지 구하시오.

3 다음과 같이 시계의 중심에서 숫자 6이 가리키는 눈금까지 선분을 그었습니다. 4시와 5시 사이에 시침과 선분 ㅇㄱ이 이루는 각의 크기와 분침과 선분 ㅇㄱ이 이루는 각의 크기가 같을 때의 시각을 구하시오.

TIP

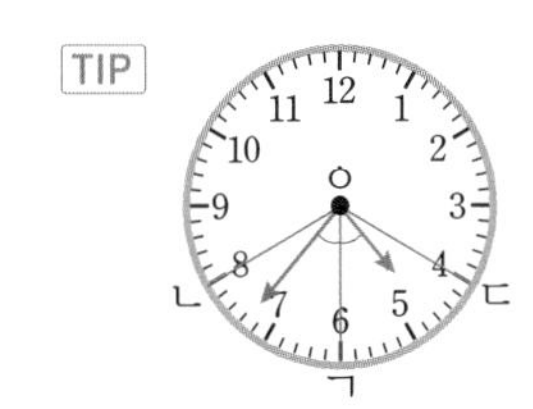

(각 ㄴㅇㄱ)=(각 ㄷㅇㄱ)이므로 선분 ㅇㄷ과 시침이 이루는 각도는 선분 ㅇㄴ과 분침이 이루는 각도와 같습니다.

4 정오각형 모양의 시계에서 시침과 분침이 이루는 작은 쪽의 각의 크기가 $144°$입니다. 시계가 가리키는 시각을 구하시오.

문제풀이

정답과 풀이 21쪽 ►

1 다음을 계산하시오.

$$\frac{1+\frac{1}{3}+\frac{1}{5}+\frac{1}{10}+\frac{1}{15}+\frac{1}{30}}{\frac{1}{2}+\frac{1}{4}+\frac{1}{6}+\frac{1}{12}+\frac{1}{20}+\frac{1}{60}}$$

2 ♥를 다음과 같이 약속할 때 □ 안에 알맞은 수를 구하시오.

$$가♥나=\frac{가+나}{가\div 나}$$

$$□♥(5♥1)=6$$

3

미영이가 학교가 끝난 후 피아노 학원에서 피아노 연습을 시작한 시각을 나타낸 시계입니다. 피아노 연습을 끝내고 시계를 보니 오후 8시와 오후 9시 사이에 시계의 시침과 분침이 일직선을 이루고 있는 시각이었습니다. 미영이가 피아노 연습을 한 시간은 몇 시간 몇 분인지 구하시오.

4

시계의 시침과 분침이 이루는 작은 쪽의 각의 크기가 $100°$일 때 시계가 가리키는 시각을 구하시오.

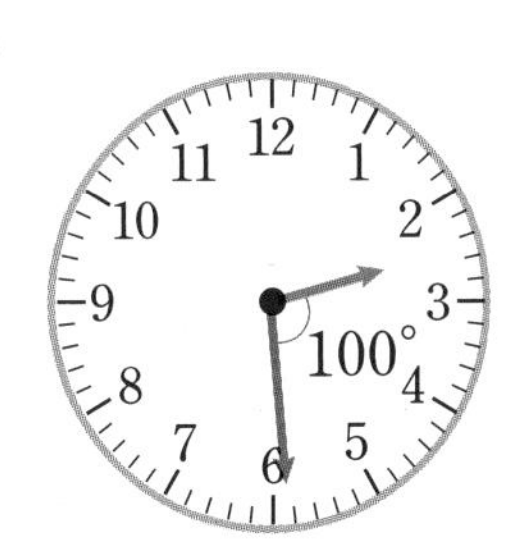

5 $<3>=4$, $<4.2>=5$와 같이 $<$㉠$>$은 ㉠보다 큰 자연수 중에서 가장 작은 수를 나타냅니다. 다음을 계산하시오.

$$<13.7\div 0.5>+<\frac{7}{4}\div\frac{7}{9}>\times 2+<6\frac{1}{2}+\frac{2}{5}\div 4>\div 2$$

6 숫자가 쓰여 있지 않은 시계입니다. 시계의 시침과 분침이 이루는 작은 쪽의 각의 크기가 $160°$일 때 시계가 가리키는 시각은 몇 시 몇 분인지 구하시오.

정답과 풀이 22쪽 ►

입체도형

3-1. 각기둥과 각뿔의 꼭짓점, 면, 모서리의 수

1 길이가 같은 성냥개비 6개를 겹치지 않게 모두 이어 붙여 주어진 도형을 만들고 빈 곳에 그림으로 나타내시오.

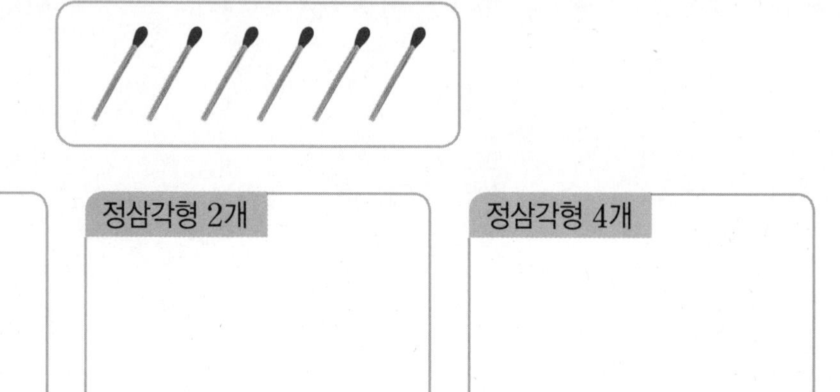

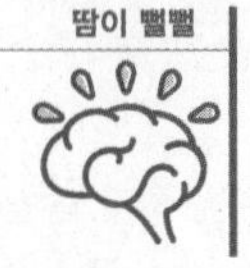

2 설명하는 입체도형의 이름을 쓰시오.

(1)
- 꼭짓점이 5개, 모서리가 8개, 면이 5개입니다.
- 밑면의 모양은 사각형입니다.

(2)
- 두 밑면은 서로 합동입니다.
- 꼭짓점의 수가 옆면의 수의 2배입니다.
- 모서리의 수는 면의 수의 2배보다 1이 더 큽니다.

■각뿔, ■각기둥, ■각뿔대의 꼭짓점, 면, 모서리의 수는?

뇌가 번쩍

	꼭짓점의 수	면의 수	모서리의 수
■각뿔	■$+1$	■$+1$	■$\times 2$
■각기둥	■$\times 2$	■$+2$	■$\times 3$
■각뿔대	■$\times 2$	■$+2$	■$\times 3$

최상위 사고력 A

밑면이 다각형이고, 옆면의 모양이 모두 삼각형인 입체도형의 꼭짓점의 수와 모서리의 수를 더하였더니 28이 되었습니다. 이 입체도형의 이름을 쓰시오.

최상위 사고력 B

어떤 각뿔을 밑면과 평행하게 잘랐습니다. 각뿔 부분이 아닌 나머지 입체도형의 모서리의 수와 면의 수를 더하였더니 46이 되었습니다. 자르기 전의 각뿔의 이름을 쓰시오.

정답과 풀이 25쪽 ►

3-2. 오일러의 공식

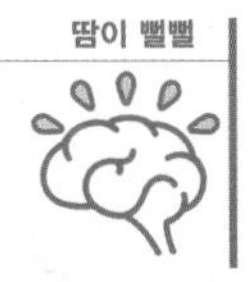

1 도형을 보고 물음에 답하시오.

(1) 빈칸에 알맞은 수를 써넣으시오.

도형	삼각뿔	사각뿔	삼각기둥	사각기둥
꼭짓점의 수(v)	4			
면의 수(f)	4			
모서리의 수(e)				
v+f−e				

(2) (1)에서 발견할 수 있는 규칙을 찾아 설명하시오.

(3) (2)에서 발견한 규칙이 오각뿔, 오각기둥에서도 그대로 적용되는지 설명하시오.

뇌가 번쩍

오일러의 공식 ➡ 꼭짓점의 수 v + 면의 수 f − 모서리의 수 e = 2

	꼭짓점의 수 v	면의 수 f	모서리의 수 e
삼각뿔	4	4	6
사각뿔	5	5	8
오각뿔	6	6	10
삼각기둥	6	5	9
사각기둥	8	6	12
오각기둥	10	7	15

$v + f - e = 2$

오일러의 공식을 이용합니다.

최상위 사고력 A

(꼭짓점의 수)+(면의 수)−(모서리의 수)를 구하시오.

(1)

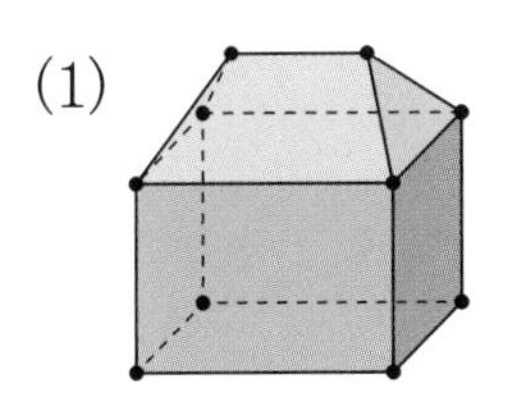

(2)

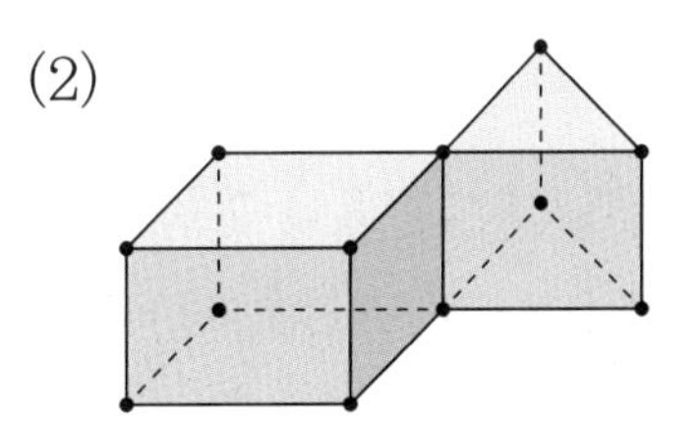

최상위 사고력 B

설명하는 입체도형의 면은 몇 개인지 구하시오.

- 다면체입니다.
- 모서리가 24개입니다.
- 꼭짓점이 16개입니다.

TIP 다면체: 다각형의 면으로 둘러싸인 입체도형

정답과 풀이 27쪽 ►

3-3. 각기둥과 각뿔의 전개도

1 각뿔 또는 각기둥의 전개도의 일부분입니다. 각뿔과 각기둥의 전개도를 각각 완성하시오.
(단, 접는 선을 점선으로 나타내지 않아도 됩니다.)

(1)

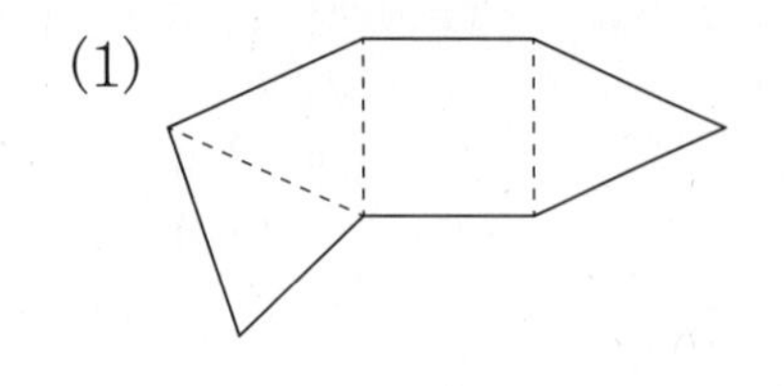

(2)

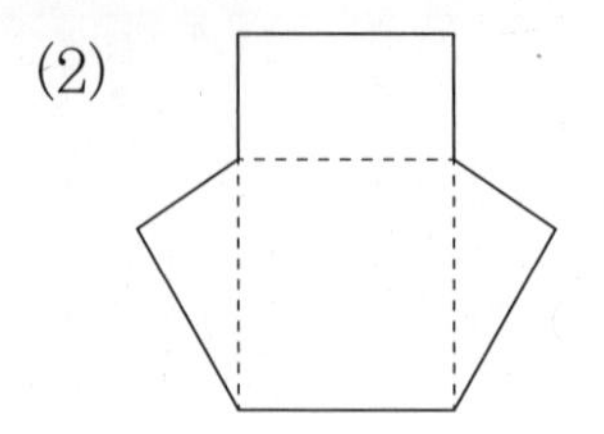

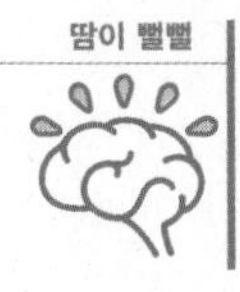

2 왼쪽과 같이 정육면체의 면에 3개의 선을 그었습니다. 이 정육면체의 전개도가 오른쪽과 같을 때 정육면체에 그은 선을 전개도에 선분으로 나타내시오.

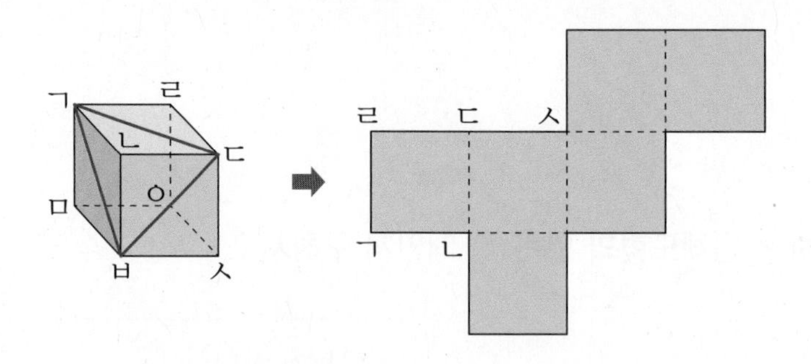

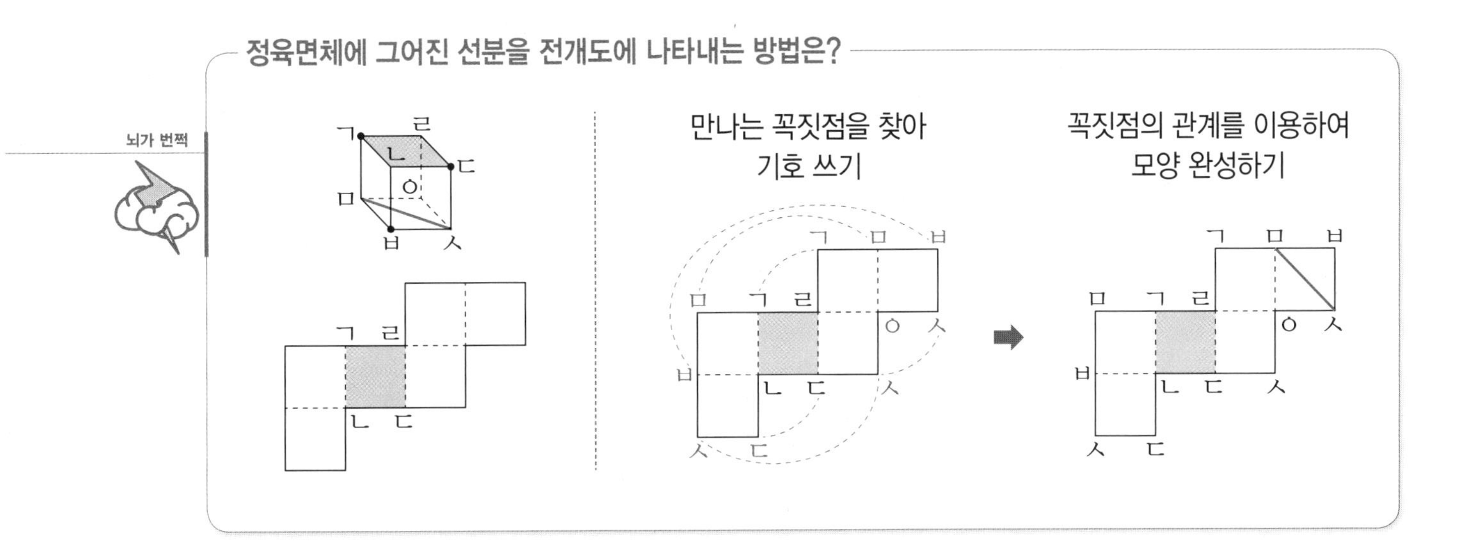

최상위 사고력

네 면이 모두 정삼각형인 삼각뿔 모양의 통이 있습니다. 이 통에 물을 넣고 오른쪽과 같이 기울일 때 물이 닿는 부분을 전개도에 색칠하여 나타내시오. (단, 빨간색 점은 각 모서리의 한가운데 점입니다.)

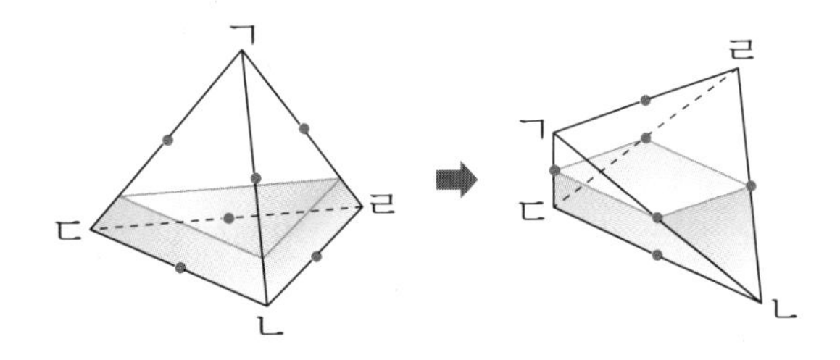

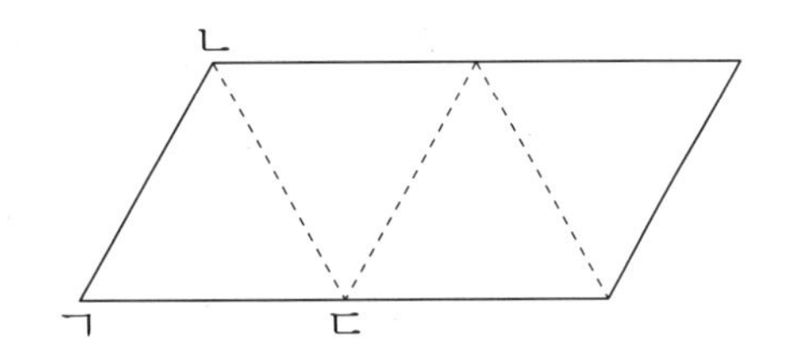

최상위 사고력

1 설명하는 입체도형의 꼭짓점은 모두 몇 개인지 구하시오.

- 다면체입니다.
- 면의 수는 꼭짓점의 수보다 5 작습니다.
- 모서리의 수는 꼭짓점의 수보다 7 큽니다.
- 옆면은 모두 직사각형입니다.

2 오른쪽 입체도형은 왼쪽 삼각기둥을 한 꼭짓점에서 만나는 세 모서리를 3등분한 점을 지나도록 삼각뿔 모양만큼 잘라내고 남은 입체도형입니다. 이와 같은 방법으로 왼쪽 삼각기둥의 6개의 꼭짓점에서 삼각뿔 모양만큼 모두 잘라내면 잘라내고 남은 입체도형의 꼭짓점, 면, 모서리는 각각 몇 개인지 차례로 쓰시오.

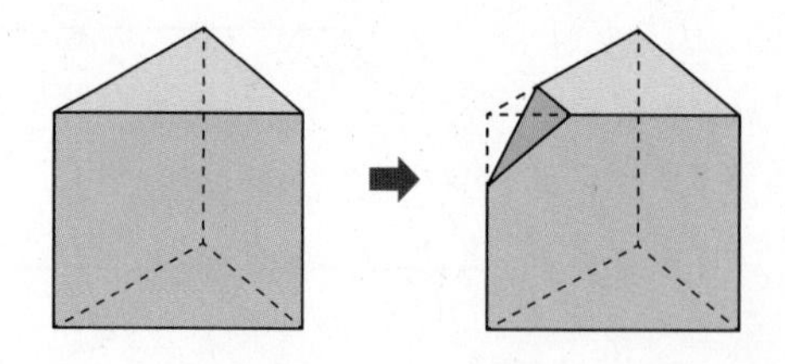

| 경시대회 기출 |

3 정삼각뿔의 각 면에 다음과 같은 규칙으로 점을 찍으려고 합니다. 일곱 번째 정삼각뿔에 찍히는 점은 모두 몇 개인지 구하시오.

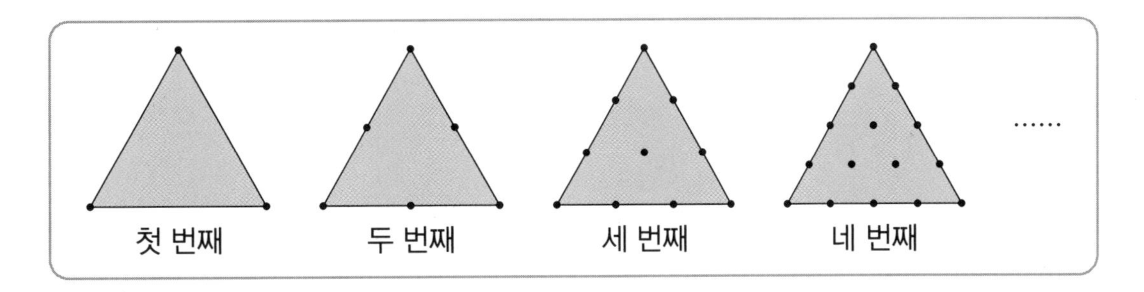

TIP 정삼각뿔: 각 면이 모두 합동인 정삼각형으로 이루어진 다면체

4 다음과 같이 정육면체를 모서리 ㄱㄹ, 모서리 ㄹㄷ, 모서리 ㄷㅅ, 모서리 ㅅㅂ, 모서리 ㅂㅁ, 모서리 ㅁㄱ을 지나는 평면으로 잘랐더니 잘린 면이 정육각형 모양이 되었습니다. 정육면체를 자른 선을 전개도에 선분으로 나타내시오. (단, 빨간색 점은 각 모서리의 한가운데 점입니다.)

문제풀이

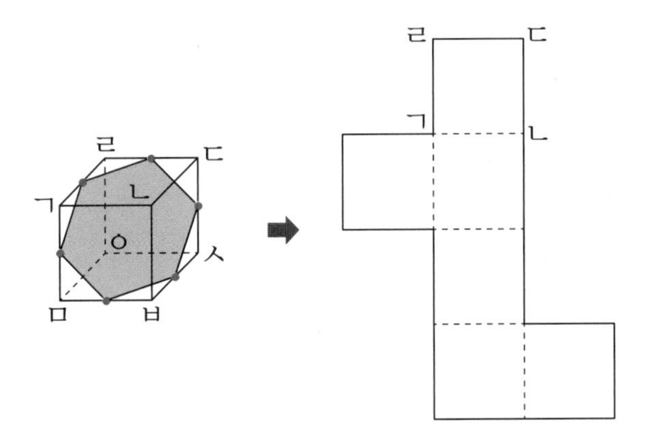

4-1. 잘라야 하는 모서리의 수

1 입체도형의 전개도입니다. 이 전개도를 접었을 때 만들어지는 입체도형의 모서리는 몇 개인지 구하시오.

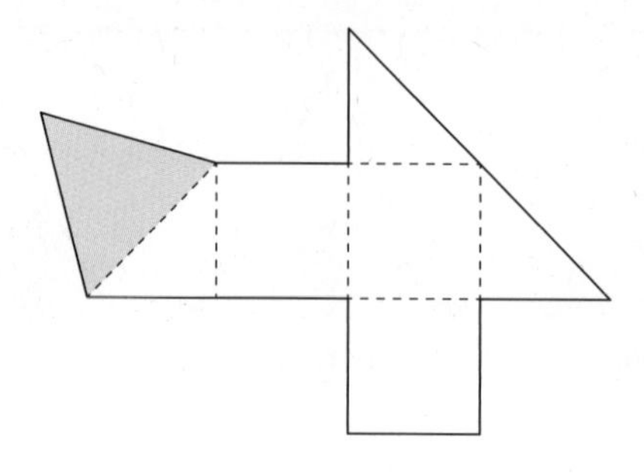

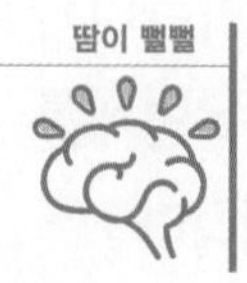

땅이 뻴뻴

2 입체도형의 모서리를 잘라서 펼친 전개도입니다. 이 전개도를 만들 때 자른 모서리는 몇 개인지 구하시오.

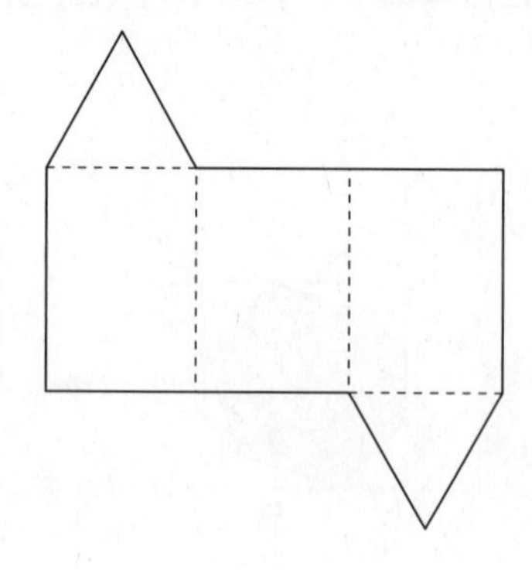

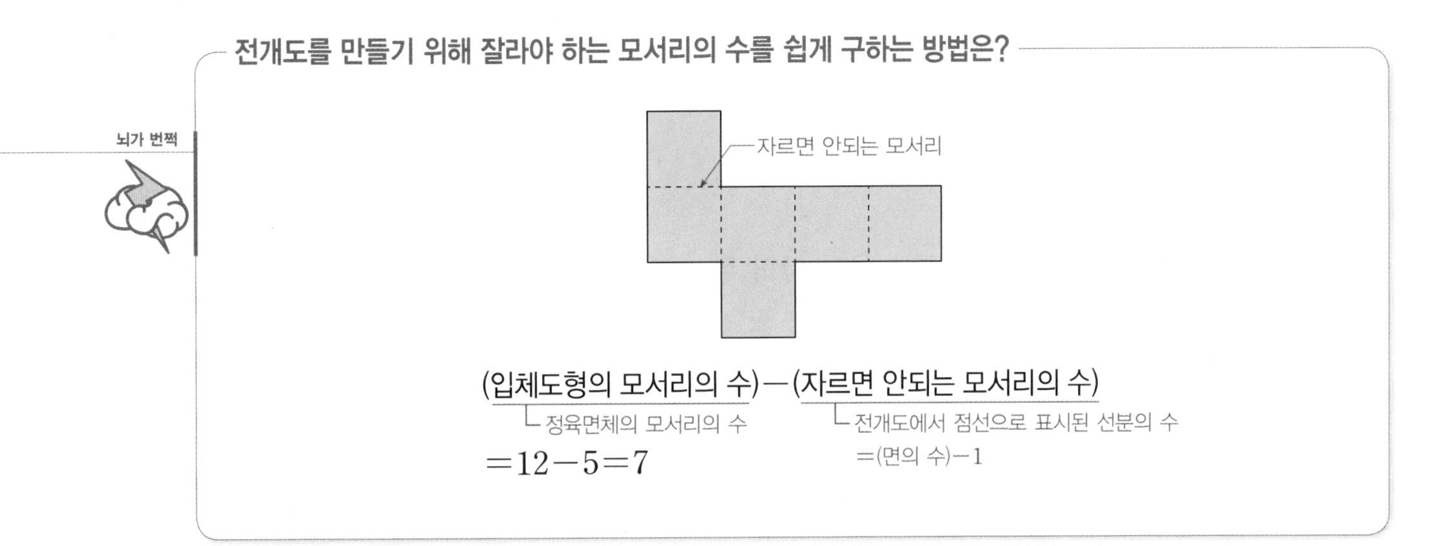

최상위 사고력

정십이면체와 정십이면체의 전개도입니다. 전개도를 만들기 위해 잘라야 하는 모서리는 모두 몇 개인지 구하시오.

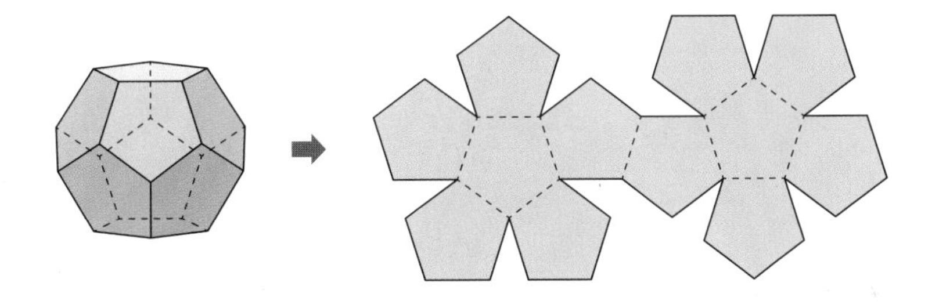

TIP 정십이면체는 서로 합동인 정오각형 12개로 둘러싸인 입체도형입니다.

4-2. 가장 짧은 끈의 길이

1 직육면체 모양의 상자를 다음과 같이 두 가지 방법으로 끈으로 묶으려고 합니다. 끈을 가장 짧게 사용하여 상자를 묶는다면 필요한 끈의 길이는 각각 몇 cm인지 구하시오. (단, 매듭의 길이는 생각하지 않습니다.)

> **방법 1** 점 ㉠에서 시작하여 모서리 ㄱㄴ, 모서리 ㅁㅂ, 모서리 ㅇㅅ을 지나 다시 점 ㉠으로 오도록 묶기
>
> **방법 2** 점 ㉡에서 시작하여 모서리 ㄴㅂ, 모서리 ㄷㅅ, 모서리 ㄹㅇ을 지나 다시 점 ㉡으로 오도록 묶기

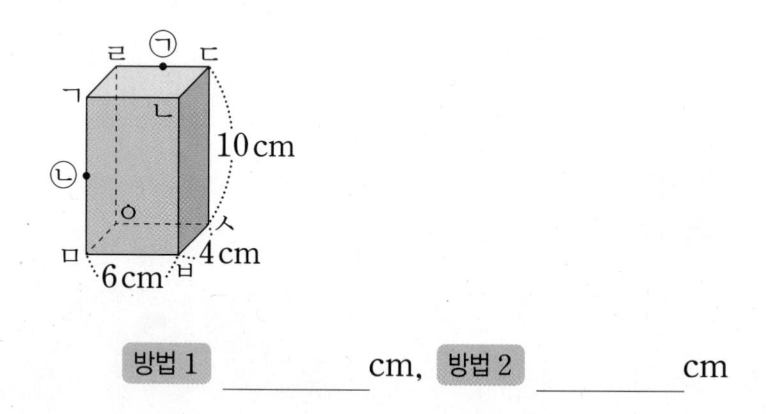

방법 1 ________ cm, 방법 2 ________ cm

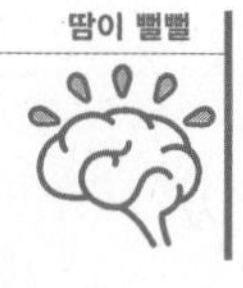

2 다음과 같이 삼각기둥의 점 ㄴ에서 점 ㅁ까지 가장 짧은 선으로 연결하였습니다. 연결한 선이 점 ㅅ과 점 ㅇ을 지난다고 할 때 선분 ㄷㅅ의 길이는 몇 cm인지 구하시오.

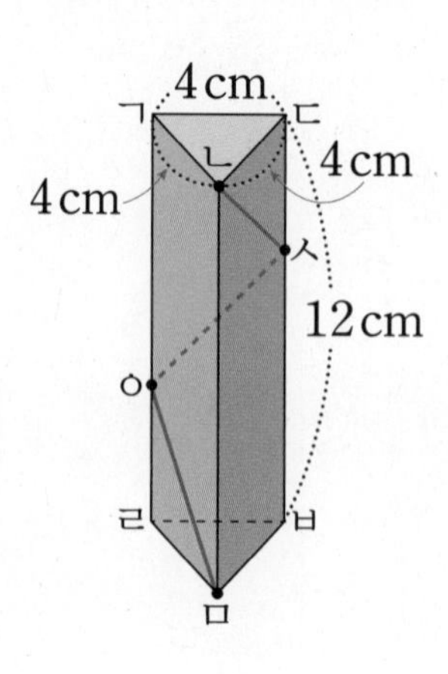

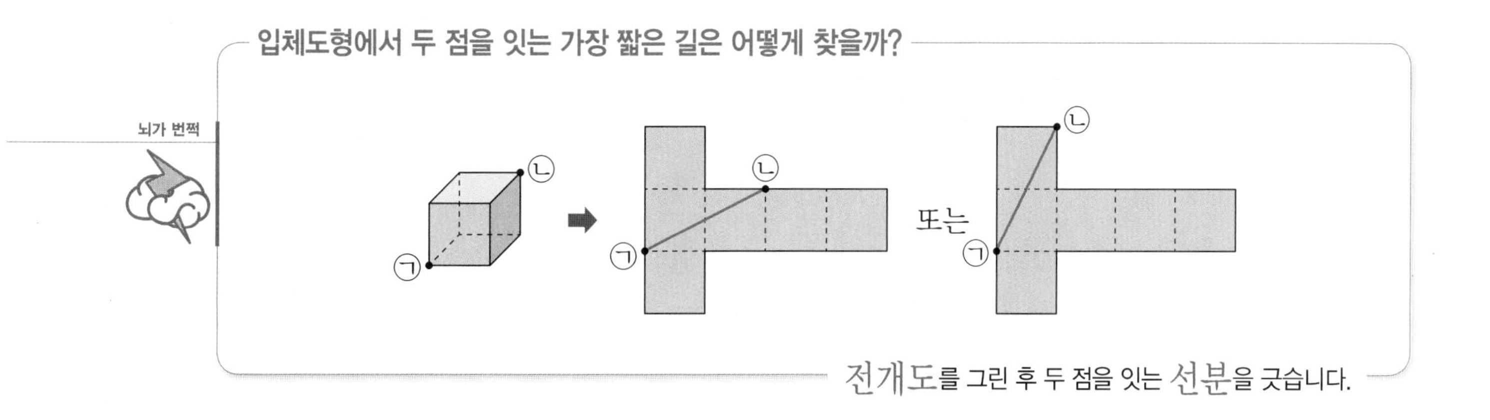

최상위 사고력

한 모서리의 길이가 24 cm인 입체도형입니다. 점 ㉠에서 시작하여 입체도형의 모든 면을 한 번씩 지난 후 다시 점 ㉠으로 돌아오도록 선을 그으려고 합니다. 그은 선의 길이가 가장 짧을 때의 길이를 구하시오. (단, 점 ㉠은 모서리 ㄷㄹ의 한가운데 점입니다.)

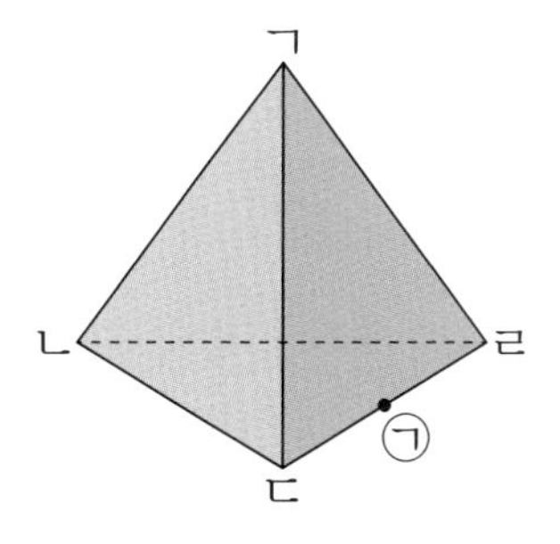

4-3. 각기둥과 각뿔의 전개도의 가짓수

1 밑면이 직각삼각형인 삼각기둥의 전개도의 일부분입니다. 여러 가지 방법으로 빠진 부분을 더 그려 넣어 전개도를 완성하시오. (단, 접는 선을 점선으로 나타내지 않아도 되고, 뒤집어서 같은 모양은 한 가지로 생각합니다.)

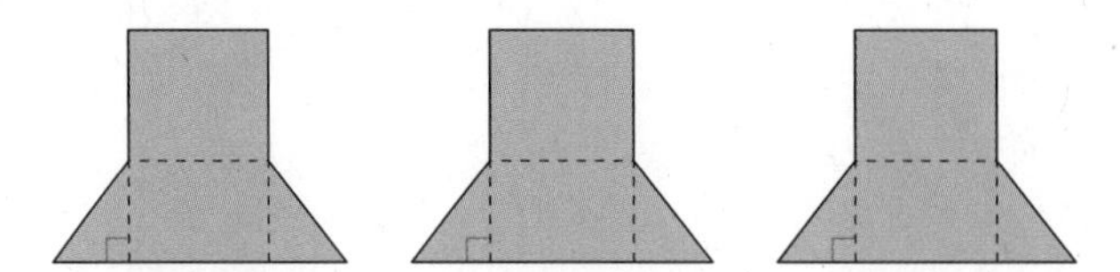

2 밑면은 정삼각형이고, 옆면은 정삼각형이 아닌 이등변삼각형으로 이루어진 삼각뿔입니다. 이 삼각뿔의 전개도를 모두 그려 보시오.

(단, 돌리거나 뒤집어서 같은 모양은 한 가지로 생각합니다.)

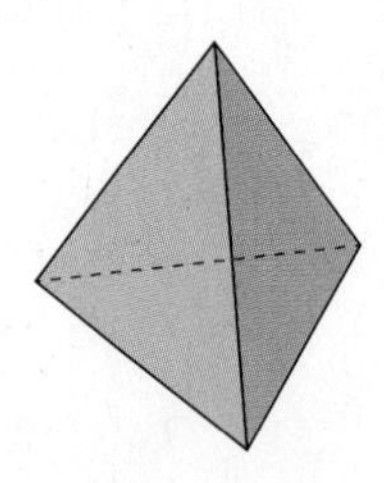

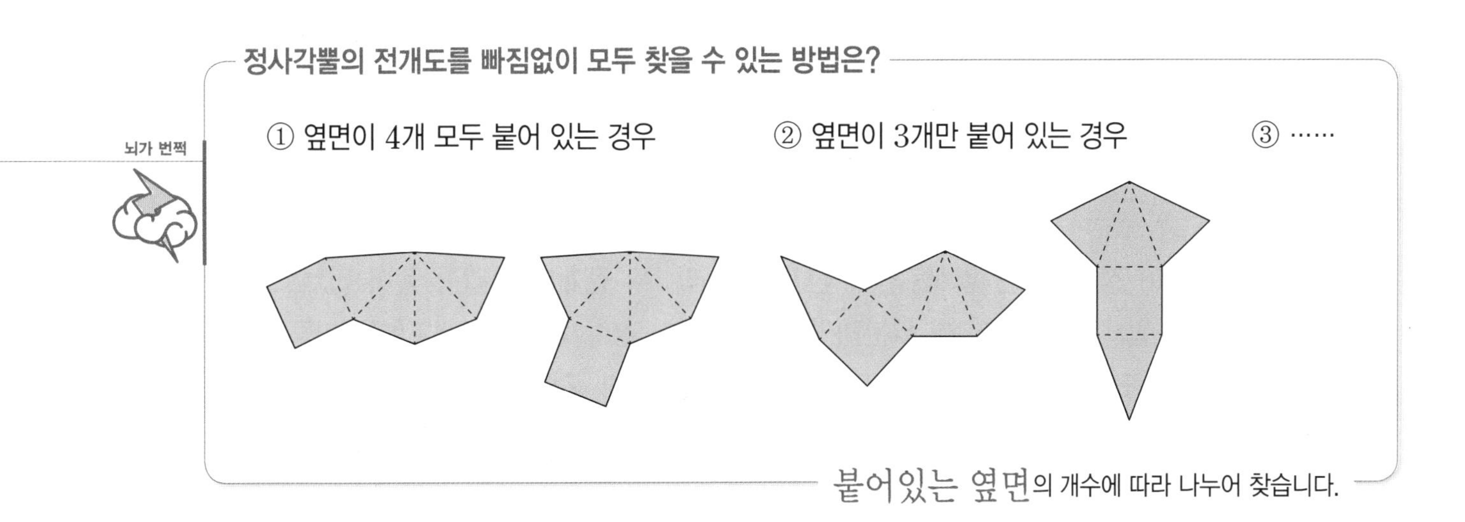

최상위 사고력

옆면이 모두 정사각형인 삼각기둥입니다. 이 삼각기둥의 전개도는 모두 몇 가지인지 구하시오.
(단, 돌리거나 뒤집어서 같은 모양은 한 가지로 생각합니다.)

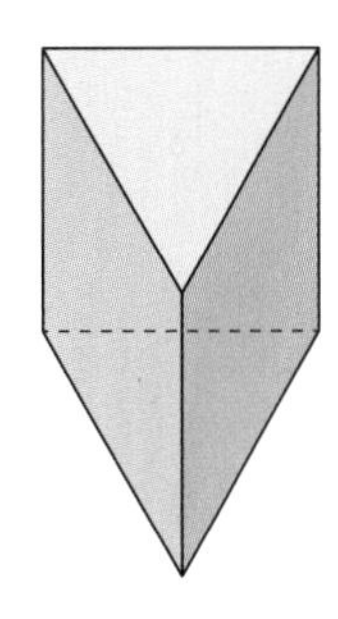

1 모든 면이 정삼각형인 입체도형의 전개도입니다. 두 전개도를 각각 접어 입체도형을 만든 후, 만든 두 입체도형을 색칠한 부분끼리 포개어지게 붙여 새로운 입체도형을 만들었습니다. 새로 만든 입체도형의 면, 모서리, 꼭짓점은 각각 몇 개인지 구하시오.

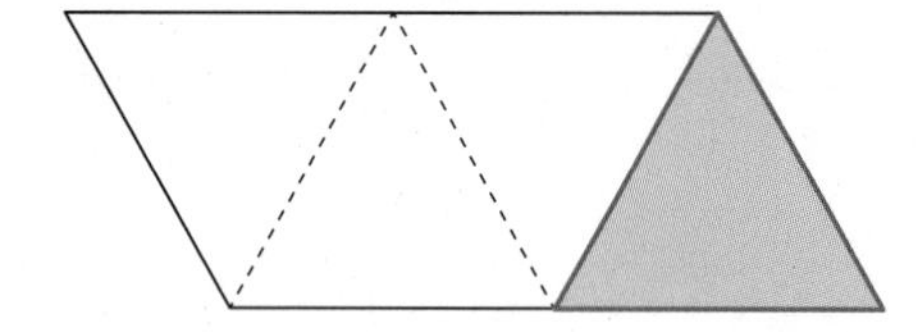
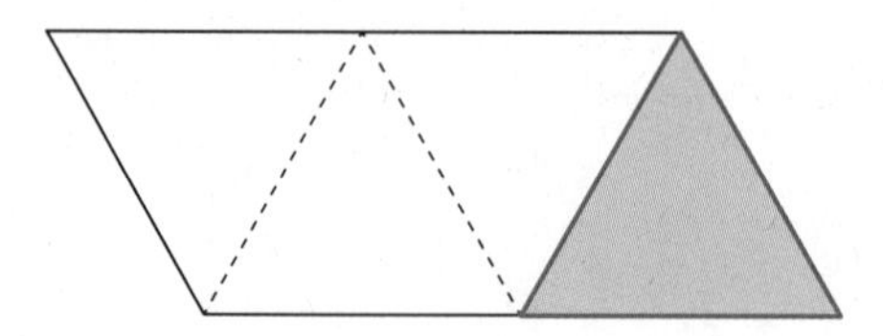

| 경시대회 기출 |

2 밑면이 정사각형이고 옆면이 모두 이등변삼각형인 사각뿔입니다. 이 사각뿔의 전개도는 모두 몇 가지인지 구하시오. (단, 돌리거나 뒤집어서 같은 모양은 한 가지로 생각합니다.)

문제풀이

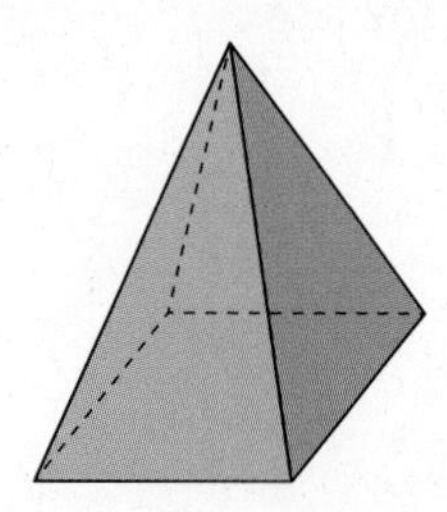

3

문제풀이

한 꼭짓점 ㉠에서 출발하여 모든 면을 한 번씩 지나 다른 꼭짓점으로 가려고 합니다. 가장 짧은 길로 가는 방법을 전개도에 하나의 선분으로 나타내시오.

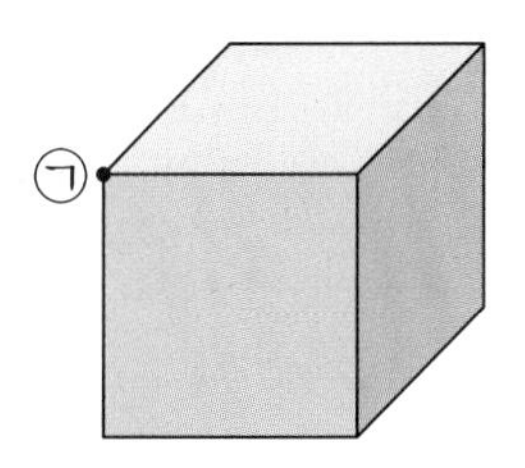

4

정오각형 12개와 정육각형 20개로 이루어진 축구공 모양의 입체도형입니다. 이 입체도형의 전개도를 만들기 위해서는 몇 개의 모서리를 잘라야 하는지 구하시오.

TIP 축구공 모양의 입체도형의 전개도에서 잘리지 않은 모서리의 수는 축구공의 면의 수보다 몇 개 더 적은지 생각해 봅니다.

5-1. 정다면체의 정의와 가짓수

1 정다면체를 보고 정다면체에 대한 설명 중 옳지 않은 것을 고르시오.

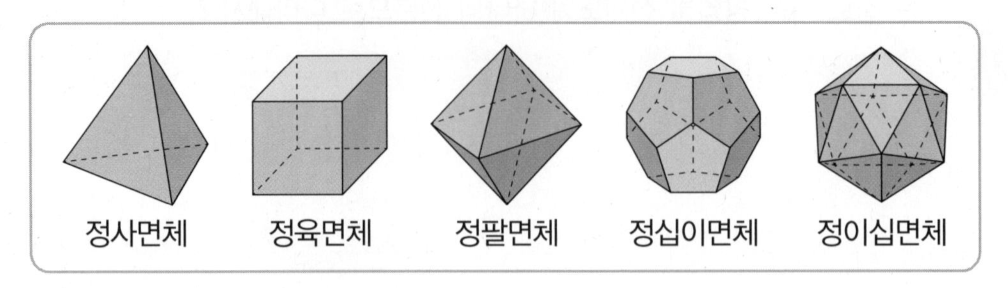

① 정다면체의 종류는 5가지뿐입니다.
② 정다면체의 모든 면은 서로 합동인 정다각형입니다.
③ 정다면체의 한 꼭짓점에 모이는 면의 개수는 일정합니다.
④ 정다면체의 한 꼭짓점에 모인 각의 크기의 합이 360°보다 작습니다.
⑤ 정다면체의 면의 모양은 정삼각형, 정사각형, 정육각형의 3가지뿐입니다.

땀이 뻘뻘

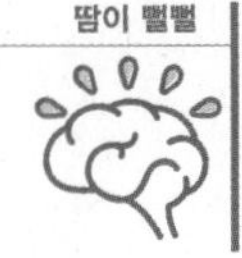

2 다음 입체도형은 정다면체가 아닙니다. 그 이유를 설명하시오.

(1)

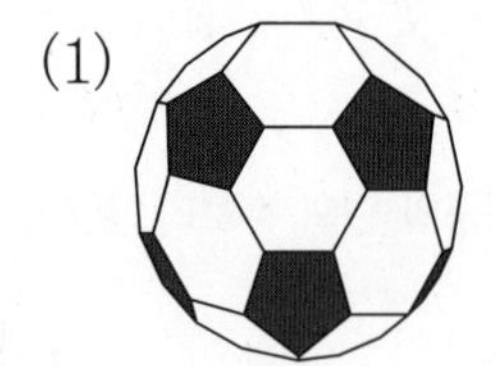

(2)

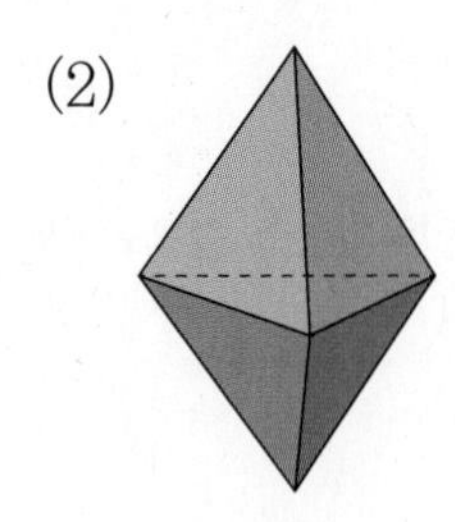

정다면체가 되기 위한 조건은?

뇌가 번쩍

① 모든 면이 합동인 정다각형으로 이루어져야 합니다.
② 한 꼭짓점에 모이는 면의 개수가 같아야 합니다.

정다면체	정사면체	정육면체	정팔면체	정십이면체	정이십면체
면의 모양	정삼각형	정사각형	정삼각형	정오각형	정삼각형
한 꼭짓점에 모이는 면의 개수	3개	3개	4개	3개	5개

최상위 사고력

정다면체는 5가지뿐입니다. 그 이유를 설명하시오.

TIP 정다면체의 한 면이 정삼각형, 정사각형, 정오각형……인 경우로 나누어 생각해 봅니다.

정답과 풀이 37쪽 ►

5-2. 정다면체의 전개도

1 정팔면체와 정팔면체의 전개도입니다. 전개도에 꼭짓점의 기호를 알맞게 쓰시오.

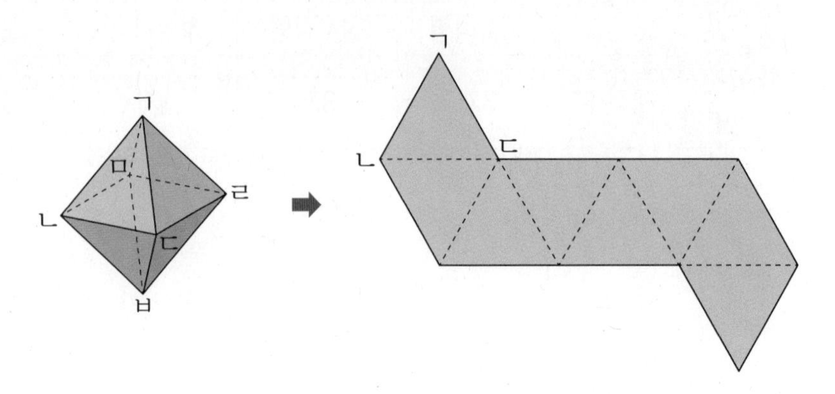

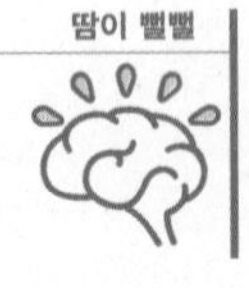

2 정육면체와 정팔면체에는 서로 마주 보는 면이 각각 세 쌍, 네 쌍 있습니다. 서로 마주 보는 면에 쓰인 수가 같도록 전개도의 빈 곳에 알맞은 수를 써넣으시오.

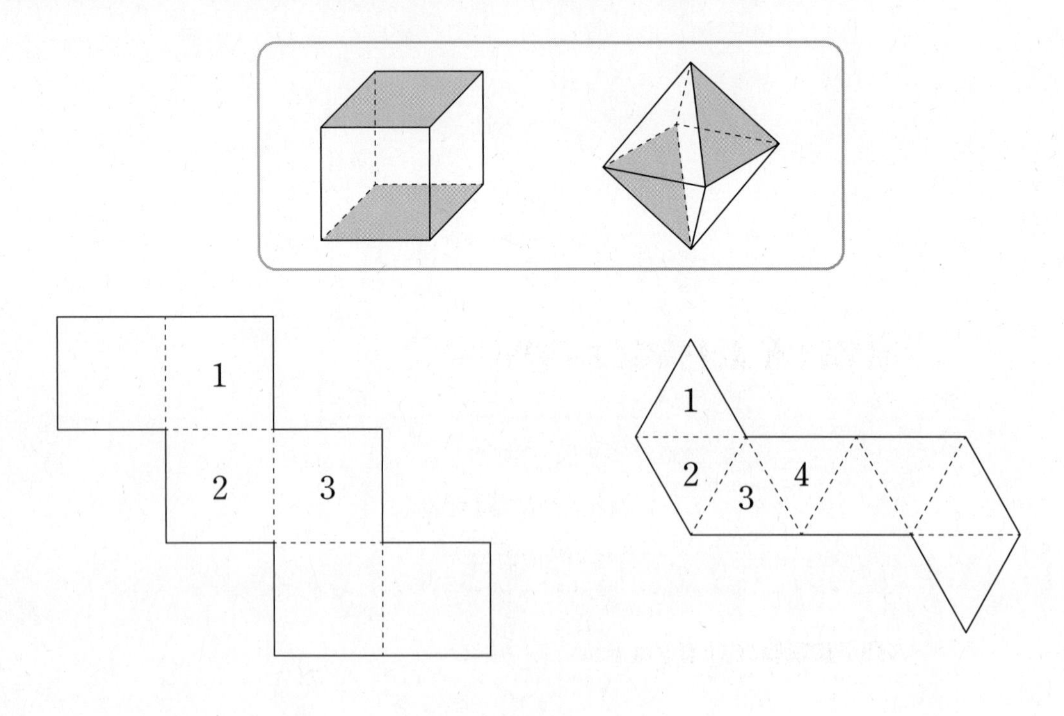

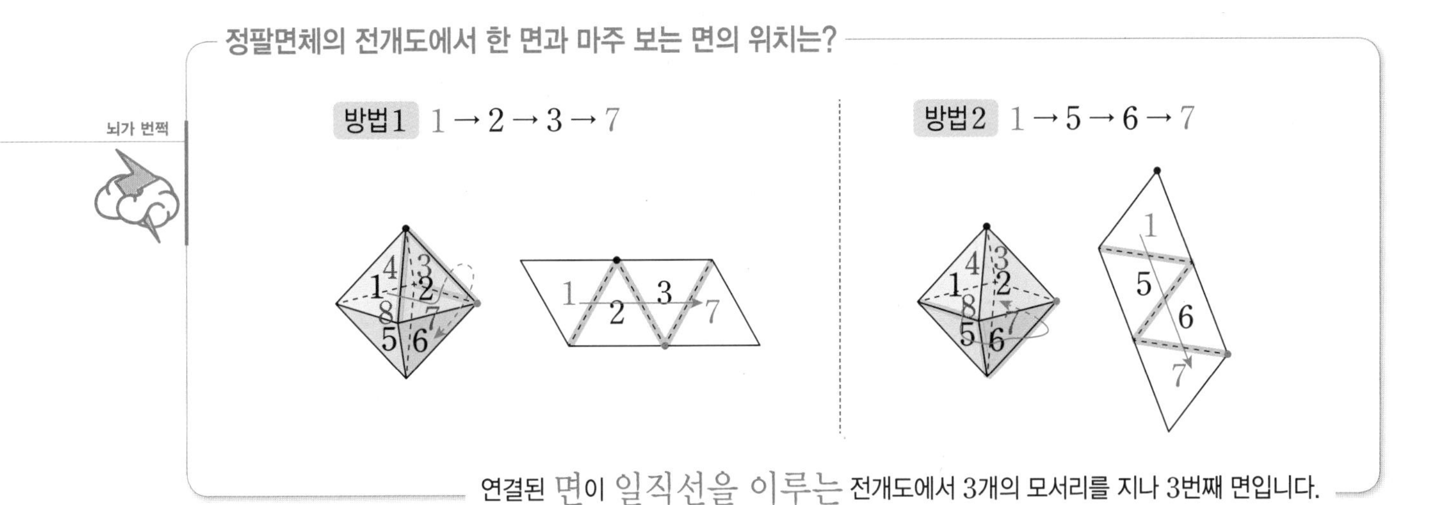

최상위 사고력

정십이면체의 전개도에 다음과 같이 수를 쓴 후 전개도를 접어 정십이면체를 만들었습니다. 서로 마주 보는 면에 쓰인 수를 ㉠, ㉡이라 할 때, 가능한 순서쌍 (㉠, ㉡)을 모두 구하시오. (단, (1, 4), (4, 1)과 같이 순서만 바뀐 순서쌍은 같은 것으로 생각합니다.)

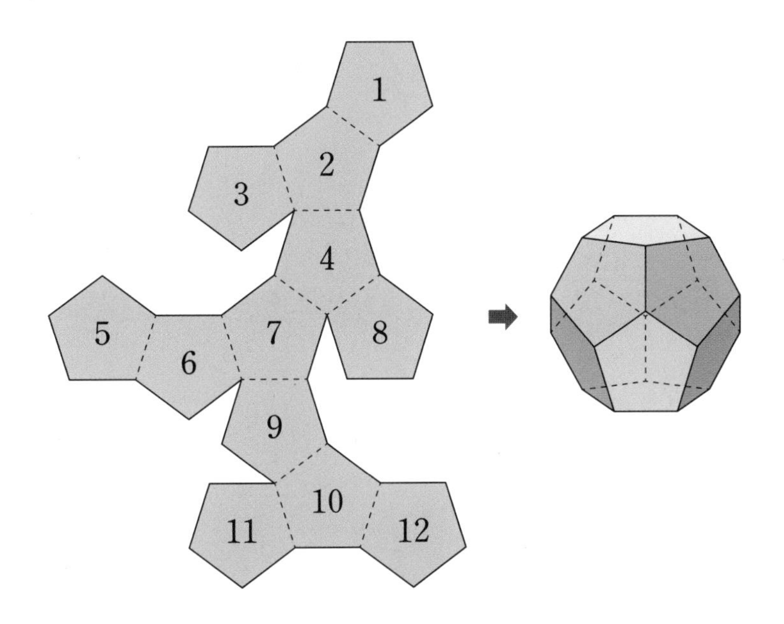

정답과 풀이 39쪽 ►

5-3. 정다면체와 오일러의 공식

1 입체도형의 모양을 잘 알 수 있도록 보이는 모서리는 실선으로, 보이지 않는 모서리는 점선으로 나타낸 그림을 겨냥도라고 합니다. 빈칸에 정다면체의 겨냥도를 그리고, 표의 빈칸을 채우시오.

	정사면체	정육면체	정팔면체
겨냥도			
면의 모양	정삼각형	정사각형	
면의 수		6	8
모서리의 수			
꼭짓점의 수			

땀이 뻘뻘

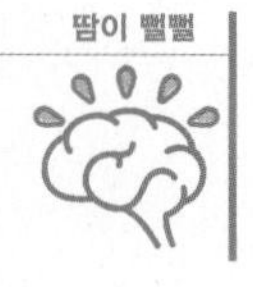

2 정오각형으로 둘러싸인 정다면체의 면, 모서리, 꼭짓점은 각각 몇 개인지 구하시오.

뇌가 번쩍

정팔면체의 꼭짓점의 수를 구하는 방법은?

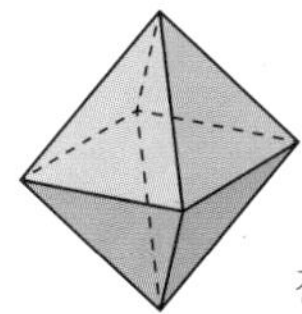

(면의 수)$=8$

(모서리의 수)

$=3\times8\div2=12$

정삼각형의 변의 수 ↑ ↑ 정삼각형의 개수

오일러의 공식 $v+f-e=2$를 이용하면

(꼭짓점의 수)$+8-12=2$

(꼭짓점의 수)$=6$

면과 모서리의 수를 구한 후 오일러의 공식을 이용합니다.

최상위 사고력

정이십면체의 꼭짓점 ㉠에서 출발하여 모든 꼭짓점을 한 번씩만 지나 다시 처음 자리로 돌아올 때 지나가지 않은 모서리는 모두 몇 개인지 구하시오.

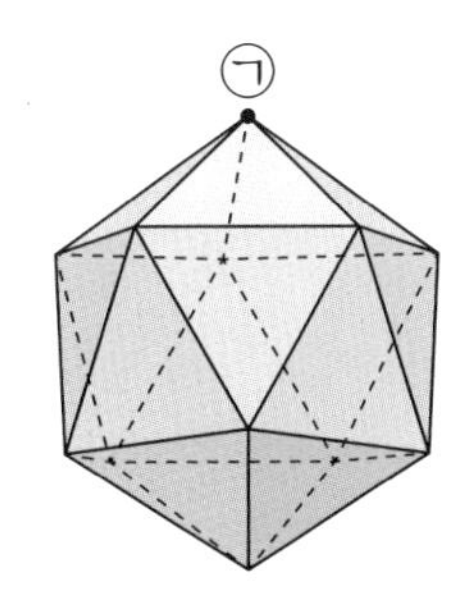

1 정팔각형으로 둘러싸인 정다면체를 만들 수 없습니다. 그 이유를 설명하시오.

| 경시대회 기출 |

2 정팔면체의 전개도입니다. 전개도를 접어 정팔면체를 만들었을 때 한 꼭짓점에 모이는 네 개의 면에 1, 2, 3, 4가 하나씩 있도록 전개도의 빈 곳에 알맞게 수를 써넣으시오.

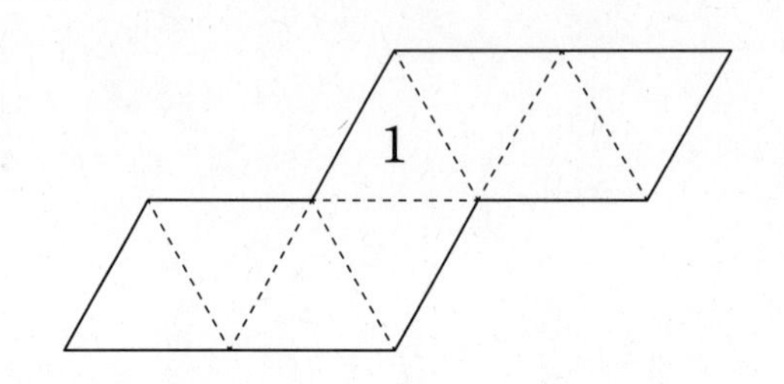

3 정팔면체의 전개도입니다. |보기|의 전개도를 접었을 때 만들어지는 입체도형과 전개도를 접었을 때 만들어지는 입체도형이 같은 것을 고르시오.

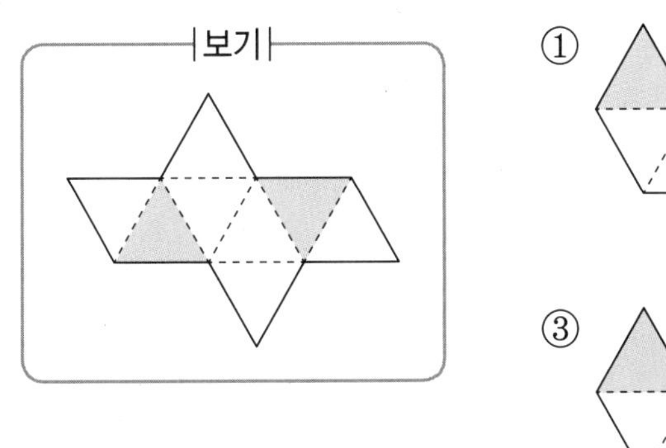

①
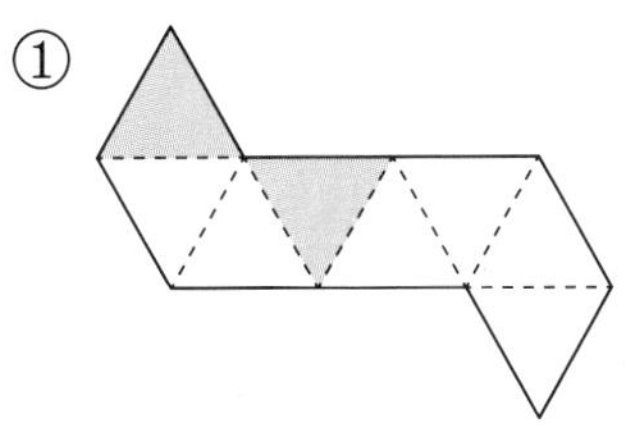

②
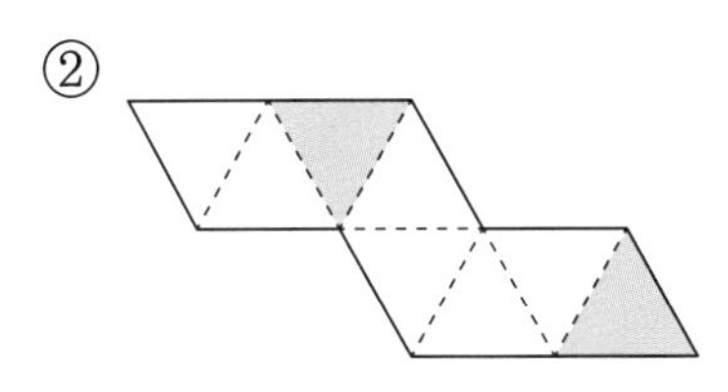

③
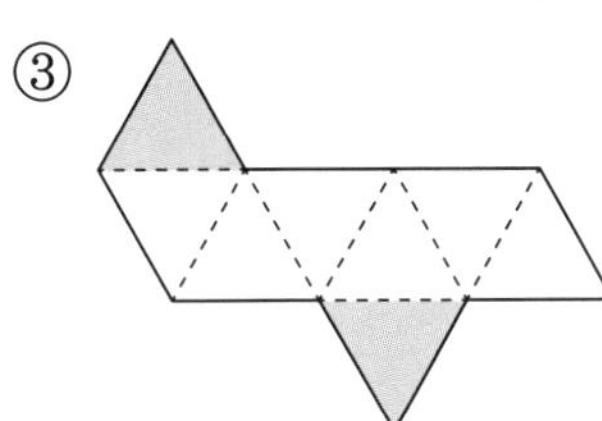

④
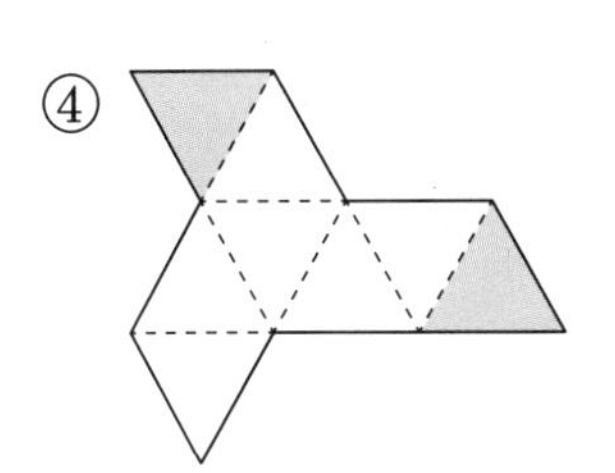

| 경시대회 기출 |

4 정팔면체의 전개도는 모두 몇 가지인지 구하시오. (단, 돌리거나 뒤집어서 같은 모양은 한 가지로 생각합니다.)

정답과 풀이 42쪽 ►

6-1. 쌍대다면체

1 입체도형의 각 면의 한가운데에 점을 찍고, 이웃하는 면에 있는 점들을 선으로 각각 이으면 어떤 도형이 만들어지는지 쓰시오.

(1)

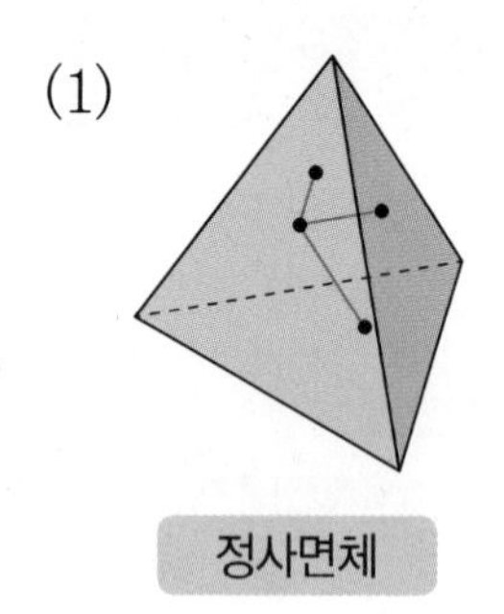

정사면체

(2)

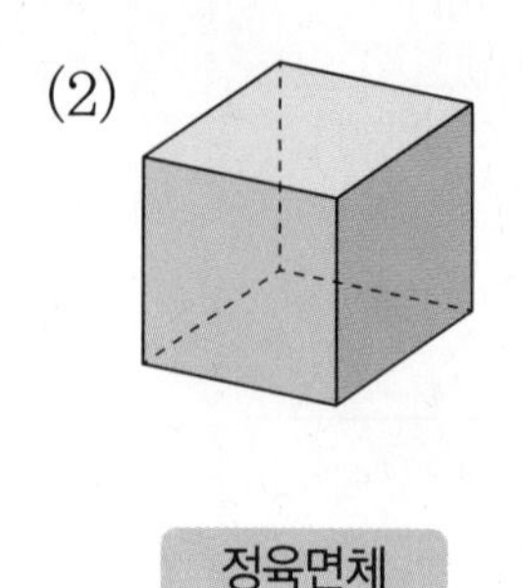

정육면체

2 정다면체의 각 면의 한가운데에 점을 찍고 이웃하는 면에 있는 점들을 선으로 연결하면 또 하나의 정다면체가 나오는데 이것을 쌍대다면체라고 합니다. 정팔면체의 쌍대다면체를 찾아 이름을 쓰고, 표를 완성하시오.

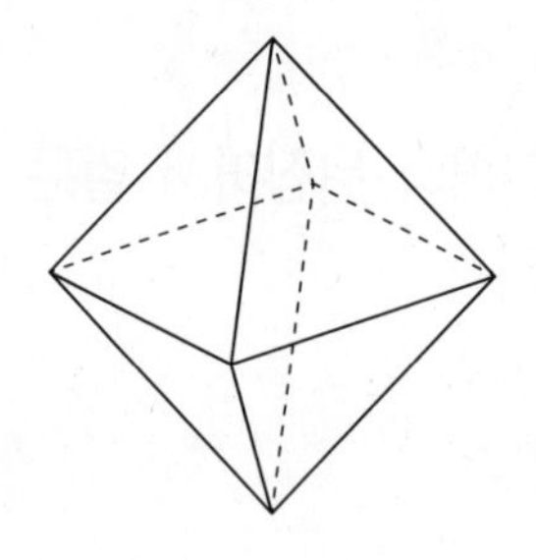

	면의 수	꼭짓점의 수	모서리의 수
정팔면체	8		
쌍대다면체	면의 수	꼭짓점의 수	모서리의 수

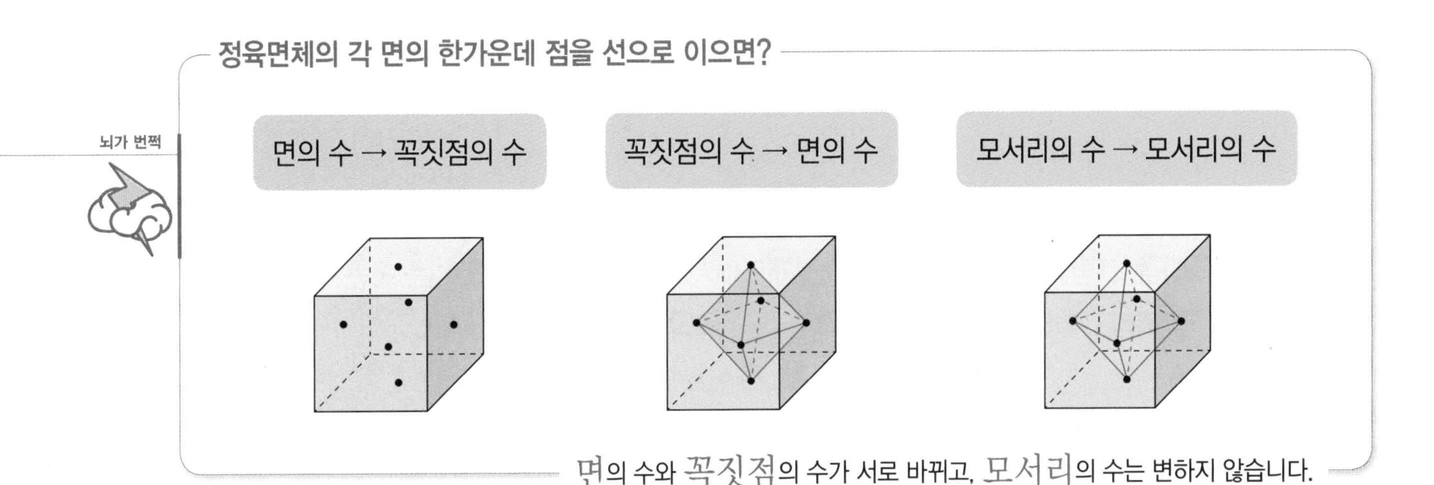

최상위 사고력

정십이면체입니다. 물음에 답하시오.

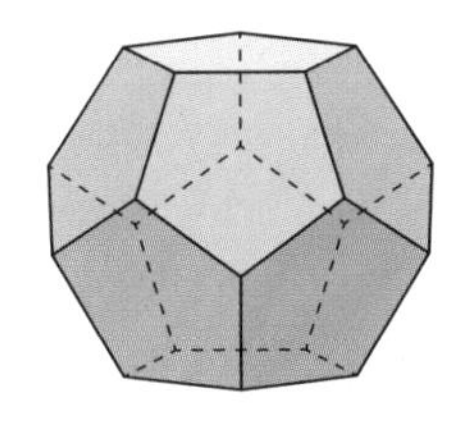

(1) 정십이면체의 쌍대다면체는 무엇인지 쓰시오.

(2) (1)을 이용하여 정이십면체의 꼭짓점은 몇 개인지 쓰고, 그 이유를 설명하시오.

6-2. 데카르트의 정리

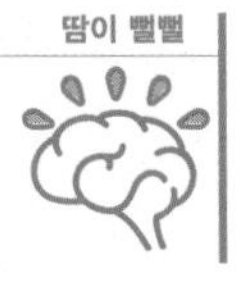

1 **다음 그림과 같이 입체도형의 전개도에서 한 꼭짓점에서 모이는 모든 각의 크기의 합을 내각이라고 하고, 남은 각을 외각이라고 합니다. 물음에 답하시오.**

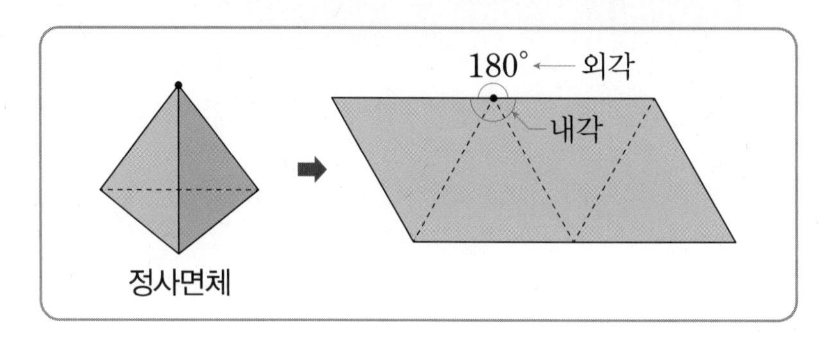

(1) 표를 완성하시오.

정다면체	정사면체	정육면체	정팔면체
한 외각의 크기	180°		
꼭짓점의 수	4		
외각의 크기의 합	720°(=180°×4)		

(2) (1)에서 찾을 수 있는 규칙을 설명하시오.

(3) (2)에서 발견한 사실을 이용하여 정이십면체의 꼭짓점은 몇 개인지 구하시오.

정오각형과 정십이면체의 외각의 크기의 합은 어떻게 구할까?

뇌가 번쩍

〈정오각형〉

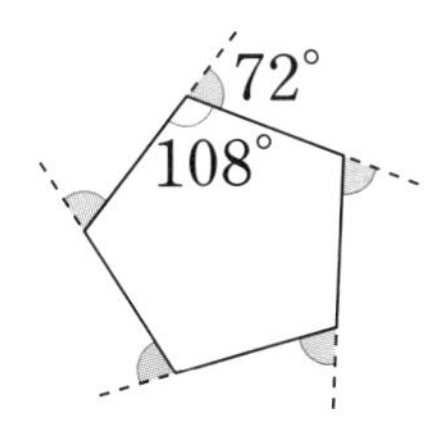

(외각의 크기의 합)
$=72° \times 5=360°$

〈정십이면체〉

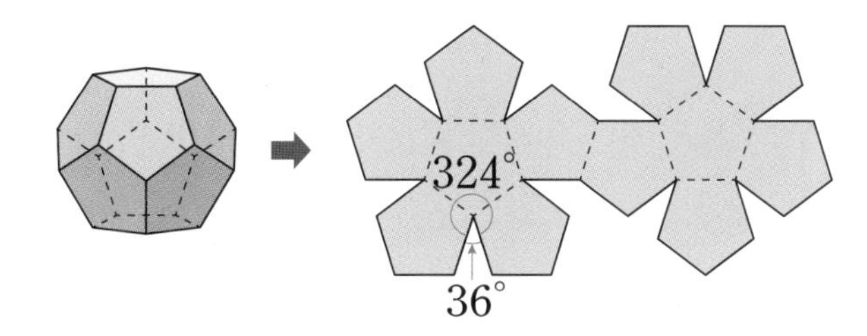

(외각의 크기의 합)$=36° \times 20=720°$

20: 정십이면체의 꼭짓점의 수
720°: 입체도형의 모든 꼭짓점의 외각의 합

➡ 이것을 데카르트의 정리라고 합니다.

최상위 사고력 A

다음 준정다면체의 꼭짓점은 모두 몇 개인지 구하시오.

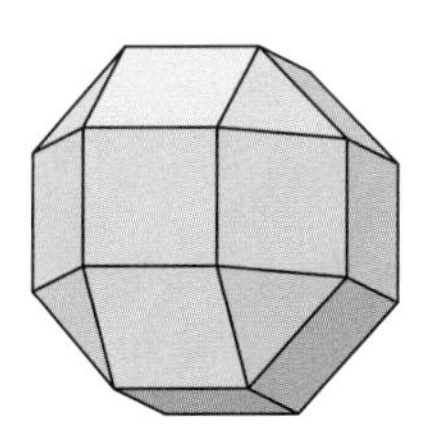

TIP 준정다면체: 2가지 이상의 정다각형으로 이루어진 입체도형으로 각 꼭짓점에 모인 정다각형의 배열이 모두 같은 볼록한 다면체

최상위 사고력 B

다음 전개도를 접어 만들 수 있는 입체도형의 모서리의 수는 모두 몇 개인지 구하시오.

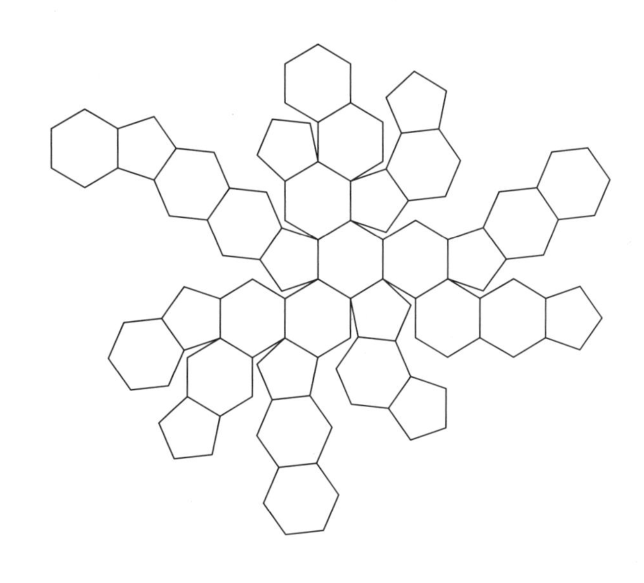

정답과 풀이 45쪽 ►

6-3. 준정다면체

땀이 뻘뻘

1 2가지 이상의 정다각형으로 이루어진 입체도형으로 한 꼭짓점에 모인 정다각형의 배열이 모두 같은 도형을 준정다면체라고 합니다. 준정다면체는 모두 13가지이고 정다면체를 변형하여 만듭니다. 다음을 보고 관계 있는 것끼리 선으로 이으시오.

정다면체 · 방법 · 준정다면체

정사면체의 각 모서리를 3등분 하는 점을 지나도록 잘라서 만듭니다.

정팔면체의 각 모서리를 3등분 하는 점을 지나도록 잘라서 만듭니다.

정육면체의 각 모서리를 2등분 하는 점을 지나도록 잘라서 만듭니다.

정십이면체의 각 면을 적당한 간격을 두고 떨어뜨린 후 그 사이사이를 정삼각형으로 메워 만듭니다.

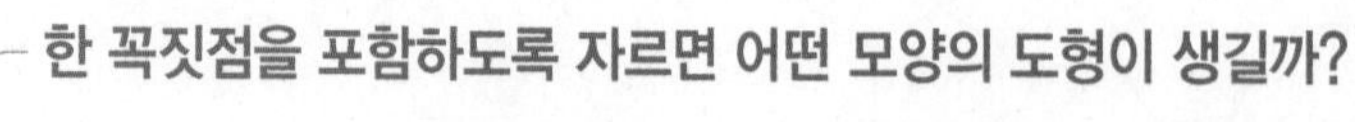

한 꼭짓점을 포함하도록 자르면 어떤 모양의 도형이 생길까?

뇌가 번쩍

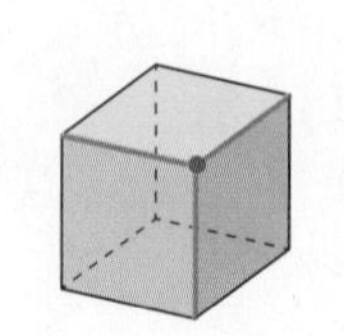

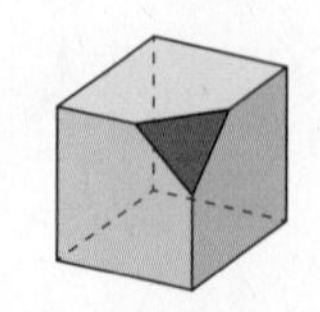

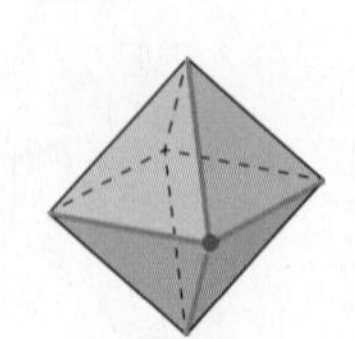

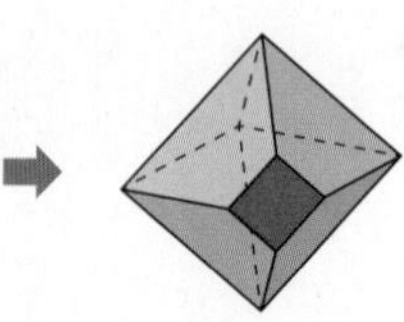

땅이 뻘뻘

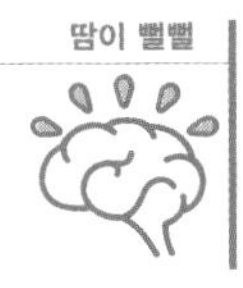

2 정육면체의 각 모서리를 3등분하는 점을 지나도록 삼각뿔 모양만큼 잘라서 새로운 입체도형을 만들었습니다. 만든 입체도형의 꼭짓점, 면, 모서리는 각각 몇 개인지 구하시오.

최상위 사고력

정팔면체의 각 모서리를 2등분하는 점을 지나도록 사각뿔 모양만큼 잘라서 만든 입체도형입니다. 이 입체도형의 꼭짓점, 면, 모서리는 각각 몇 개인지 구하시오.

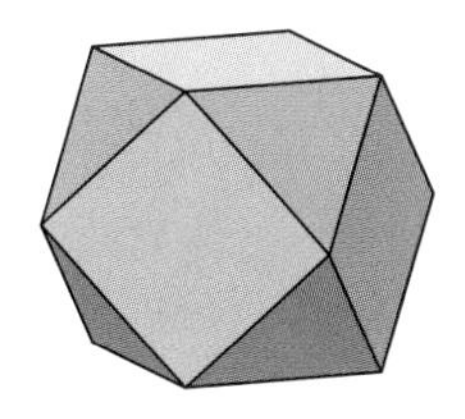

정답과 풀이 46쪽 ►

1 정십이면체와 정이십면체 중에 더 잘 구를 것 같은 도형을 고르고 그 이유를 다음과 같이 설명하시오.

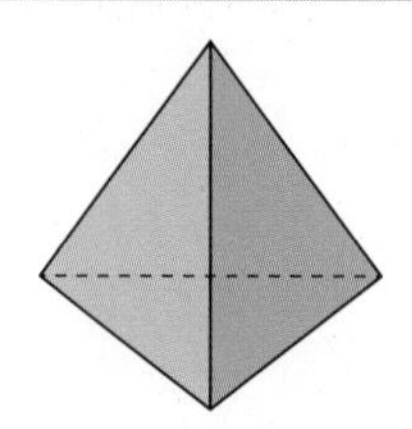

축구공의 한 꼭짓점에는 정육각형 2개와 정오각형 1개가 모입니다.
따라서 한 외각의 크기는 $360° - 120° - 120° - 108° = 12°$입니다.
정사면체의 한 꼭짓점에는 정삼각형 3개가 모입니다.
따라서 한 외각의 크기는 $360° - 60° - 60° - 60° = 180°$입니다.
➡ 한 외각의 크기가 작을수록 더 잘 구릅니다.

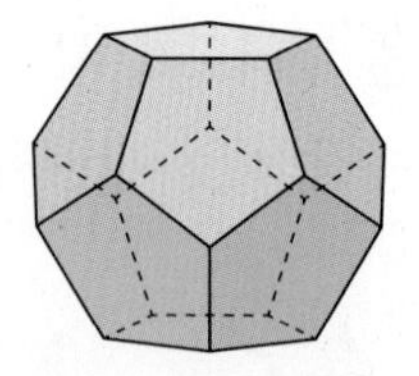
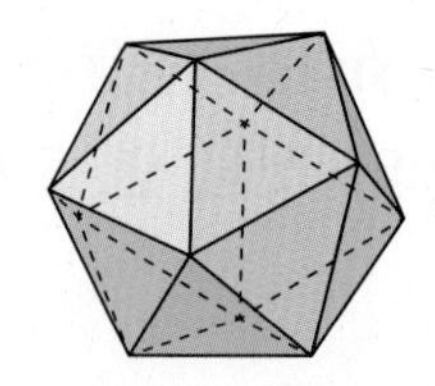

2 다음 정사면체의 각 모서리의 가운데 점을 이어서 새로운 입체도형을 만들려고 합니다. 점을 이어 그려 보고, 만들어지는 입체도형의 이름을 쓰시오.

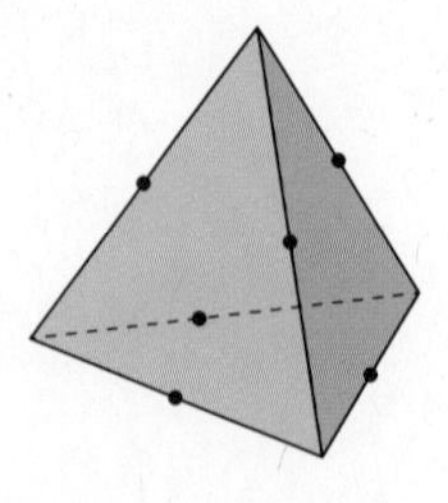

3

다음은 정육면체의 각 면에 사각뿔을 붙여 만든 입체도형입니다. 만든 입체도형의 면, 모서리, 꼭짓점은 각각 몇 개인지 구하시오.

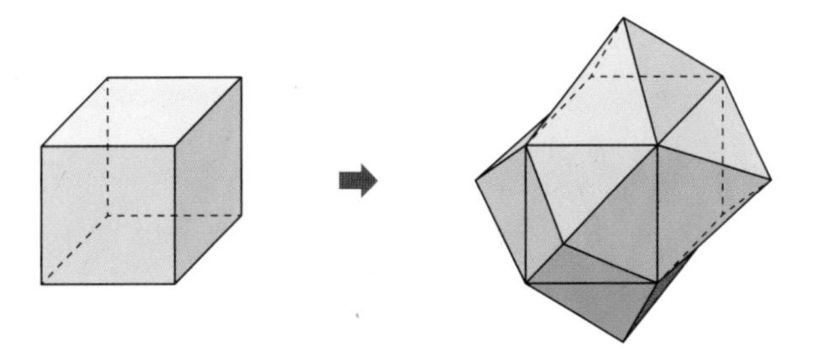

| 경시대회 기출 |

4

정이십면체의 각 모서리를 3등분하는 점을 지나도록 꼭짓점을 포함하여 잘라내면 다음과 같은 축구공 모양의 입체도형을 만들 수 있습니다. 이 입체도형의 면, 모서리, 꼭짓점은 각각 몇 개인지 차례로 쓰시오.

정답과 풀이 48쪽 ►

1 다음과 같은 정사면체의 전개도는 모두 몇 가지입니까? (단, 돌리거나 뒤집어서 같은 모양은 한 가지로 생각합니다.)

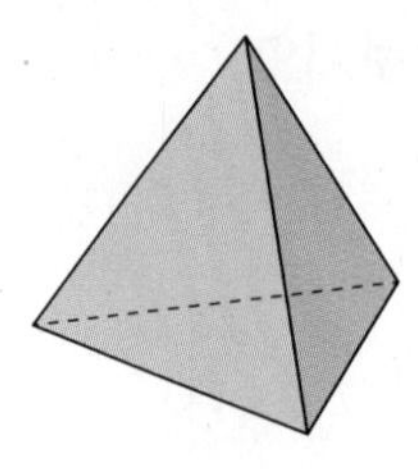

2 정육면체의 각 면의 한가운데에 점을 찍고 이웃하는 면에 있는 점들을 선으로 이었을 때 생기는 입체도형의 면의 수와 꼭짓점의 수의 합을 구하시오.

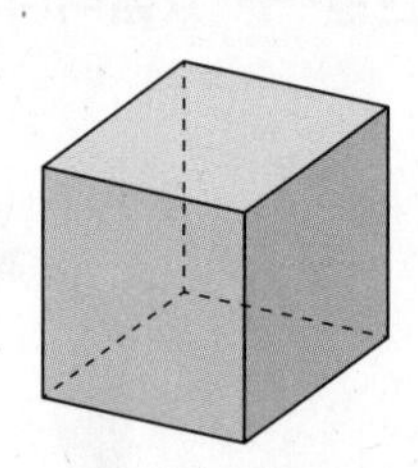

3 정팔면체의 전개도입니다. 전개도를 접었을 때 서로 마주 보는 면에는 같은 숫자가 있도록 전개도의 빈 곳에 알맞은 숫자를 써넣으시오.

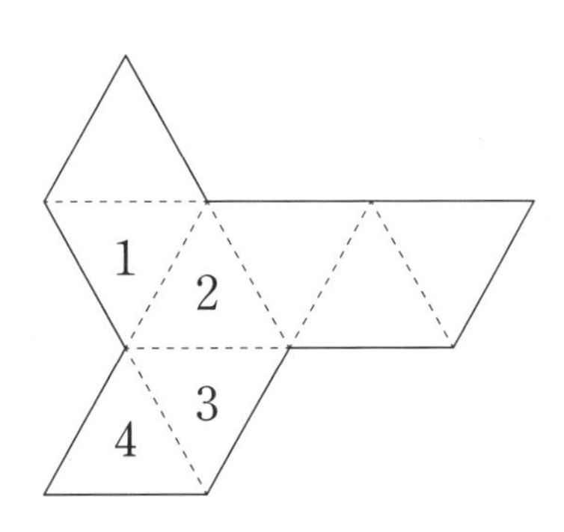

4 정이십면체의 각 모서리를 3등분하는 점을 지나도록 꼭짓점을 포함하여 잘라내면 다음과 같이 축구공 모양의 입체도형을 만들 수 있습니다. 이 입체도형을 이루는 정육각형과 정오각형 중에서 어느 도형이 몇 개 더 많은지 구하시오.

정답과 풀이 49쪽 ►

5 한 꼭짓점에 모인 면의 개수와 모양이 모두 같은 준정다면체입니다. 이 입체도형의 꼭짓점은 모두 몇 개인지 구하시오.

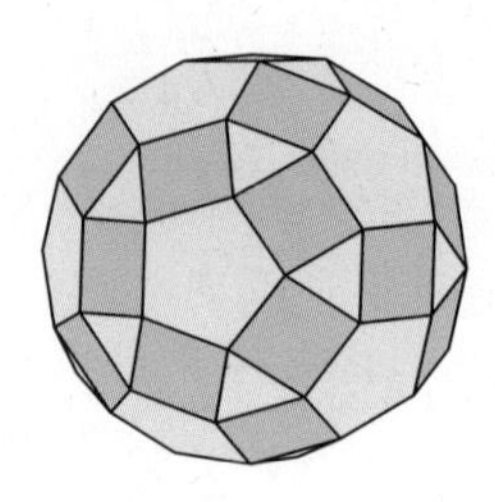

6 한 모서리의 길이가 $6\,\mathrm{cm}$인 정사각뿔입니다. 점 ㉠에서 시작하여 정사각뿔의 옆면을 지나 점 ㉡으로 돌아오도록 선을 그으려고 합니다. 그은 선의 길이가 가장 짧을 때의 길이를 구하시오.

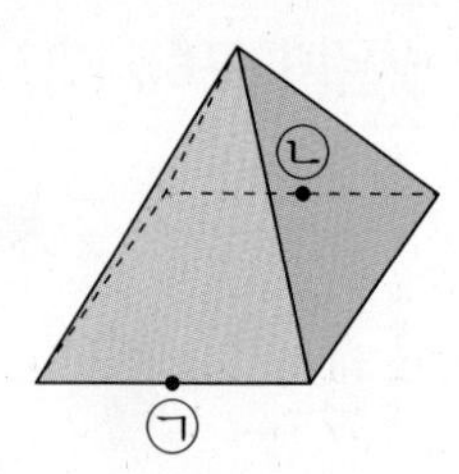

정답과 풀이 49쪽 ►

규칙

7-1. 거리, 속력, 시간

1 대화를 보고 속력이 가장 빠른 사람부터 차례로 이름을 쓰시오.

민아: 나는 6초에 8 m를 가는 빠르기로 걸었어.
정호: 나는 2시간에 9 km를 가는 빠르기로 걸었어.
나영: 나는 10분에 760 m를 가는 빠르기로 걸었어.

TIP 속력: 일정한 시간 동안 이동한 거리를 비율로 나타낸 것

땀이 뻘뻘

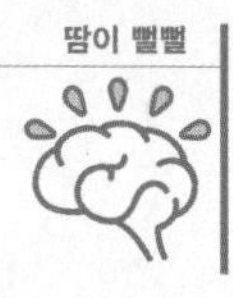

2 진우네 가족은 집에서 300 km 떨어진 곳으로 여행을 가고 있습니다. 자동차로 오전 9시에 출발해 오후 1시에 도착할 예정이었지만, 절반을 갔을 때 자동차가 고장이 나서 30분 동안 멈춰 있었습니다. 도착 예정 시각에 목적지에 도착하려면 남은 거리는 1시간에 몇 km를 가는 빠르기로 가야 하는지 구하시오.

뇌가 번쩍

거리, 속력, 시간 중에서 한 가지를 모를 때 알 수 있는 방법은?

① 이동 거리를 모르는 경우

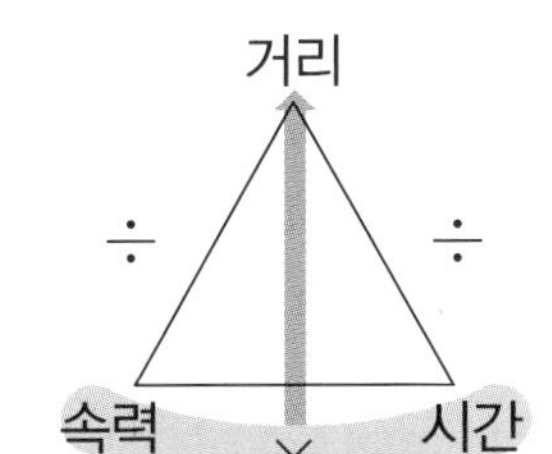

(속력)×(시간)=(거리)

② 걸리는 시간을 모르는 경우

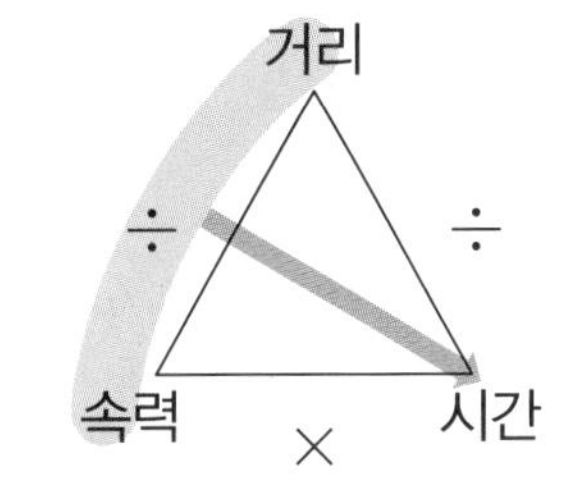

(거리)÷(속력)=(시간)

③ 속력을 모르는 경우

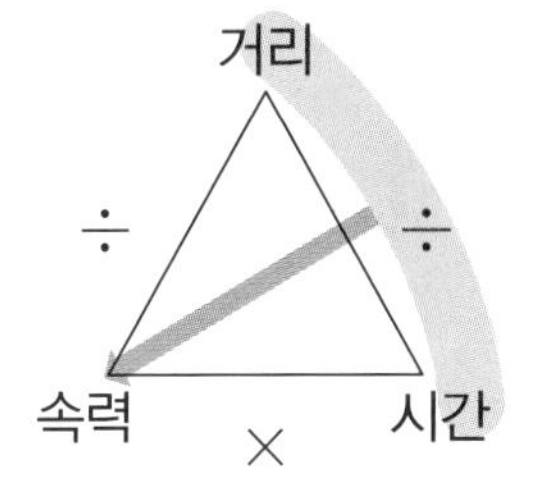

(거리)÷(시간)=(속력)

(속력)×(시간)=(거리)

최상위 사고력 A

소희는 어제 아침 8시에 집에서 출발하여 학교까지 1분에 100 m를 가는 빠르기로 걸어 8시 30분에 도착했습니다. 오늘은 아침 8시에 집에서 출발하여 어제보다 1분에 20 m를 더 가는 빠르기로 걸었다면 소희는 어제보다 학교에 몇 분 더 일찍 도착했는지 구하시오.

최상위 사고력 B

연비는 같은 양의 연료로 자동차가 얼마나 이동할 수 있는지를 표시하는 수치로 주행 거리를 사용한 연료의 양으로 나누어 구할 수 있습니다. 연비가 높으면 같은 양의 휘발유를 사용했을 때 더 먼 거리를 갈 수 있습니다. 정후네 자동차는 시속 80 km의 속력으로 3시간 가는 데 휘발유 10 L가 사용되었고, 진희네 자동차는 시속 60 km의 속력으로 6시간 가는 데 휘발유 18 L가 사용되었습니다. 정후와 진희네 자동차 중 연비가 더 높은 자동차는 누구네 자동차인지 구하시오.

정답과 풀이 51쪽 ►

7-2. 만나기

1 **다음을 읽고 물음에 답하시오.**

(1) 민지와 송이는 각자의 집에서 동시에 출발하여 서로를 향해 마주 보고 걸었습니다. 민지는 1분에 60 m를 걷는 빠르기로 걷고 송이는 1분에 50 m를 걷는 빠르기로 걸어서 8분 후에 만났습니다. 민지네 집과 송이네 집 사이의 거리는 몇 m인지 구하시오.

(2) 정호와 민주는 350 km 떨어진 두 지점에서 서로를 향해 마주 보고 가고 있습니다. 정호는 시속 24 km인 자전거를 타고 가고, 민주는 시속 46 km인 버스를 타고 간다면 두 사람은 출발한 지 몇 시간 후에 만나게 되는지 구하시오.

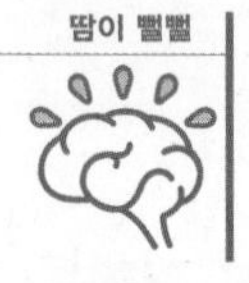

2 **직선 도로에 민정, 희선, 동호가 다음과 같이 서 있습니다. 민정이는 동호를 향해 1초에 3 m를 걷는 빠르기로 가고, 희선이는 동호를 향해 1초에 4 m를 걷는 빠르기로 갑니다. 또 동호는 민정이를 향해 3초에 6 m를 걷는 빠르기로 갑니다. 세 사람이 동시에 출발하였을 때, 동호는 희선이를 만나고 몇 초 후에 민정이를 만나게 되는지 구하시오.**

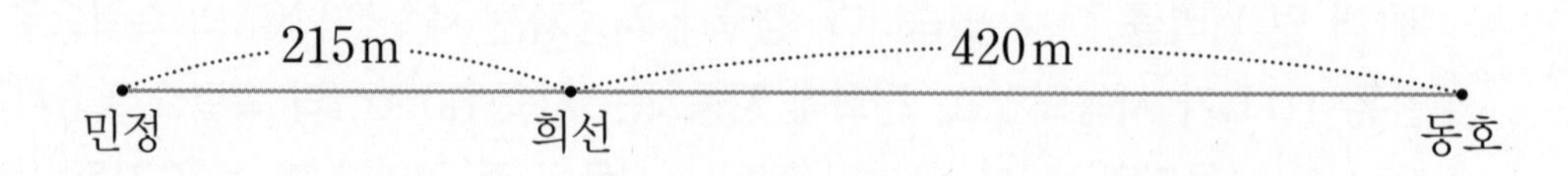

서로 마주 보고 동시에 출발하여 만날 때까지 걸리는 시간은?

뇌가 번쩍

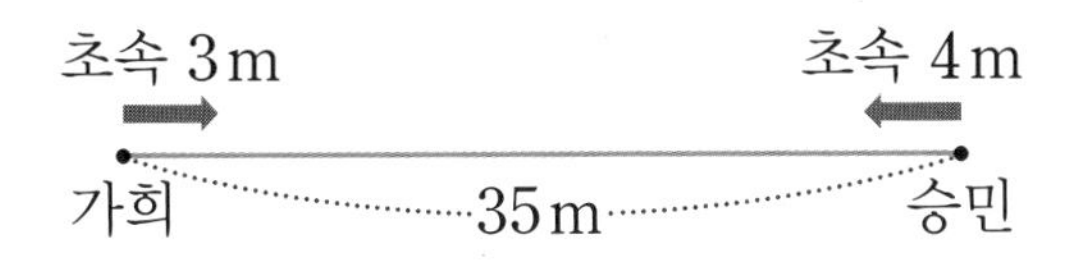

가희와 승민이는
1초에 $3+4=7$(m)씩 가까워집니다.
따라서 가희와 승민이는
$35 \div 7=5$(초) 후에 만납니다.

(둘 사이의 거리) $\div$ (둘의 속력의 합)으로 구합니다.

최상위 사고력

목화와 수진이는 학교와 도서관 사이를 왕복하여 걷습니다. 목화는 분속 150 m, 수진이는 분속 100 m로 동시에 학교에서 출발했습니다. 학교와 도서관 사이의 거리가 3 km일 때 목화와 수진이는 출발한 지 몇 분 후에 처음으로 만나게 되는지 구하시오.

정답과 풀이 53쪽 ►

7-3. 따라잡기

1 다음을 읽고 물음에 답하시오.

(1) 직선 도로 위를 효주는 분속 200 m, 재호는 분속 180 m로 동시에 출발하여 같은 방향으로 달립니다. 효주가 재호보다 60 m 뒤에서 출발했을 때 두 사람은 출발한 지 몇 분 후에 만나게 되는지 구하시오.

(2) 둘레가 400 m인 육상 트랙 둘레를 승훈이는 초속 3 m, 정수는 초속 2.5 m로 같은 지점에서 동시에 출발하여 같은 방향으로 달립니다. 두 사람은 출발한 지 몇 분 후에 만나게 되는지 구하시오.

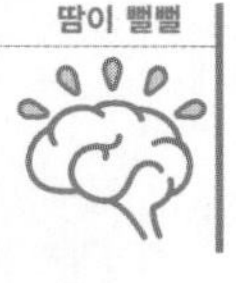

2 대희네 집에서 대희는 먼저 출발하고 민수는 대희가 출발한 지 20분 후에 자전거를 타고 대희를 뒤따라갔습니다. 대희는 분속 80 m로 걷고 민수는 분속 240 m로 달렸다고 할 때 민수가 대희를 따라잡는 시각은 집에서 출발하고 몇 분 후인지 구하시오. (단, 대희와 민수는 같은 길로 갑니다.)

뇌가 번쩍

서로 같은 방향으로 동시에 출발하여 따라잡을 때까지 걸리는 시간은?

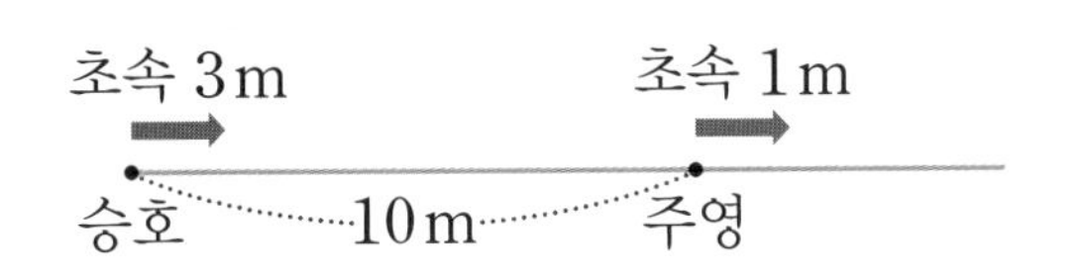

승호와 주영이는
1초에 $3-1=2$(m)씩 가까워집니다.
따라서 승호가 주영이를 따라잡을 때까지
걸리는 시간은 $10 \div 2=5$(초)입니다.

(따라잡아야 할 거리) ÷ (둘의 속력의 차)로 구합니다.

최상위 사고력

민주는 분속 50 m로, 아빠는 분속 100 m로 원 모양의 호숫가를 걷고 있습니다. 같은 곳에서 동시에 출발하여 서로 반대 방향으로 걸으면 20분 후에 서로 만난다고 합니다. 같은 곳에서 민주와 아빠가 동시에 출발하여 같은 방향으로 걷는다면 몇 분 후에 처음으로 다시 만나는지 구하시오.

1

비오는 날 천둥과 번개는 동시에 발생하지만 번개가 먼저 보이고 천둥 소리는 나중에 들립니다. 이것은 소리의 속력보다 빛의 속력이 빠르기 때문입니다. 어느 날 은정이가 번개를 본 후 6초 후에 천둥 소리를 들었다고 합니다. 번개가 발생한 지점은 은정이가 있는 곳에서 2040 m 떨어진 곳일 때 천둥 소리의 속력은 초속 몇 m인지 구하시오. (단, 빛의 속력은 매우 빠르기 때문에 번개가 발생한 동시에 보았다고 생각합니다.)

2

형이 집에서 출발한 지 20초 후에 동생이 형을 뒤따라 집에서 출발했습니다. 형은 5초에 15 m를 가는 빠르기로, 동생은 10초에 50 m를 가는 빠르기로 달렸다면 두 사람이 만나는 곳은 집에서 몇 m 떨어진 곳인지 구하시오. (단, 형과 동생은 같은 길로 갑니다.)

| 경시대회 기출 |

3 지영이는 분속 $250\,\mathrm{m}$, 민희는 분속 $200\,\mathrm{m}$로 각자의 집에서 서로의 집을 향해 동시에 출발하여 걸어가고 있습니다. 지영이와 민희가 만난 뒤 4분 후에 지영이가 민희네 집에 도착하였다면 지영이네 집과 민희네 집 사이의 거리는 몇 m인지 구하시오.

4 수미와 정우는 $1\,\mathrm{km}$ 떨어진 두 지점에서 서로를 향해 마주 보고 걷고 있습니다. 수미는 1분에 $40\,\mathrm{m}$를 가는 빠르기로, 정우는 1분에 $60\,\mathrm{m}$를 가는 빠르기로 걷고 있습니다. 이 때 수미의 강아지는 수미와 같이 출발하여 1분에 $200\,\mathrm{m}$를 가는 빠르기로 정우를 향해 달리다가 정우를 만나면 다시 수미를 향해 달리고, 수미를 만나면 다시 정우를 향해 달리기를 반복합니다. 수미와 정우가 만날 때까지 강아지가 달린 거리는 모두 몇 m인지 구하시오. (단, 강아지의 크기는 생각하지 않습니다.)

문제풀이

8-1. 왕복하기

1 다음을 읽고 물음에 답하시오.

(1) 거리가 20 km인 두 지점 사이를 갈 때는 시속 5 km, 올 때는 시속 10 km로 이동하였습니다. 두 지점 사이를 왕복하는 데 걸린 시간은 몇 시간인지 구하시오.

(2) 예원이는 등산로를 따라 등산을 했습니다. 산을 올라갈 때는 시속 3 km로 걸었고, 내려올 때는 같은 등산로를 시속 6 km로 걸었습니다. 산을 올라갔다 내려오는 데 모두 12시간이 걸렸다면 등산로의 길이는 몇 km인지 구하시오.

2 학교와 박물관 사이를 왕복하는 버스가 있습니다. 학교에서 출발하여 박물관으로 갈 때는 시속 40 km로 가고, 박물관에서 학교로 올 때는 시속 60 km로 갑니다. 이 버스의 평균 속력은 시속 몇 km인지 구하시오.

TIP 이동하는 동안 속력이 일정하지 않을 때 전체 이동 거리를 걸린 시간으로 나누면 '평균 속력'이 됩니다.

뇌가 번쩍

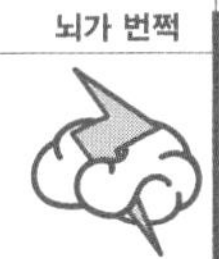

㉮와 ㉯를 왕복할 때 평균 속력은?

(갈 때) 초속 12 m

㉮ ㉯

(올 때) 초속 24 m

① ㉮와 ㉯ 사이의 거리를 □m로 놓기

② □를 이용하여 걸린 시간 구하기 — 갈 때 걸린 시간: $\frac{\square}{12}$초, 올 때 걸린 시간: $\frac{\square}{24}$초

(왕복하는 데 걸린 시간)$=\frac{\square}{12}+\frac{\square}{24}=\frac{3\times\square}{24}=\frac{\square}{8}$(초)

③ 왕복할 때 평균 속력 구하기

(평균 속력)$=\underbrace{\square\times 2}_{\text{왕복 거리}}\div\frac{\square}{8}=\square\times 2\times\frac{8}{\square}=16$

➡ 초속 16 m

(평균 속력)=(전체 이동 거리)÷(걸린 시간)

최상위 사고력

평균 속력이 시속 50 km인 자동차가 두 지점 ㉮와 ㉯ 사이를 왕복하고 있습니다. ㉮ 지점에서 출발하여 ㉯ 지점으로 갈 때의 속력이 시속 30 km라고 할 때, ㉯ 지점에서 ㉮ 지점으로 올 때의 속력은 시속 몇 km인지 구하시오.

8-2. 강물을 거슬러 올라가거나 내려가기

1 **흐르지 않는 물에서의 속력이 시속 10 km인 배가 있습니다. 이 배가 강물이 시속 4 km로 흐르는 강에서 운행한다고 할 때 물음에 답하시오.**

(1) 배가 강물이 흐르는 방향으로 70 km를 가는 데 걸리는 시간은 몇 시간인지 구하시오.

(2) 배가 강물이 흐르는 반대 방향으로 90 km를 가는 데 걸리는 시간은 몇 시간인지 구하시오.

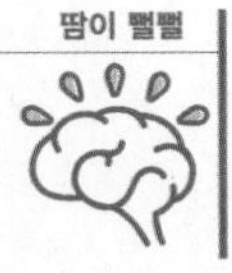

2 **흐르지 않는 물에서의 속력이 시속 8 km인 배가 강물이 흐르는 반대 방향으로 강물을 거슬러 올라가고 있습니다. 이 배가 출발한 곳에서 6 km 떨어진 마을에 도착하는 데 2시간이 걸렸다면 강물은 시속 몇 km로 흐르는지 구하시오.**

뇌가 번쩍

흐르는 강물에서 배가 운행할 때 배의 속력은?

강물을 거슬러 올라갈 때 — 강물이 흐르는 반대 방향으로 갈 때

(배의 속력)=(흐르지 않는 물에서 배의 속력)−(강물의 속력)

강물을 따라 내려갈 때 — 강물이 흐르는 방향으로 갈 때

(배의 속력)=(흐르지 않는 물에서 배의 속력)+(강물의 속력)

흐르지 않는 물에서의 배의 속력에 강물의 속력을 더하거나 뺍니다.

최상위 사고력

어떤 배가 강물이 흐르는 방향으로 $36\,\mathrm{km}$를 내려가는 데 4시간이 걸리고, 강물이 흐르는 반대 방향으로 강물을 거슬러 $25\,\mathrm{km}$를 올라가는 데 5시간이 걸렸습니다. 흐르지 않는 물에서의 배의 속력과 강물의 속력은 각각 시속 몇 km인지 차례로 구하시오.

정답과 풀이 58쪽 ►

8-3. 터널 통과하기

1 일정한 빠르기로 1초에 15 m를 달리는 길이가 60 m인 기차가 있습니다. 이 기차가 길이가 300 m인 터널을 완전히 통과하는 데 걸리는 시간은 몇 초인지 구하시오.

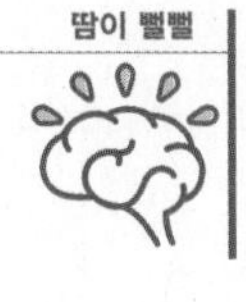

2 초속 20 m로 달리는 기차가 어떤 터널을 완전히 통과하는 데 1분 15초가 걸렸습니다. 기차의 길이가 90 m일 때 터널의 길이는 몇 m인지 구하시오.

뇌가 번쩍

기차가 터널을 완전히 통과하려면?

기차의 가장 앞부분이 터널 안으로 들어갈 때부터 기차의 가장 뒷부분이 터널 밖으로 완전히 나올 때까지 가야 합니다.

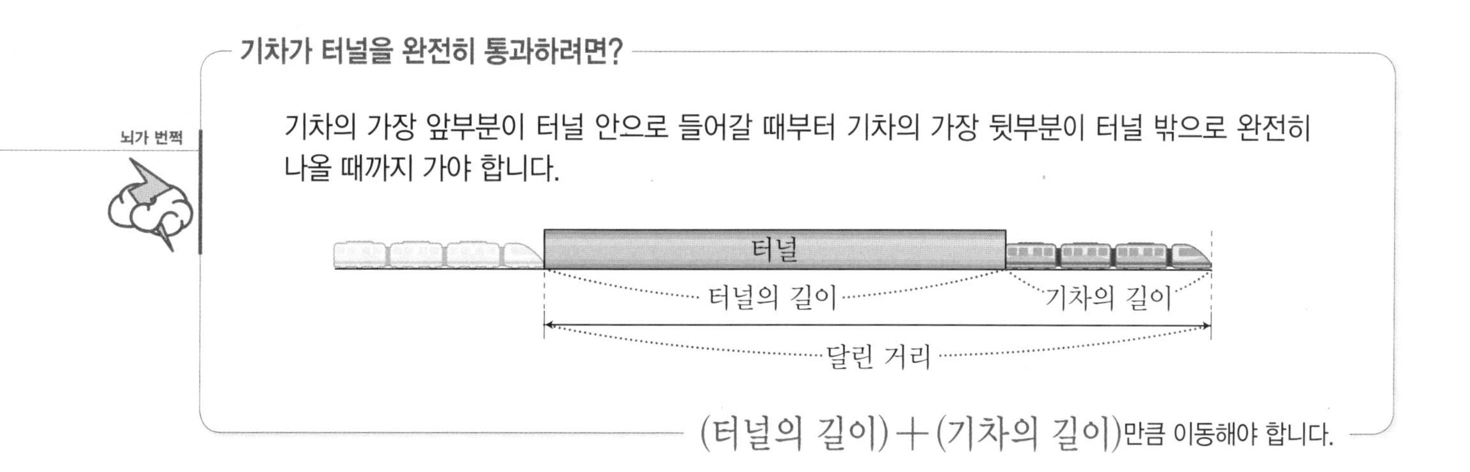

(터널의 길이)$+$(기차의 길이)만큼 이동해야 합니다.

최상위 사고력

분속 $600\,\mathrm{m}$로 달리는 기차가 $4.9\,\mathrm{km}$의 터널을 통과하였습니다. 기차가 터널 안으로 들어가 나오기까지 전혀 보이지 않았던 시간이 8분이었다면 기차의 길이는 몇 m인지 구하시오.

최상위 사고력

1 거리가 60 km인 두 지점 가와 나 사이를 자동차로 왕복하는 데 갈 때는 시속 100 km로 가고, 올 때는 시속 60 km로 왔습니다. 자동차의 평균 속력은 시속 몇 km인지 구하시오.

| 경시대회 기출 |

2 일정한 빠르기로 1시간에 180 km를 달리는 기차가 있습니다. 이 기차가 그림과 같이 첫째 터널에 들어가기 시작하여 길이가 800 m인 4개의 터널을 완전히 통과하는 데 70초가 걸렸습니다. 기차의 길이가 60 m일 때 4개의 터널 사이의 거리의 합은 몇 m인지 구하시오.

3

흐르지 않는 물에서의 속력이 시속 9 km인 배를 타고 강물의 속력이 시속 3 km인 강을 거슬러 올라갔다가 내려왔습니다. 이 배의 평균 속력은 시속 몇 km인지 구하시오.

| 경시대회 기출 |

4

초속 13 m로 달리는 지하철이 길이가 1280 m인 한강 다리를 완전히 통과하는 데 1분 55초가 걸립니다. 이 지하철이 맞은 편에서 오는 지하철을 완전히 지나치는 데 몇 초가 걸리는지 반올림하여 소수 첫째 자리까지 나타내시오. (단, 두 지하철의 속력과 길이는 같습니다.)

정답과 풀이 59쪽 ►

9-1. 비와 비율

1 의란이네 학교 6학년 학생들에게 공책을 한 권씩 나누어 주려고 합니다. 지금까지 6학년 학생의 60 %가 공책을 받았고 아직 공책을 받지 않은 학생은 24명입니다. 의란이네 학교 6학년 학생은 모두 몇 명인지 구하시오.

땀이 뻘뻘

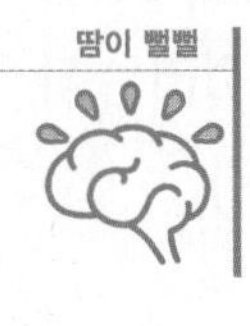

2 혜성이네 학교의 남학생 수는 전체 학생 수의 $\frac{7}{17}$이고, 남학생이 여학생보다 45명 더 적습니다. 혜성이네 학교의 학생은 모두 몇 명인지 구하시오.

기준이 되는 양을 간단히 구하려면?

뇌가 번쩍

예 민수네 반의 남학생 수는 16명이고 전체 학생 수의 $\frac{4}{7}$일 때 민수네 반 학생은 모두 몇 명입니까?

(기준량) × (비교하는 양의 비율) = (비교하는 양)

(비교하는 양) ÷ (비교하는 양의 비율) = (기준량)

(민수네 반 학생 수) × $\frac{4}{7}$ = 16(명) ➡ (민수네 반 학생 수) = 16 ÷ $\frac{4}{7}$ = 28(명)

(비교하는 양) ÷ (비교하는 양의 비율) = (기준량)

최상위 사고력

전체의 무게에 대한 수분의 무게의 비율이 92 %인 10 kg짜리 수박이 있습니다. 이 수박을 먹지 않고 오래 두었더니 수분이 증발하여 전체의 무게에 대한 수분의 무게의 비율이 84 %가 되었습니다. 수분이 증발하고 난 후의 수박의 무게는 몇 kg인지 구하시오.

정답과 풀이 61쪽 ►

9-2. 할인율

1 한 봉지에 800원이던 라면이 1000원으로 한 갑에 2000원이던 우유가 2400원으로 올랐습니다. 라면과 우유 중에서 어느 것의 가격이 더 많이 올랐는지 구하시오.

2000원 ➡ 2400원

2 원가에 20 %의 이익을 붙여 판매 가격을 정한 물건을 15 % 할인해서 팔았더니 100원의 이익이 생겼습니다. 이 물건의 원가는 얼마인지 구하시오.

뇌가 번쩍

정가에서 할인하여 판매하는 경우 판매 가격은?

정가의 $20\ \%$를 할인한 경우 ┌ (할인 가격)$=$(정가)$\times 0.2$
└ (판매 가격)$=$(정가)$\times \underset{1-0.2}{\underline{(0.8)}}$

할인 비율을 알면 판매 가격을 구할 수 있습니다.

최상위 사고력 A

어떤 인형 가게에서 곰인형의 판매 가격을 원가에 $40\ \%$의 이익을 붙여 정했습니다. 그런데 곰인형이 팔리지 않아 판매 가격에서 $30\ \%$를 할인해서 팔았더니 곰인형 한 개당 600원의 손해를 보았습니다. 이 곰인형 한 개의 원가는 얼마인지 구하시오.

최상위 사고력 B

한 자루에 200원인 연필을 ㉮ 문구점에서는 10자루에 1800원으로 할인해서 팔고, ㉯ 문구점에서는 같은 연필을 10자루 사면 1자루를 더 줍니다. 이 연필 10자루를 살 때 어느 문구점에서 사는 것이 더 싸게 사는 것인지 구하시오.

정답과 풀이 62쪽 ►

9-3. 농도

1 **다음을 읽고 물음에 답하시오.**

(1) 소금 25 g이 녹아 있는 소금물 125 g이 있습니다. 이 소금물의 농도는 몇 %인지 구하시오.

(2) 농도가 15 %인 소금물 200 g에는 소금 몇 g이 녹아 있는지 구하시오.

(3) 농도가 10 %인 소금물에 5 g의 소금이 녹아 있습니다. 이 소금물의 무게는 몇 g인지 쓰시오.

TIP 소금물의 양에 대한 소금의 양의 비율을 소금물의 진하기(농도)라고 합니다.
소금물의 농도는 다음과 같이 백분율로 나타냅니다.

$$(\text{소금물의 농도})(\%)=\frac{(\text{소금의 양})}{(\text{소금물의 양})}\times 100$$

(소금물의 양)=(소금의 양)+(물의 양)

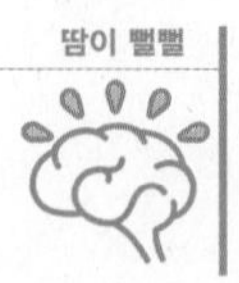

2 **농도가 15 %인 소금물 100 g이 있습니다. 이 소금물에서 50 g을 따라낸 뒤 남은 소금물에 물 100 g을 넣으면 소금물의 농도는 몇 %가 되는지 구하시오.**

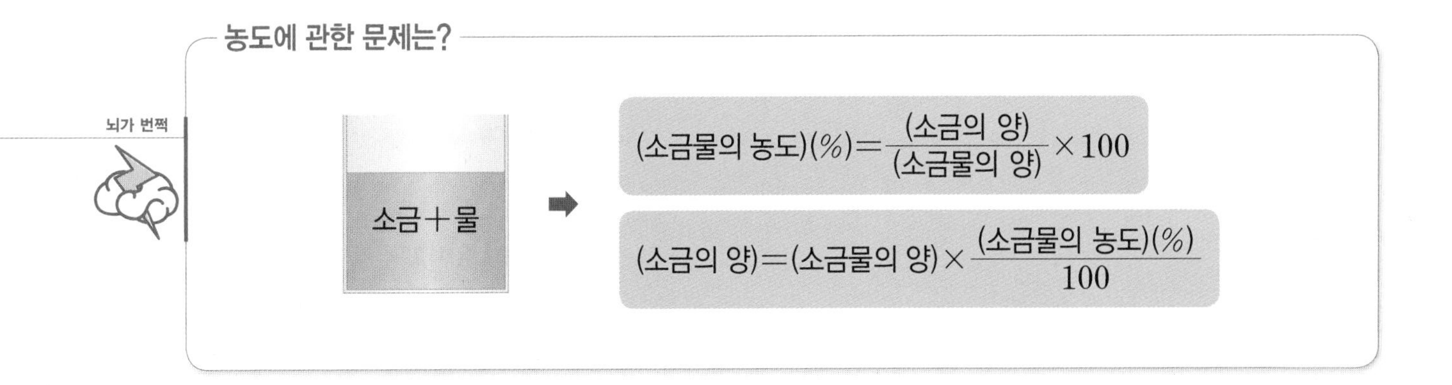

최상위 사고력

농도가 $15\ \%$인 소금물 $200\ \mathrm{g}$을 며칠 동안 두었더니 물의 일부가 증발되었습니다. 증발되고 남은 소금물에 농도가 $5\ \%$인 소금물 $300\ \mathrm{g}$을 섞었더니 농도가 $10\ \%$인 소금물이 되었다면 증발된 물은 몇 g인지 구하시오.

정답과 풀이 63쪽 ►

최상위 사고력

| 경시대회 기출 |

1 떨어뜨린 높이의 $\frac{2}{3}$만큼 튀어 오르는 공이 있습니다. 이 공이 3번째로 튀어 올랐을 때의 높이가 40 cm일 때 처음 공을 떨어뜨린 높이는 몇 cm인지 구하시오.

2 꽃 가게에서 개업 기념으로 판매 가격이 15000원인 꽃다발을 오늘 하루만 20 % 할인하여 판매하고 있습니다. 이 꽃다발을 내일부터 다시 15000원에 판매한다면 내일은 오늘보다 몇 % 더 비싼 가격으로 사게 되는지 구하시오.

3

병호는 정가가 10000원인 옷을 사려고 합니다. 병호가 사려고 하는 옷을 ㉮, ㉯ 두 가게에서 팔고 있습니다. 어느 가게에서 사는 것이 더 싸게 사는 것인지 구하시오. (㉮, ㉯ 두 가게에서는 상품권을 현금과 동일하게 사용할 수 있습니다.)

㉮ 가게: 정가의 8 %를 할인해 주고 옷값으로 낸 금액의 10 %를 상품권으로 지급합니다.
㉯ 가게: 정가와 같은 금액의 상품권을 구입하면 정가의 10 %를 상품권으로 추가 지급하고 정가의 8 %를 할인해 줍니다.

| 경시대회 기출 |

4

문제풀이

㉮ 컵에는 4 %의 소금물 100 g, ㉯ 컵에는 10 %의 소금물 200 g이 들어 있습니다. 두 컵에서 소금물을 각각 50 g씩 따라낸 후 따라낸 소금물을 섞어 다시 ㉮ 컵과 ㉯ 컵에 50 g씩 넣었습니다. ㉮ 컵과 ㉯ 컵에 들어 있는 소금물의 농도는 각각 몇 %가 되었는지 차례로 구하시오.

정답과 풀이 64쪽 ►

10-1. 타율과 승률

1 타율은 안타 수를 타수(타격수)로 나누어 계산한 값입니다. 타율은 야구에서 타자를 평가하는 기준 중 하나로 1에 가까울수록 좋은 기록입니다. 물음에 답하시오.

선수	타수	안타 수	타율
김병욱	38	12	
박규민	44		0.25
손하성		14	0.4

(1) 다음은 야구 선수 3명의 어제까지의 성적을 기록한 표입니다. 빈칸에 알맞은 수를 써넣으시오. (단, 타율은 반올림하여 소수 셋째 자리까지 나타냅니다.)

(2) 김병욱 선수가 오늘 경기에서 5타수 3안타를 기록했다면 오늘까지의 김병욱 선수의 타수는 43, 안타 수는 15입니다. 박규민 선수가 오늘 경기에서 4타수 3안타를 기록했다면 오늘까지의 박규민 선수의 타율은 얼마가 되는지 소수로 나타내시오. (단, 타율은 반올림하여 소수 셋째 자리까지 나타냅니다.)

(3) 오늘 경기에서 3타수 1안타를 기록하면 타율이 높아지는 선수의 이름을 모두 쓰시오.

최상위 사고력 A

승률은 스포츠에서와 같이 승부를 겨루는 경기 등에서 이긴 비율을 말합니다. 한국프로야구(KBO) 리그에서 승률은 순위를 결정하는 기준으로 사용되며 (이긴 경기 수)÷((이긴 경기 수)+(진 경기 수))로 계산합니다. 올해 가 야구팀의 성적은 50경기 중 26승 10무 14패이고 나 야구팀의 성적은 50경기 중 24승 8무 18패라고 할 때 가 야구팀과 나 야구팀 중 승률이 더 높은 팀을 구하시오.

최상위 사고력 B

송병호 선수의 어제까지의 타율은 3할 7푼 5리이고, 앞으로 4타수 2안타를 더 기록하면 3할 8푼이 됩니다. 어제까지의 송병호 선수의 기록은 몇 타수 몇 안타인지 구하시오. (단, (타율)=(안타 수)÷(타수)입니다.)

TIP 할푼리: 비율을 소수로 나타내었을 때 소수 첫째 자리 숫자를 할, 소수 둘째 자리 숫자를 푼, 소수 셋째 자리 숫자를 리라고 합니다.

예 3할 1푼 7리 ➡ 0.317

24 % ➡ 0.24 ➡ 2할 4푼

10-2. 작업 능률

1 종이배 240개를 접는 데 하영이 혼자서 접으면 1시간이 걸리고, 승민이 혼자서 접으면 40분이 걸립니다. 두 사람이 함께 종이배 240개를 접는 데 걸리는 시간은 몇 분인지 구하시오. (단, 두 사람이 1분 동안 접는 종이배의 수는 각각 일정합니다.)

2 어떤 일을 하는 데 진수는 20일이 걸리고, 경미는 30일이 걸린다고 합니다. 이 일을 진수와 경미가 함께 한다면 며칠 만에 끝낼 수 있는지 구하시오. (단, 두 사람이 하루 동안 하는 일의 양은 각각 일정합니다.)

뇌가 번쩍

일과 시간에 관한 문제를 어떻게 풀까?

전체 일의 양을 1이라 하고,
이 일을 ㉮와 ㉯가 끝내는 데 걸리는 시간이 각각 ㉠일, ㉡일이라고 할 때,

㉮가 하루에 하는 일의 양: $\frac{1}{㉠}$

㉯가 하루에 하는 일의 양: $\frac{1}{㉡}$

㉮와 ㉯가 같이 일을 할 때 하루에 하는 일의 양은 $\frac{1}{㉠}+\frac{1}{㉡}$입니다.

최상위 사고력 A

어떤 일을 하는 데 형이 혼자 하면 6일이 걸리고, 동생이 혼자 하면 9일이 걸린다고 합니다. 이 일을 동생이 혼자서 6일 동안 한 다음 나머지는 형이 혼자 하여 끝냈다고 합니다. 형이 혼자서 일한 날은 며칠인지 구하시오. (단, 두 사람이 하루 동안 하는 일의 양은 각각 일정합니다.)

최상위 사고력 B

㉮ 기계 한 대로 하면 5일만에 끝낼 수 있는 일을 ㉯ 기계 한 대로 하면 6일이 걸립니다. ㉮ 기계 6대로 하면 8일만에 끝낼 수 있는 일을 ㉮ 기계 3대와 ㉯ 기계 6대로 하면 며칠만에 끝낼 수 있는지 구하시오. (단, 두 기계가 하루 동안 하는 일의 양은 각각 일정합니다.)

정답과 풀이 67쪽 ►

10-3. 뉴튼산

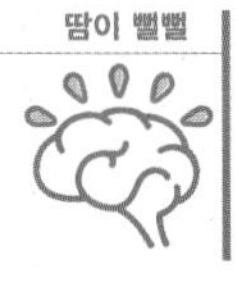

1 **매일 일정한 빠르기로 풀이 자라는 목장이 있습니다. 이 목장의 풀은 소 15마리가 20일 동안 먹을 수 있고, 소 30마리가 8일 동안 먹을 수 있습니다. 이 목장의 풀을 소 10마리가 며칠 동안 먹을 수 있는지 구하시오. (단, 모든 소는 매일 같은 양의 풀을 먹습니다.)**

(1) 소 한 마리가 하루 동안 먹는 풀의 양을 1이라 하고 하루에 자라는 풀의 양을 ㉠이라 할 때 □ 안을 알맞게 채우시오.

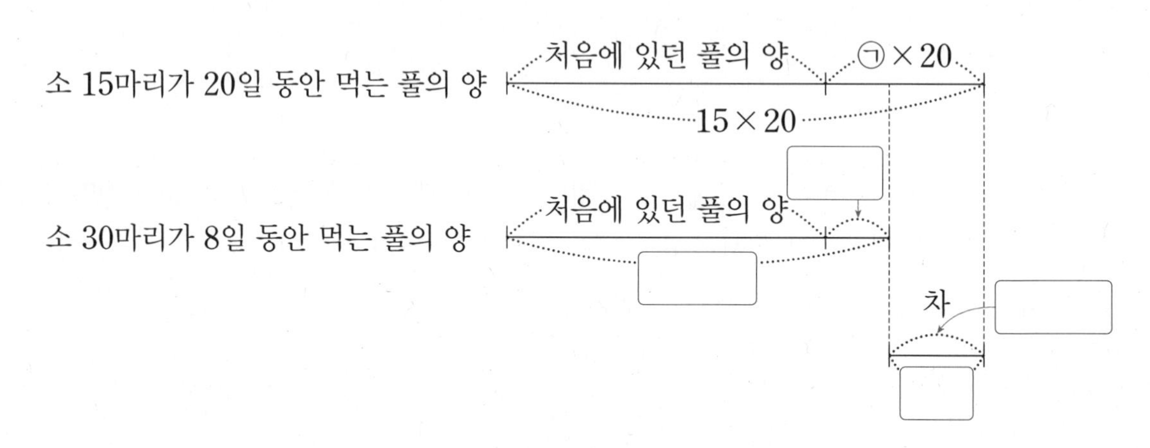

(2) 소 한 마리가 하루 동안 먹는 풀의 양을 1이라 할 때 하루에 자라는 풀의 양(㉠)은 얼마인지 구하시오.

(3) 소 한 마리가 하루 동안 먹는 풀의 양을 1이라 할 때 처음에 있던 풀의 양은 얼마인지 구하시오.

(4) 이 목장의 풀을 소 10마리가 며칠 동안 먹을 수 있는지 구하시오.

뇌가 번쩍

뉴튼산에서 소가 먹은 풀의 양은 왜 차이가 날까?

㉮ 어떤 밭의 풀을 소 2마리는 5일, 소 4마리는 3일 동안 모두 먹습니다.

	처음에 있던 풀	+	5일간 자란 풀	=	5일 동안 소 2마리가 먹은 풀
−)	처음에 있던 풀	+	3일간 자란 풀	=	3일 동안 소 4마리가 먹은 풀
			2일간 자란 풀		소가 먹은 풀의 양의 차

매일 자라는 풀의 양 때문입니다.

최상위 사고력

매일 일정한 빠르기로 풀이 자라는 목장이 있습니다. 이 목장의 풀을 양 12마리가 12일 동안 먹을 수 있고, 양 10마리가 16일 동안 먹을 수 있습니다. 이 목장의 풀이 없어지지 않고 항상 같은 양만큼 유지되려면 최대 몇 마리의 양을 목장에 넣어야 하는지 구하시오.

정답과 풀이 68쪽 ►

최상위 사고력

| 경시대회 기출 |

1 **다음을 읽고 □ 안에 들어갈 수 있는 수 중에 가장 작은 수를 구하시오.**

(단, (타율)=(안타 수)÷(타수)입니다.)

김효상 선수의 지난 주까지의 기록은 273타수 □ 안타입니다. 이번 주에 12타수 5안타를 기록하여 타율이 3할 이상이 되었습니다.

2 **빈 수조에 수도꼭지를 틀어 놓으면 1시간 만에 수조에 물이 가득 찹니다. 또 가득 찬 물을 완전히 빼내는 데 40분이 걸립니다. 물이 가득 채워진 이 수조에 수도꼭지를 틀어 놓고 동시에 물을 빼내면 수조의 물이 완전히 빠지는 데 몇 분이 걸리는지 구하시오.**

3 어떤 일을 건창이와 원태가 함께 하면 12분, 원태와 정음이가 함께 하면 15분, 건창이와 정음이가 함께 하면 20분이 걸립니다. 이 일을 처음부터 정음이가 혼자서 하면 몇 분만에 끝낼 수 있는지 구하시오.

4 공연장 앞에 표를 팔기 전부터 표를 사기 위해 40명의 사람들이 한 줄로 서 있고, 매분마다 표를 사러 오는 사람의 수는 일정합니다. 매표소 2곳을 동시에 열면 30분 만에 줄이 없어지고, 매표소 3곳을 동시에 열면 10분 만에 줄이 없어진다고 합니다. 매표소 4곳을 동시에 열면 몇 분 만에 줄이 없어지는지 구하시오. (단, 모든 매표소에서 표를 파는 속도는 일정하고 한 사람이 표를 1장씩 삽니다.)

TIP 1분 동안 줄을 서는 사람 수를 ㉠, 매표소 1곳에서 판매하는 표의 수를 ㉡으로 놓습니다.

정답과 풀이 70쪽 ►

1 동대문에서 창의문까지 서울 성곽길의 길이는 $7.2\,\mathrm{km}$입니다. 민정이는 오후 2시에 동대문을 출발하여 성곽길을 따라 1분에 $60\,\mathrm{m}$를 가는 빠르기로 창의문까지 걸었습니다. 걷는 중간에 15분씩 세 번을 쉬고 창의문에 도착하였다면 민정이가 창의문에 도착한 시각은 오후 몇 시 몇 분인지 구하시오.

2 정가가 같은 가방을 ㉮ 가게에서는 정가의 30 %를 할인하여 판매하고, ㉯ 가게에서는 정가의 25 %를 할인하여 판매하고 있습니다. ㉯ 가게의 판매 가격이 ㉮ 가게의 판매 가격보다 1500원 더 비쌀 때 이 가방의 정가를 구하시오.

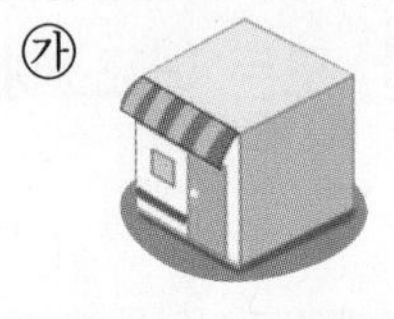

30 % 할인

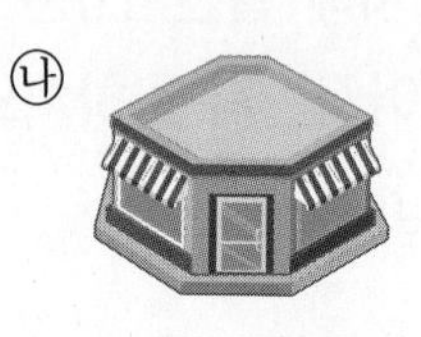

25 % 할인

3 상우는 집과 도서관 사이를 왕복하는 데 집에서 도서관으로 갈 때는 분속 $60\,\mathrm{m}$로 가고, 도서관에서 집으로 올 때는 초속 $3\,\mathrm{m}$로 왔습니다. 갈 때보다 올 때 6분이 덜 걸렸다면 집에서 도서관까지의 거리는 몇 m인지 구하시오.

4 시속 $360\,\mathrm{km}$로 달리는 기차가 $550\,\mathrm{m}$로 길이가 같은 2개의 터널을 지나갑니다. 터널과 터널 사이의 거리는 $1.1\,\mathrm{km}$이고 기차가 2개의 터널을 완전히 빠져나오는 데 걸리는 시간은 25초일 때 기차의 길이를 구하시오.

정답과 풀이 71쪽 ►

5 소금물 $500\,g$에 소금을 $40\,g$ 더 넣었더니 농도가 $20\,\%$인 소금물이 되었습니다. 처음 소금물의 농도는 몇 $\%$인지 구하시오.

6 어떤 일을 진우와 동호가 함께 3일 동안 하면 전체의 $\frac{2}{5}$를 할 수 있고, 나머지를 동호 혼자서 하면 일을 시작한 지 6일 만에 일을 모두 끝낼 수 있습니다. 이 일을 처음부터 진우가 혼자서 하면 며칠 만에 끝낼 수 있는지 구하시오. (단, 두 사람이 하루 동안 하는 일의 양은 각각 일정합니다.)

정답과 풀이 71쪽 ►

측정

11 입체도형의 부피

12 입체도형의 겉넓이와 부피

11-1. 각기둥과 각뿔의 부피

1 **삼각기둥과 사각뿔의 부피를 구하는 과정입니다. □ 안을 알맞게 채우시오.**

(1) 삼각기둥의 부피

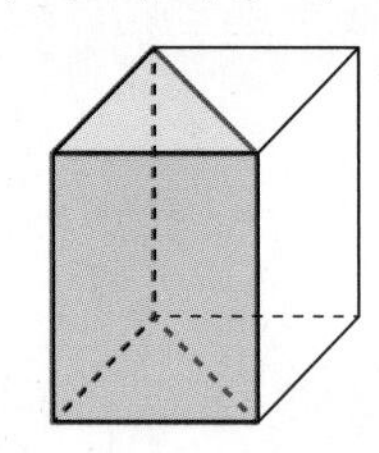

사각기둥은 부피가 같은 삼각기둥 □개로 나눌 수 있습니다.

(사각기둥의 부피)＝(밑면의 가로)×(밑면의 세로)×(높이)

＝(사각기둥의 밑면의 넓이)×(높이)이므로

(삼각기둥의 부피)＝(사각기둥의 부피)×$\frac{1}{\square}$

＝(사각기둥의 밑면의 넓이)×(높이)×$\frac{1}{\square}$

＝(사각기둥의 밑면의 넓이)×$\frac{1}{\square}$×(높이)

＝(삼각기둥의 □)×(높이)

(2) 사각뿔의 부피

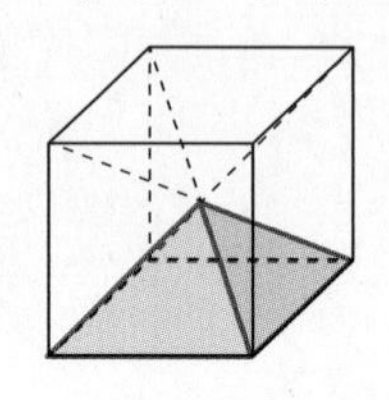

정육면체의 대각선이 만나는 점과 정육면체의 각 면의 꼭짓점을 이으면 □개의 합동인 사각뿔이 만들어집니다.

따라서 (사각뿔의 부피)＝(정육면체의 부피)×$\frac{1}{\square}$입니다.

이 사각뿔과 밑면과 높이가 같은 사각기둥의 부피는 정육면체의 부피의 절반이므로

(사각뿔과 밑면과 높이가 같은 사각기둥의 부피)

＝(정육면체의 부피)×$\frac{1}{\square}$입니다.

따라서 (사각뿔의 부피)

＝(사각뿔과 밑면과 높이가 같은 사각기둥의 부피)×$\frac{1}{\square}$

＝(사각뿔의 밑면의 넓이)×(높이)×$\frac{1}{\square}$

각기둥과 각뿔의 부피를 구하는 방법은?

• 각기둥

각기둥의 부피는 밑면을 삼각형으로 잘라 생긴 삼각기둥의 부피를 모두 더합니다.

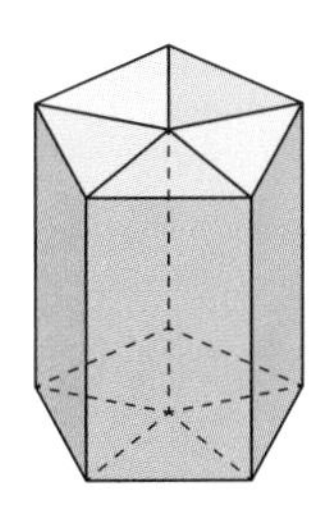

➡ (각기둥의 부피)=(밑면의 넓이)×(높이)

• 각뿔

사각기둥과 밑넓이와 높이가 같은 사각뿔에 물을 가득 담아 사각기둥에 부으면 3번 만에 가득 찹니다.

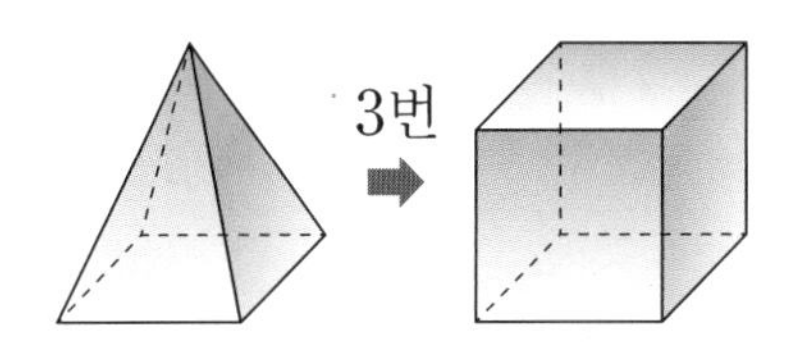

➡ (각뿔의 부피)=(밑면의 넓이)×(높이)×$\frac{1}{3}$

(각기둥의 부피)

최상위 사고력 A

같은 양의 물이 들어 있는 두 물통 가와 나를 다음과 같이 기울였습니다. ㉠에 알맞은 수를 구하시오.

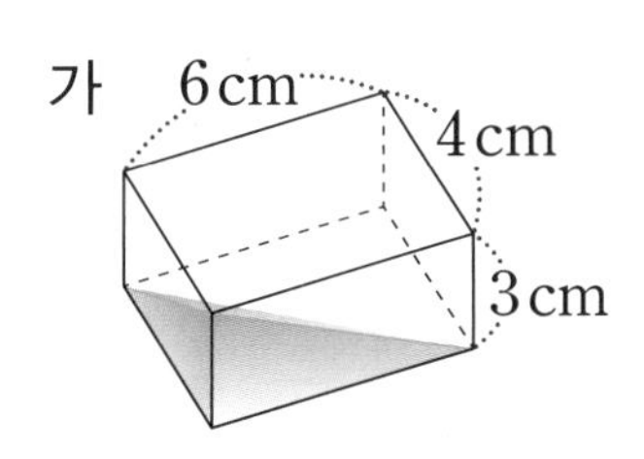

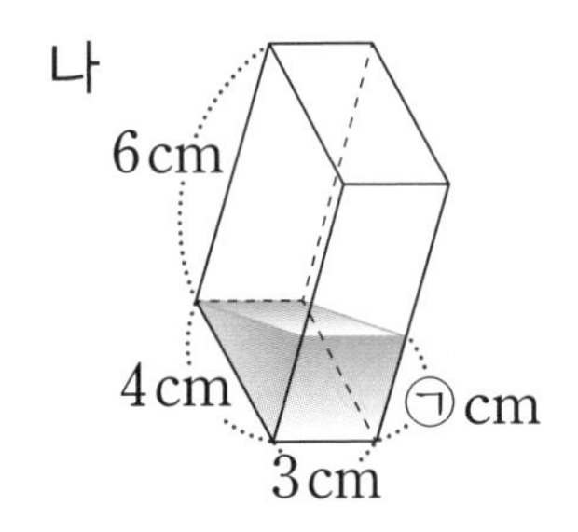

최상위 사고력 B

다음 정육면체에서 색칠한 부분의 삼각뿔을 잘라냈습니다. 잘라내고 남은 부분의 부피는 잘라 낸 삼각뿔의 부피의 몇 배인지 구하시오.

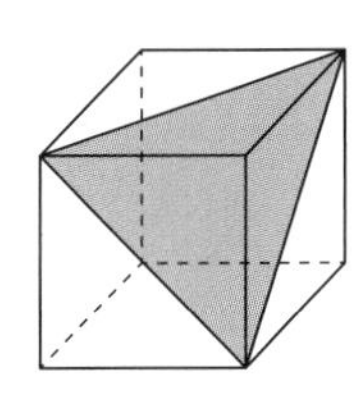

11-2. 복잡한 입체도형의 부피

1 입체도형의 부피를 구하시오.

(1)

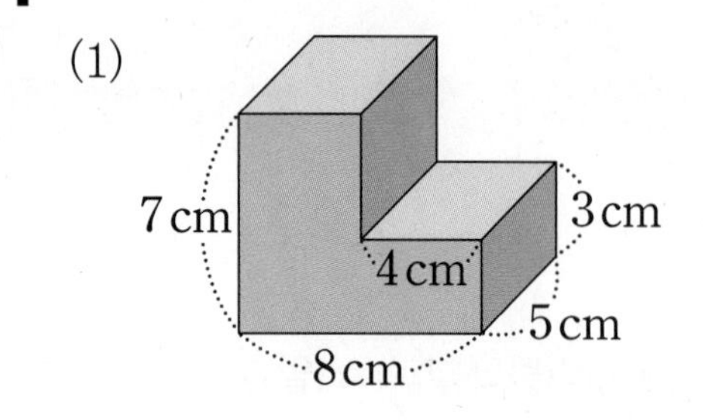

(2)

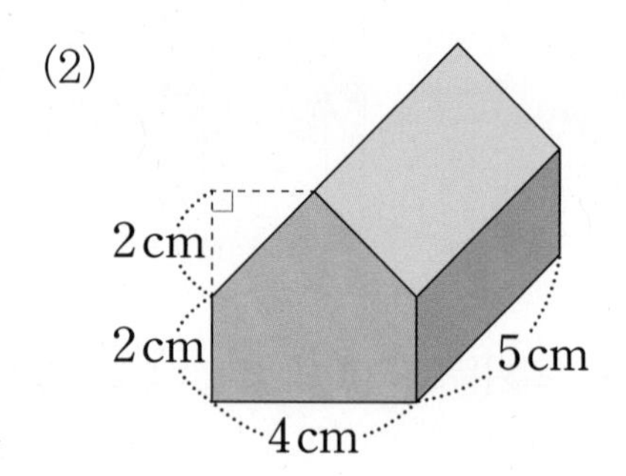

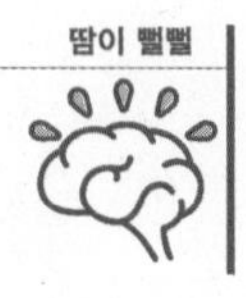

2 한 모서리의 길이가 9 cm인 정육면체의 각 면의 가운데에 다음과 같이 한 변의 길이가 3 cm인 정사각형 모양으로 마주 보는 면까지 구멍을 완전히 뚫었습니다. 이 입체도형의 부피를 구하시오.

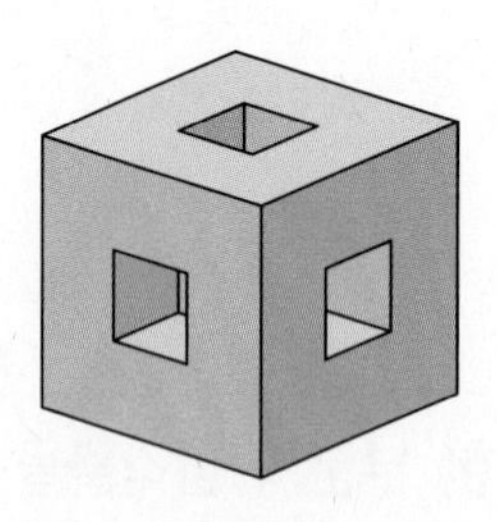

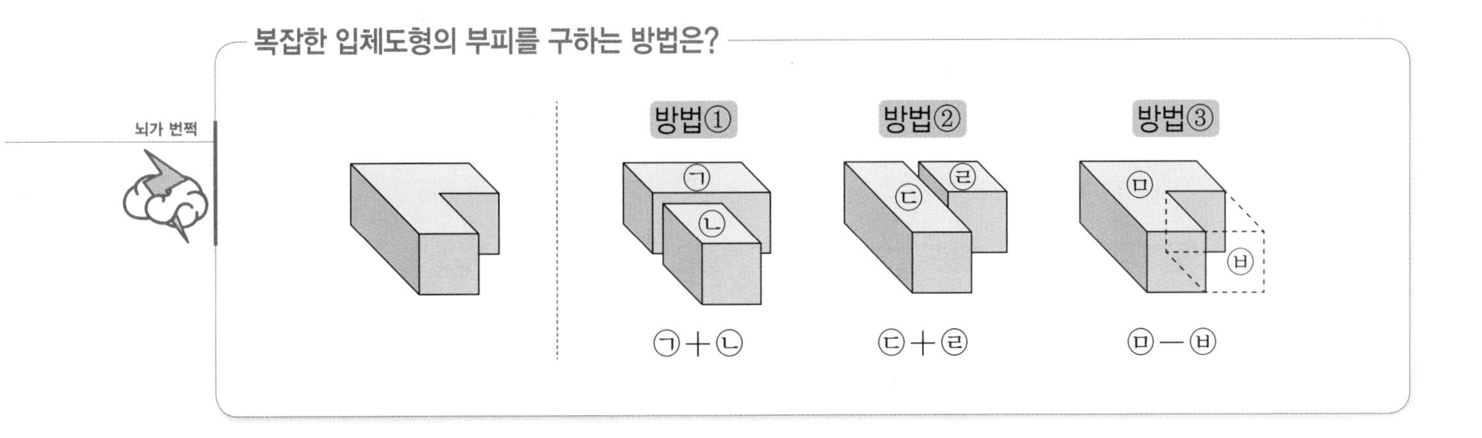

최상위 사고력

직육면체의 각 면에 다음과 같이 직사각형 모양으로 마주 보는 면까지 구멍을 완전히 뚫었습니다. 이 입체도형의 부피를 구하시오.

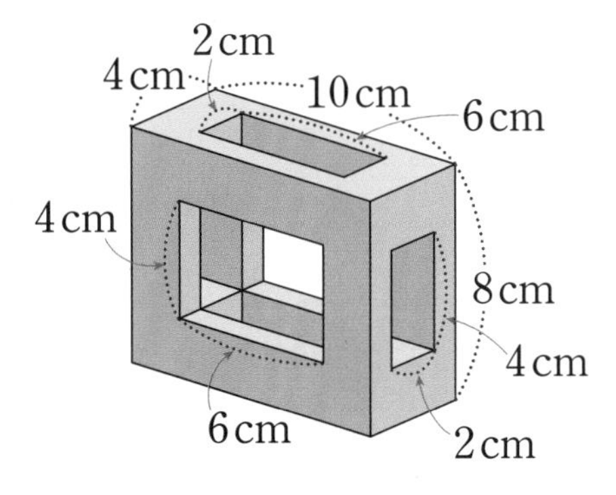

11-3. 물의 높이

1 기둥 모양의 2개의 그릇 가와 나에 각각 물 $42\,cm^3$를 담으려고 합니다. 가와 나에 담기는 물의 높이의 비를 구하시오.

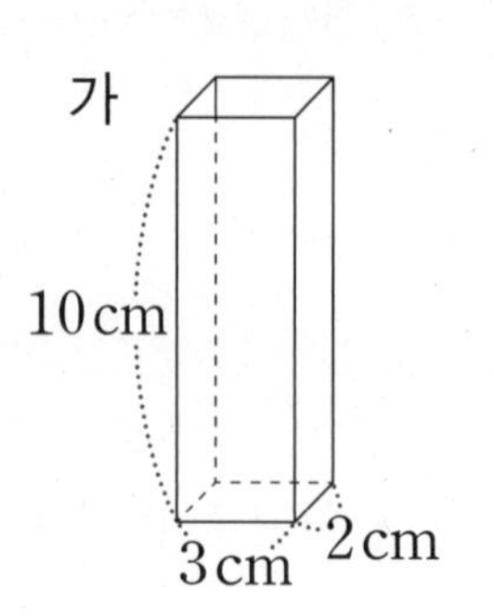

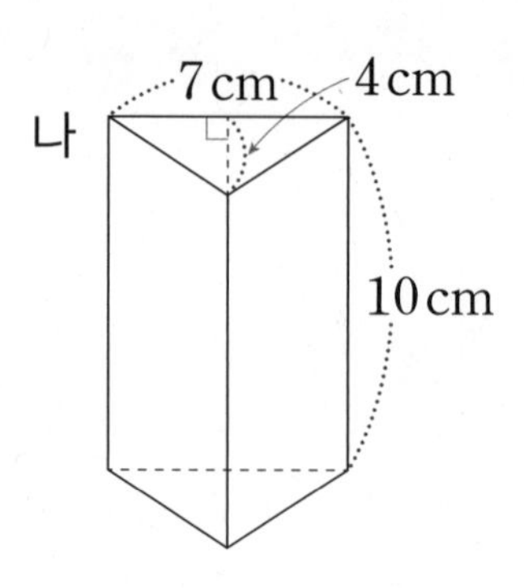

2 높이가 12 cm인 기둥 모양의 그릇 가와 나가 있습니다. 가 그릇의 밑넓이는 $4\,cm^2$이고 나 그릇의 밑넓이는 $12\,cm^2$입니다. 나 그릇에 물을 가득 담은 후 나 그릇의 물의 일부를 가 그릇에 부었더니 두 그릇의 물의 높이가 같아졌습니다. 같아진 물의 높이는 몇 cm인지 구하시오.

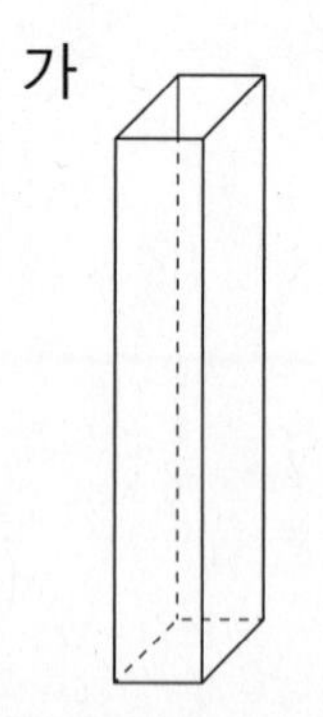

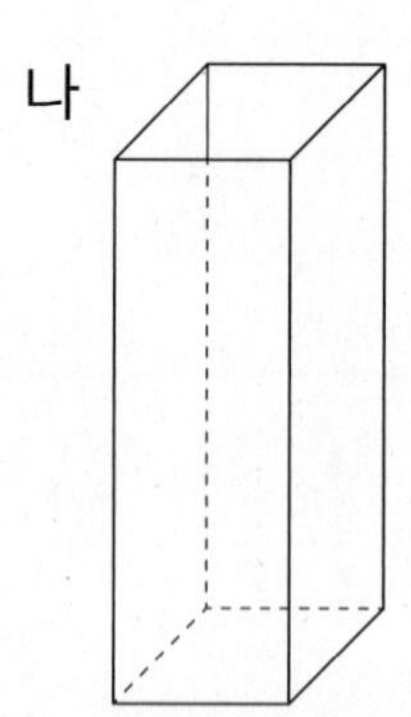

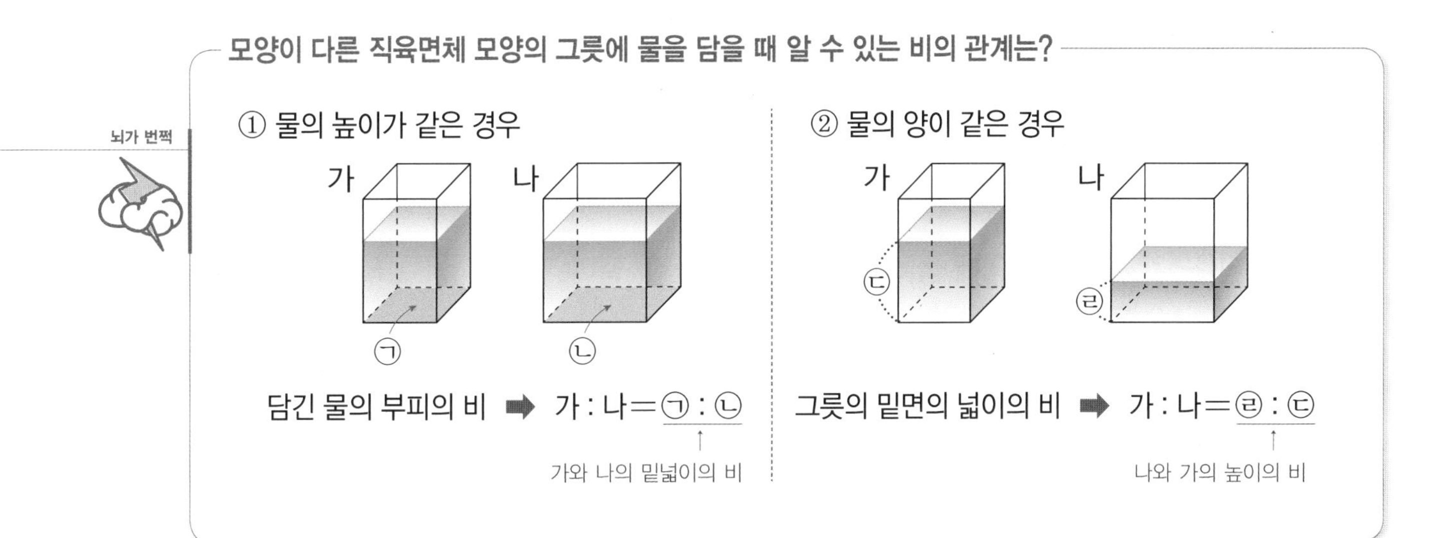

최상위 사고력

다음과 같이 직육면체 모양의 그릇에 물이 1 cm 높이만큼 들어 있습니다. 이 그릇에 밑면의 가로가 4 cm, 세로가 3 cm, 높이가 5 cm인 직육면체 모양의 막대를 그릇의 바닥에 닿을 때까지 수직으로 넣으면 막대를 넣은 후의 물의 높이는 몇 cm가 되는지 구하시오.

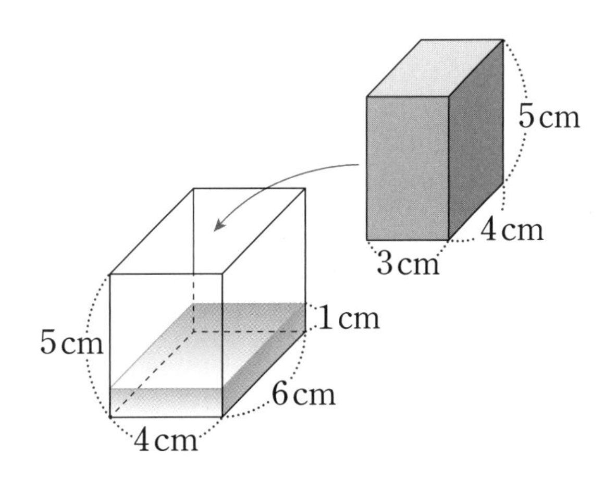

최상위 사고력

1 직육면체 모양의 물통에 물을 가득 채우고 다음과 같이 기울였더니 물의 일부가 흘러넘쳤습니다. 남은 물의 물의 부피를 구하시오.

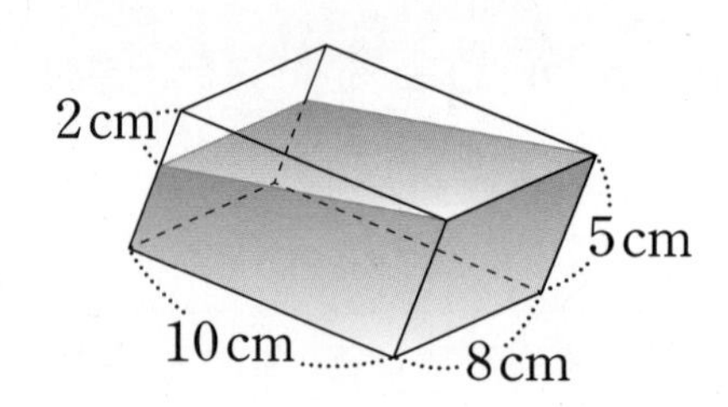

| 경시대회 기출 |

2 다음은 정삼각형 1개, 한 각이 직각인 이등변삼각형 3개, 정사각형 3개로 이루어진 입체도형의 전개도입니다. 이 전개도를 접었을 때 만들어지는 입체도형의 부피를 구하시오.

문제풀이

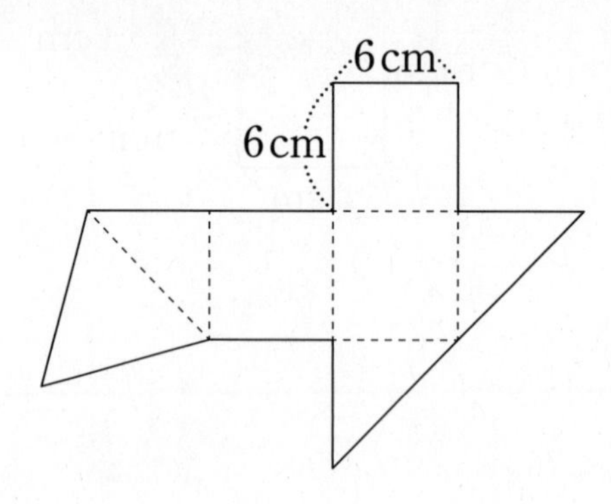

3 밑면은 한 변의 길이가 $5\,\mathrm{cm}$인 정사각형이고 높이가 $10\,\mathrm{cm}$인 사각기둥 모양의 컵에 주스를 담고 기울인 것을 옆에서 본 것입니다. 이 컵을 평평한 바닥에 밑면이 바닥과 맞닿게 세우면 주스의 높이는 몇 cm가 되는지 구하시오.

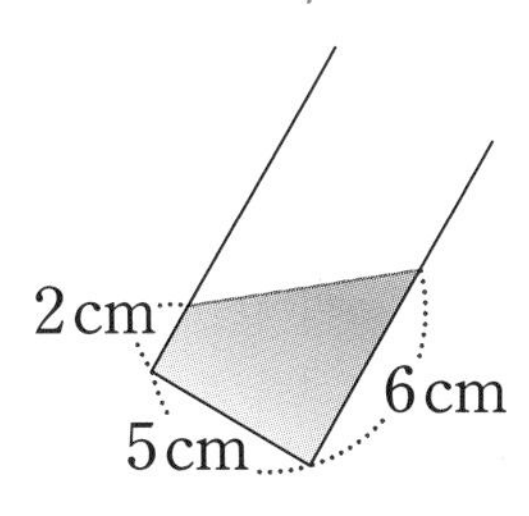

4 들이가 $600\,\mathrm{mL}$인 정육면체 모양의 그릇에 물 $100\,\mathrm{mL}$를 담으려고 합니다. 어떻게 담아야 하는지 설명하시오. (단, 주어진 그릇에 든 물을 다른 그릇에 부을 수는 있어도 다른 그릇에 부은 물을 주어진 그릇에 다시 담을 수는 없습니다.)

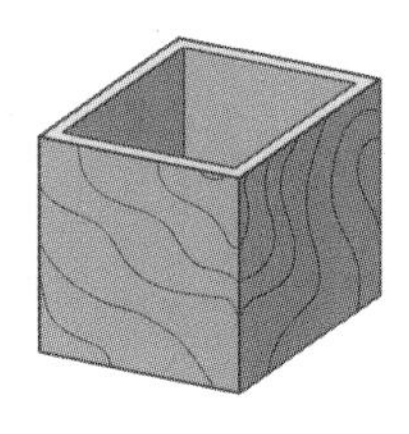

정답과 풀이 77쪽 ►

12-1. 복잡한 입체도형의 겉넓이

1 입체도형의 겉넓이를 구하시오.

(1)

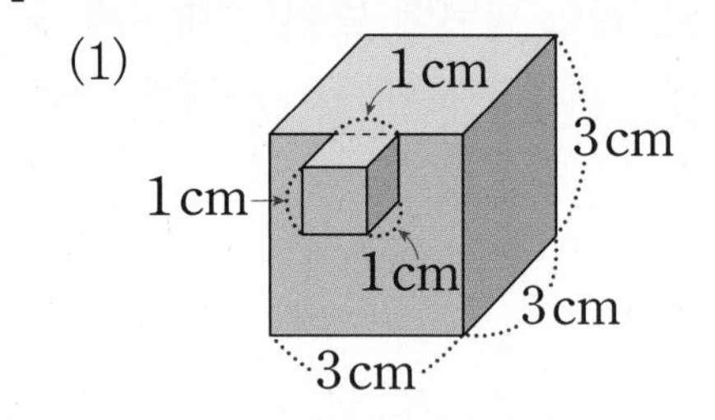

(2)

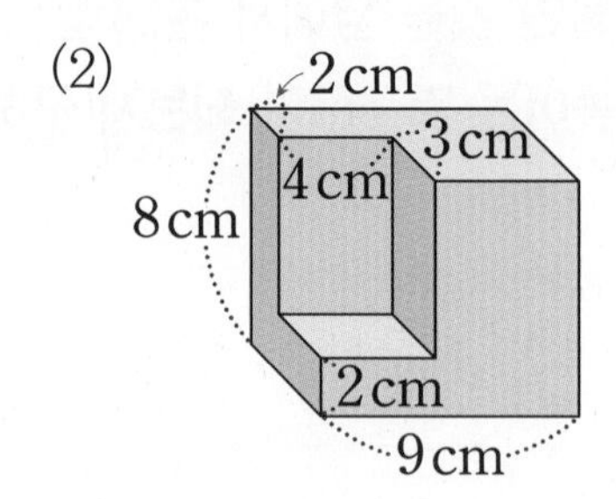

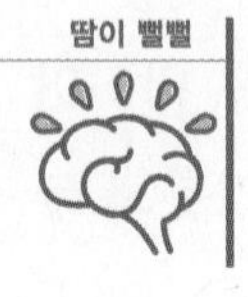

2 크기가 같은 정육면체 모양의 상자 20개를 쌓아 만든 입체도형입니다. 이 입체도형의 겉넓이가 $468\,cm^2$일 때, 정육면체 모양의 상자 1개의 부피를 구하시오.

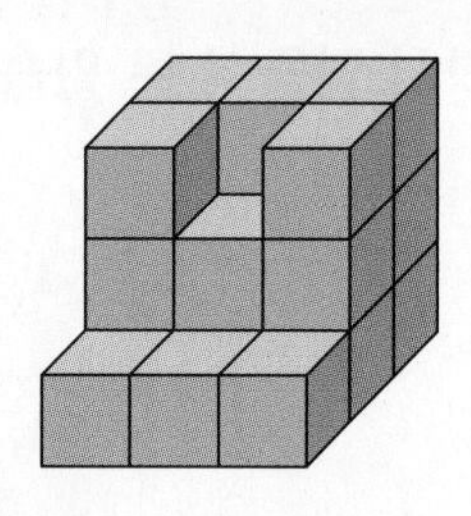

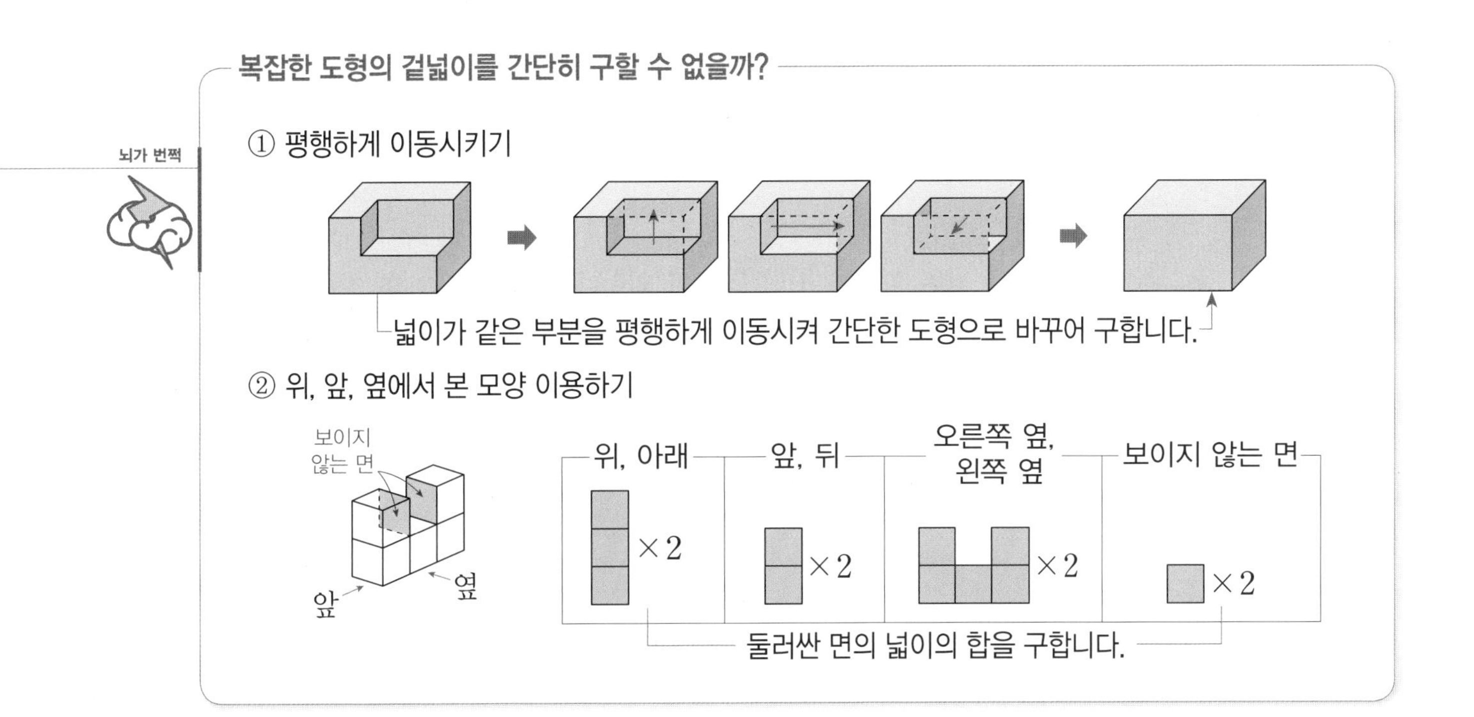

최상위 사고력

한 모서리의 길이가 $1\,\mathrm{cm}$인 쌓기나무 64개를 쌓은 것입니다. 쌓은 모양에서 파란색 쌓기나무 8개를 빼낼 때, 쌓기나무를 빼내고 남는 모양의 겉넓이를 구하시오.

정답과 풀이 78쪽 ►

12-2. 색칠된 쌓기나무의 개수

1 효주는 쌓기나무로 쌓은 모양을 바닥 면을 제외한 모든 면에 빨간색으로 칠하려고 합니다. 세 면이 칠해지는 쌓기나무는 모두 몇 개인지 구하시오.

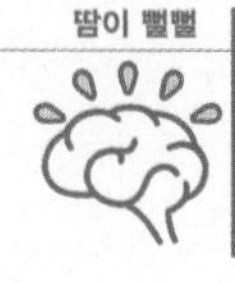

2 쌓기나무 27개를 쌓아 정육면체를 만든 후 다음과 같이 마주 보는 두 면의 한가운데를 완전히 뚫어 제거하고 새로운 입체도형을 만들었습니다. 새로운 입체도형을 페인트 통에 완전히 담갔다가 꺼냈을 때 페인트가 묻은 면은 모두 몇 개인지 구하시오.

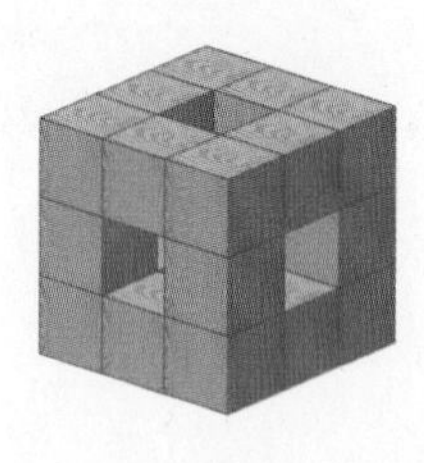

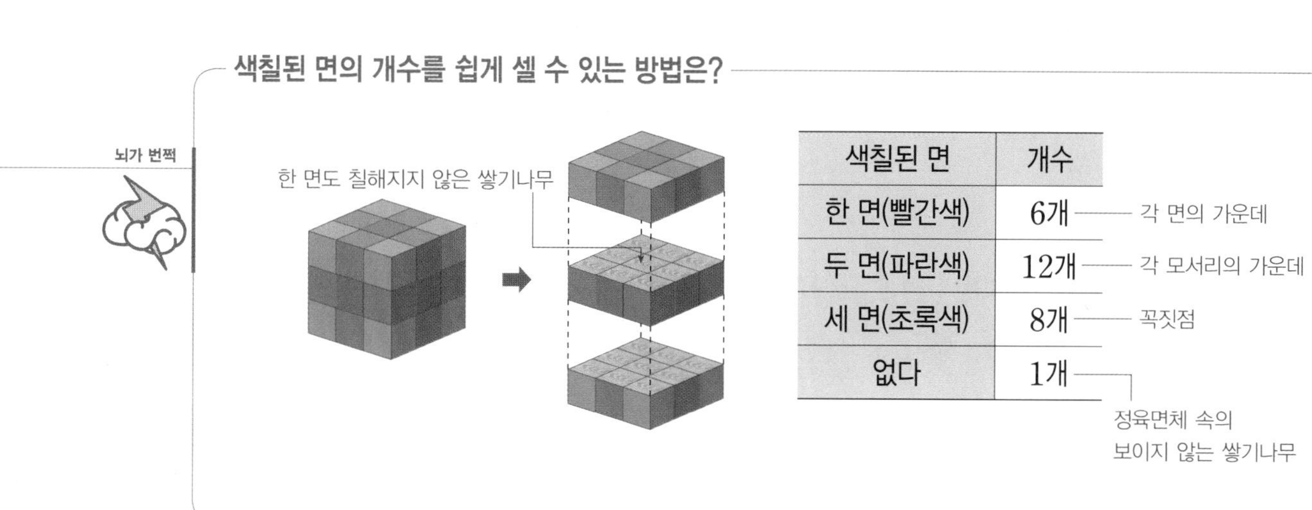

색칠된 면	개수
한 면(빨간색)	6개
두 면(파란색)	12개
세 면(초록색)	8개
없다	1개

최상위 사고력

쌓기나무로 정육면체를 쌓은 후 바닥 면을 포함한 모든 바깥쪽 면을 색칠하고 각각 떼어놓았더니 한 면도 색칠되지 않은 쌓기나무가 125개였습니다. 한 면 또는 두 면이 색칠된 쌓기나무는 모두 몇 개인지 구하시오.

정답과 풀이 79쪽 ►

12-3. 겉넓이의 최대·최소

1 한 모서리의 길이가 1cm인 쌓기나무 4개를 이용하여 여러 가지 모양을 만든 것입니다. 겉넓이가 다른 것을 찾아 ○표 하시오.

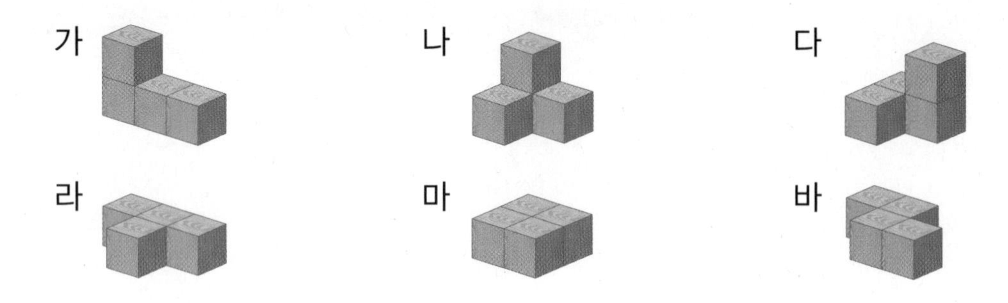

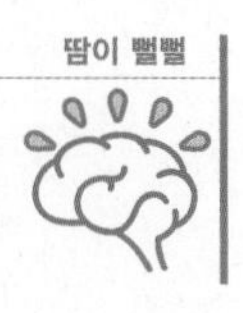

2 한 모서리의 길이가 1cm인 정육면체 12개를 쌓아 직육면체 모양을 만들려고 합니다. 겉넓이가 최대일 때와 최소일 때의 겉넓이를 차례로 구하시오.

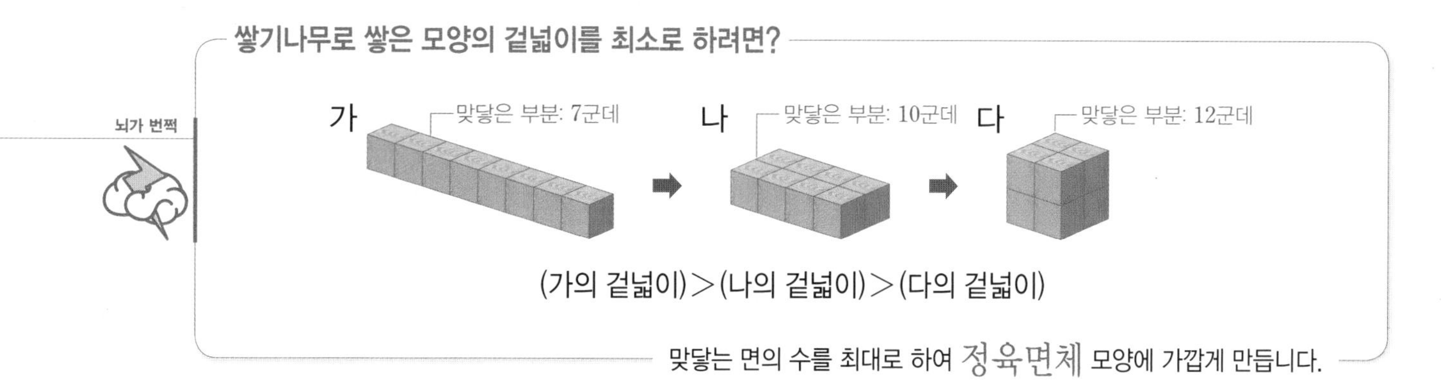

최상위 사고력

한 모서리의 길이가 2 cm인 네 가지 색의 쌓기나무를 같은 색끼리 붙여서 다음과 같은 모양을 만들었습니다. 이 모양들을 면끼리 맞닿게 붙여서 겉넓이가 가장 작은 입체도형을 만들려고 합니다. 만들어지는 입체도형의 겉넓이를 구하시오.

 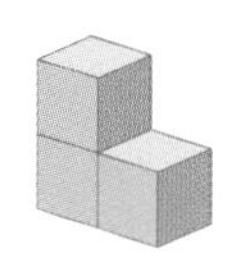 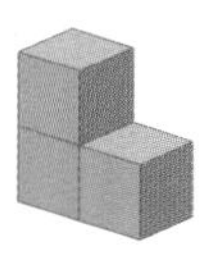 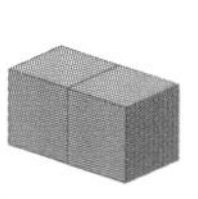

정답과 풀이 80쪽 ►

최상위 사고력

| 경시대회 기출 |

1 규칙에 따라 한 모서리의 길이가 $1\,\mathrm{cm}$인 쌓기나무를 쌓은 것입니다. 9번째 입체도형의 겉넓이를 구하시오.

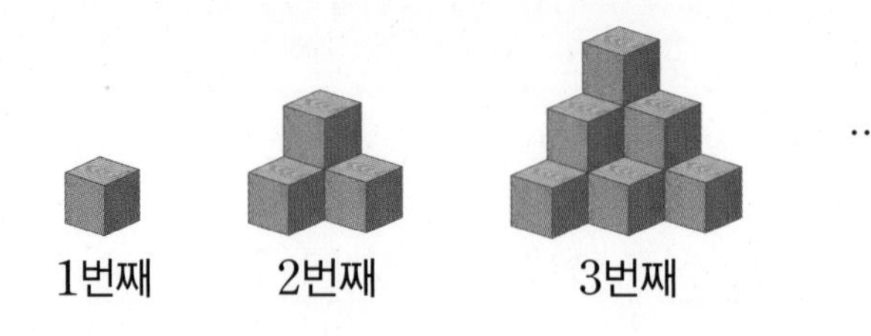

| 경시대회 기출 |

2 한 모서리의 길이가 $8\,\mathrm{cm}$인 정육면체를 부피의 비가 $1:3$이 되도록 두 부분으로 잘랐습니다. 잘라진 두 입체도형의 겉넓이의 차를 구하시오.

문제풀이

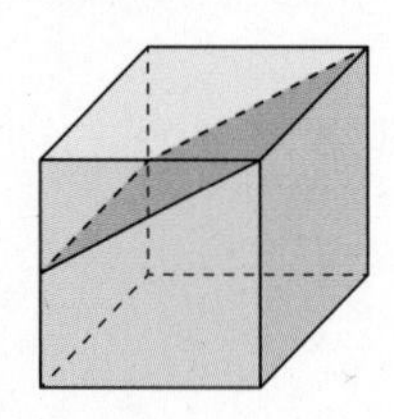

3 다음 전개도를 접었을 때 만들어지는 입체도형의 부피를 구하시오.

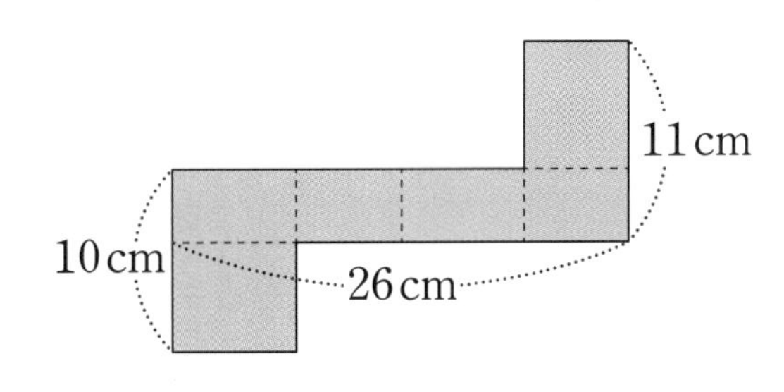

4 한 모서리의 길이가 $1\,\mathrm{cm}$인 쌓기나무 25개를 겉넓이가 최소가 되도록 쌓기나무의 면끼리 맞닿게 쌓았습니다. 쌓은 쌓기나무의 겉넓이를 구하시오.

정답과 풀이 81쪽 ►

1 한 모서리의 길이가 1 cm인 쌓기나무 30개를 쌓아 만든 입체도형입니다. 이 입체도형의 겉넓이를 구하시오.

2 직육면체를 다음과 같이 모양과 크기가 같은 직육면체 12개로 잘랐습니다. 잘라진 직육면체 12개의 겉넓이의 합을 구하시오.

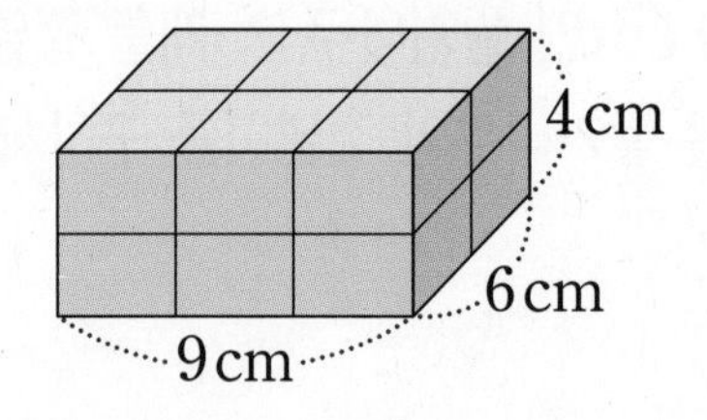

3

한 모서리의 길이가 $1\,\mathrm{cm}$인 쌓기나무를 면끼리 붙여서 만든 입체도형입니다. 이 입체도형을 페인트 통에 완전히 담갔다 꺼내었을 때 페인트가 묻은 면의 넓이를 구하시오.

4

다음은 직육면체에서 부피가 $8\,\mathrm{cm}^3$인 직육면체를 잘라낸 것입니다. 이 입체도형의 겉넓이가 $108\,\mathrm{cm}^2$일 때 부피를 구하시오.

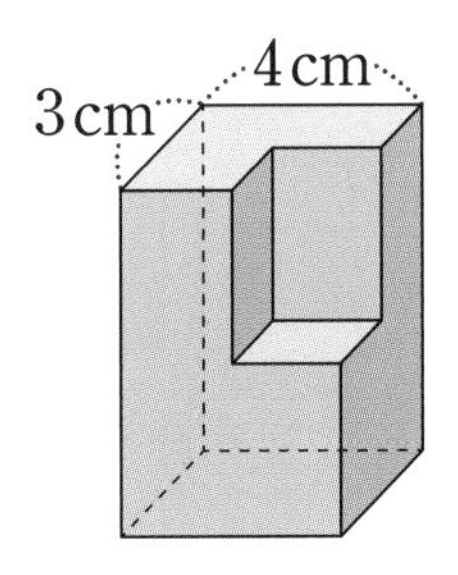

5 직육면체 모양의 2개의 물컵 가와 나가 있습니다. 가 컵에 물을 가득 부은 후 물의 일부를 나 컵으로 옮겼더니 두 컵에 들어 있는 물의 높이가 같아졌습니다. 같아진 물의 높이를 구하시오.

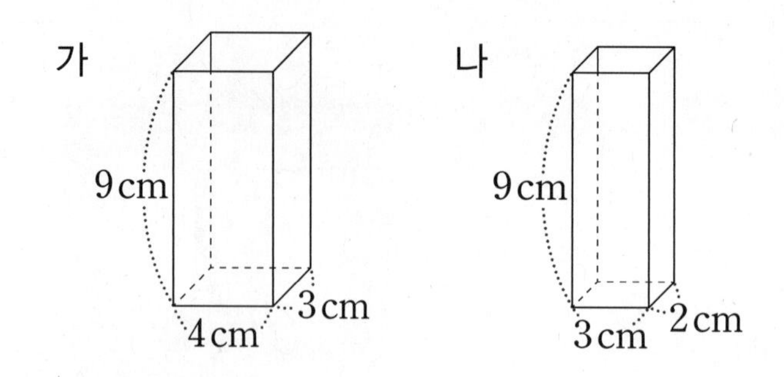

6 한 모서리의 길이가 6 cm인 정육면체의 각 면의 한가운데에 점을 찍고, 다음과 같이 이웃하는 면에 있는 점들을 선으로 연결하면 정육면체의 쌍대다면체가 만들어집니다. 이 입체도형의 부피를 구하시오.

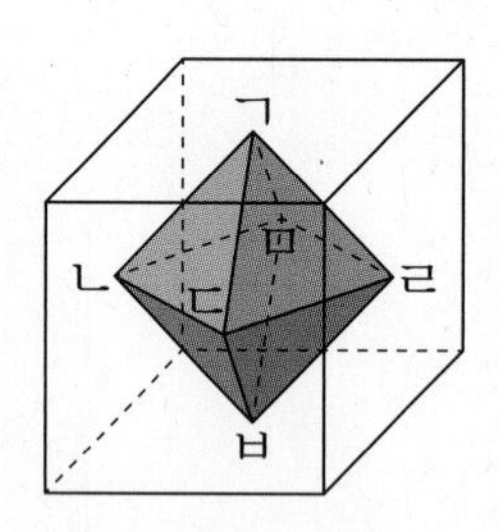

정답과 풀이 83쪽 ►

확률과 통계

13-1. 조건 분석(1)

1 2개의 전제에서 하나의 결론을 이끌어 내는 것을 삼단논법이라고 합니다. 삼단논법이 되도록 빈 곳에 알맞은 말을 써넣으시오.

> • 전제 1 : 모든 사람은 죽습니다.
> • 전제 2 : 소크라테스는 사람입니다.
> • 결　론 : 따라서 소크라테스는 죽습니다.

(1) • 전제 1 : 모든 곤충은 다리가 6개입니다.

• 전제 2 : 나비는 다리가 6개입니다.

• 결　론 :

(2) • 전제 1 : 모든 식물은 물을 섭취합니다.

• 전제 2 :

• 결　론 : 따라서 해바라기는 물을 섭취합니다.

2 다음을 보고 정우가 서점에 가는 것과 동시에 일어나는 조건은 무엇인지 쓰시오.

> ① 정우는 서점에 갑니다. 희수는 여기에 없습니다. 비가 옵니다. 승태는 집에 옵니다.
> ② 승태는 집에 오지 않습니다. 비가 오지 않습니다. 희수는 여기에 있습니다. 정우는 서점에 가지 않습니다.
> ③ 비가 오지 않습니다. 승태는 집에 옵니다. 정우는 서점에 가지 않습니다. 희수는 여기에 없습니다.
> ④ 희수는 여기에 있습니다. 정우는 서점에 갑니다. 승태는 집에 오지 않습니다. 비가 옵니다.

조건이 복잡한 문제를 해결하는 방법은?

뇌가 번쩍

곱이 104이고, 차가 5인 두 수를 구하는 방법은?

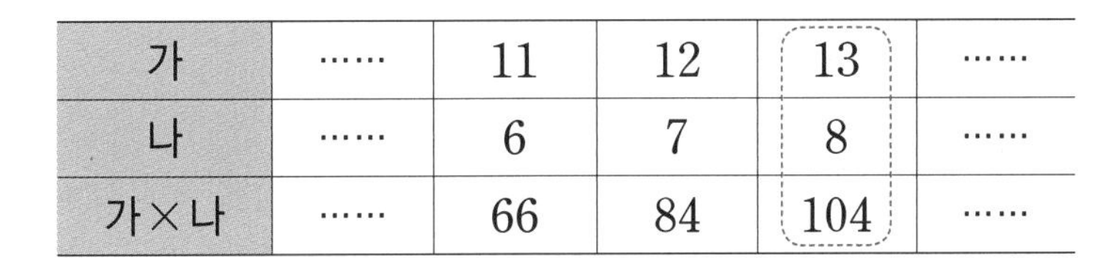

가	……	11	12	13	……
나	……	6	7	8	……
가×나	……	66	84	104	……

➡ 따라서 두 수는 8, 13입니다.

표를 그려 해결합니다.

최상위 사고력

현선이는 이번 주 월요일부터 토요일까지 전화를 모두 31번 하였습니다. 월요일에 전화를 한 횟수는 모두 몇 번인지 구하시오.

① 목요일부터 토요일까지 전화를 한 횟수는 모두 15번입니다.

② 월요일과 토요일에 전화를 한 횟수를 더하면 10번이 넘습니다.

③ 화요일에 전화를 한 횟수는 금요일에 전화를 한 횟수의 $\frac{1}{2}$입니다.

④ 수요일에 전화를 한 횟수는 9번이고, 목요일에 전화를 한 횟수는 수요일보다 1번 더 적습니다.

⑤ 하루에 전화를 가장 많이 한 횟수는 9번이고, 월요일부터 토요일까지 전화를 한 횟수는 모두 달랐습니다.

정답과 풀이 85쪽 ►

13-2. 조건 분석(2)

1 다섯 종류의 물고기 A, B, C, D, E가 있습니다. B 물고기는 C와 D 물고기를 잡아먹고, C 물고기는 D 물고기를 잡아먹습니다. 또 D 물고기는 E와 A 물고기를 잡아먹고, E 물고기는 A 물고기를 잡아먹고, A 물고기는 B와 C 물고기를 잡아먹습니다. 여러 개의 어항에 물고기를 나누어 다섯 종류의 물고기를 모두 키우려고 합니다. 물고기들이 서로 잡아먹히지 않게 하려면 최소 몇 개의 어항이 필요한지 구하시오.

2 진수와 A, B, C, D 4명은 모두 서로 한 번씩 바둑을 두려고 합니다. 지금까지 바둑을 A는 4판, B는 3판, C는 2판, D는 1판을 두었습니다. 진수는 지금까지 바둑을 몇 판 두었는지 구하시오.

4명이 모든 사람과 한 번씩 악수를 하는 횟수는?

① 사람을 점으로 표시하기 ② 악수를 하는 것을 선으로 표시하기

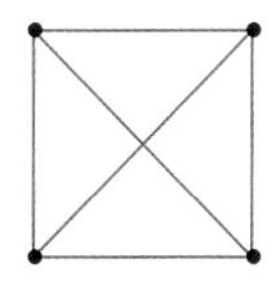

➡ 악수를 하는 횟수는 6번입니다.

조건에 맞게 그림을 그려 해결 합니다.

최상위 사고력

토너먼트는 주로 운동 경기에서 경기를 거듭할 때마다 진 쪽은 탈락하고 이긴 쪽끼리 겨루어 마지막에 남는 두 사람 또는 두 팀으로 우승을 결정하는 방식을 말합니다. 다음은 토너먼트 방식으로 경기를 하는 야구 대회에 참가한 6개의 팀 A, B, C, D, E, F의 1차전 대진표를 보고 민정, 승우, 동혁이가 1차전에서 승리할 팀을 예상한 것입니다. 1차전에서 F팀과 경기를 하게 되는 팀은 어느 팀인지 구하시오.

- 민정 : A팀, C팀, D팀이 승리할 거야.
- 승우 : B팀, C팀, E팀이 승리할 거야.
- 동혁 : B팀, D팀, F팀이 승리할 거야.

TIP 대진표: 운동 경기에서 겨룰 차례를 정해 놓은 표

정답과 풀이 86쪽 ►

13-3. 연역표

1 **정민, 승호, 미영이는 연필, 공책, 지우개 중 한 개씩을 잃어버렸습니다. 다음은 세 사람이 잃어버린 물건과 그 물건에 대한 설명입니다. 잃어버린 물건의 주인을 모두 알 수 있도록 설명한 사람의 이름을 모두 쓰시오.**

- 효정: 승호는 지우개를 잃어버리지 않았고, 미영이는 연필을 잃어버리지 않았어.
- 대헌: 정민이는 연필을 잃어버리지 않았고, 미영이는 공책을 잃어버렸어.
- 창호: 정민이는 지우개를 잃어버렸고, 미영이는 지우개를 잃어버리지 않았어.
- 재환: 승호는 공책을 잃어버렸고, 정민이는 연필을 잃어버렸어.
- 하나: 정민이는 연필을 잃어버리지 않았고, 승호는 공책을 잃어버리지 않았고, 미영이는 지우개를 잃어버리지 않았어.

2 **다음은 진호, 현선, 성목이의 성과 나이에 대한 설명입니다. 현선이의 성과 나이를 차례로 쓰시오.**

- 성은 각각 김, 이, 박 중 하나입니다.
- 나이는 각각 11살, 12살, 13살 중 하나입니다.
- 진호는 현선이와 이씨 성을 가진 학생보다 어립니다.
- 박씨 성을 가진 학생은 이씨 성을 가진 학생보다 더 나이가 많습니다.

A, B, C 3명이 사는 곳은?

① A, B, C는 1층, 2층, 3층 중 서로 다른 층에 삽니다.
② A는 3층에 삽니다.
③ C는 1층에 살지 않습니다.

②에 의해 A는 3층에 ○표
①에 의해 나머지 칸에 ×표

	A	B	C
1층	×		
2층	×		
3층	○	×	×

➡ ③에 의해 C는 1층에 ×표

	A	B	C
1층	×		×
2층	×		
3층	○	×	×

➡ ①에 의해 C는 2층,
B는 1층에 ○표

	A	B	C
1층	×	○	×
2층	×		○
3층	○	×	×

표를 그려 조건에 맞게 ○표 또는 ×표를 하여 찾습니다.

최상위 사고력

A, B, C 3명은 각각 직업을 두 가지씩 가지고 있습니다. 이들의 직업은 회계사, 화가, 작가, 의사, 교사, 승무원으로 서로 다릅니다. 다음을 보고 A, B, C 세 사람의 직업을 구하시오.

① B의 옆집에는 작가가 삽니다.
② 의사는 승무원의 남편입니다.
③ 화가와 작가는 A를 좋아합니다.
④ 회계사는 승무원의 친구입니다.
⑤ 화가는 의사에게 치료를 받고 있습니다.
⑥ C는 지난 주에 B와 등산을 갔다가 승무원을 만났습니다.

정답과 풀이 88쪽 ►

1

다음 중 논리적으로 맞는 말을 모두 고르시오.

① 민수는 한국인입니다. 어떤 한국인은 서울에 삽니다. 따라서 민수는 서울에 삽니다.
② 모든 개는 포유동물입니다. 모든 포유동물은 척추동물입니다. 따라서 모든 개는 척추동물입니다.
③ 정호가 그린 도형은 변이 5개보다 많습니다. 육각형은 변이 5개보다 많습니다. 따라서 정호가 그린 도형은 육각형입니다.
④ 양서류인 개는 없습니다. 몰티즈는 개입니다. 따라서 몰티즈는 양서류가 아닙니다.
⑤ 남자들은 축구를 좋아합니다. 미영이는 남자가 아닙니다. 따라서 미영이는 축구를 좋아하지 않습니다.

| 경시대회 기출 |

2

A, B, C, D, E 5명이 달리기 시합을 했습니다. 다음을 보고 달리기 시합이 끝난 후 5명의 등수를 쓰시오. (단, 1등부터 5등까지 등수가 정해졌습니다.)

A : 나는 1등으로 달리다 넘어져서 다시 일어나지 못했어.
B : E는 3명을 제쳤지만 1등은 아니야.
C : 나는 D보다 앞서서 달린 적이 없어.
D : 나는 한 번 추월한 후 다시 한 번 추월당했어.

| 경시대회 기출 |

3

A, B, C, D, E 5명은 각각 다른 종류의 반려 동물을 기릅니다. 기르고 있는 반려 동물은 개, 고양이, 금붕어, 토끼, 햄스터입니다. 다음을 보고 토끼를 기르는 사람은 누구인지 쓰시오.

① A는 고양이를 기르는 사람보다 나이가 많습니다.
② A와 B는 개를 기르지 않습니다.
③ D는 금붕어를 기릅니다.
④ E는 고양이 또는 토끼를 기릅니다.
⑤ 고양이를 기르는 사람은 B와 친구이고, 토끼를 기르는 사람은 B의 사촌입니다.

4

A, B, C, D, E, F 6명이 모두 서로 한 번씩 팔씨름을 한 결과를 나타낸 것입니다. D가 이긴 사람은 누구인지 쓰시오.

- A는 3번 이기고 2번 졌습니다.
- B는 1번 이기고 3번 졌으며 1번은 무승부입니다.
- C는 5번 모두 이겼습니다.
- D는 1번만 이기고 무승부는 없습니다.
- F는 4번 이기고 1번 졌습니다.

14-1. 조건에 맞게 배치하기

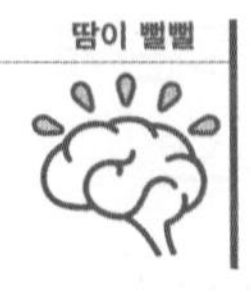

1 A, B, C, D, E 5명이 원 모양의 식탁에 둥글게 앉아 있습니다. 다음을 보고 A, B, C, D, E가 앉은 자리를 찾아 □ 안에 알맞게 써넣으시오.

- A와 D는 이웃하여 앉아 있지 않습니다.
- D의 왼쪽 옆에 이웃하여 앉아 있는 사람은 E입니다.
- B와 C는 이웃하여 앉아 있지 않습니다.
- C의 오른쪽 옆에 이웃하여 앉아 있는 사람은 A가 아닙니다.

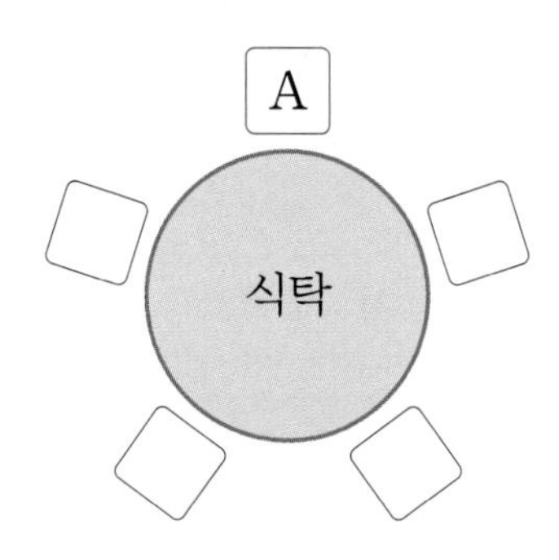

2 A, B, C, D 4명은 각각 흰색 모자 또는 검은색 모자를 쓰고 모두 앞을 바라 보며 한 줄로 서 있습니다. 앞사람은 뒷사람이 쓴 모자를 볼 수 없지만, 뒷사람은 앞사람이 쓴 모자를 볼 수 있습니다. 다음 대화를 보고 A의 모자 색깔을 구하시오.

A : 검은색 모자만 보여.
B : 흰색 모자도 보이고 검은색 모자도 보여.
C : 나도 검은색 모자만 보여.
D : 나의 바로 뒤에 C가 서 있어.

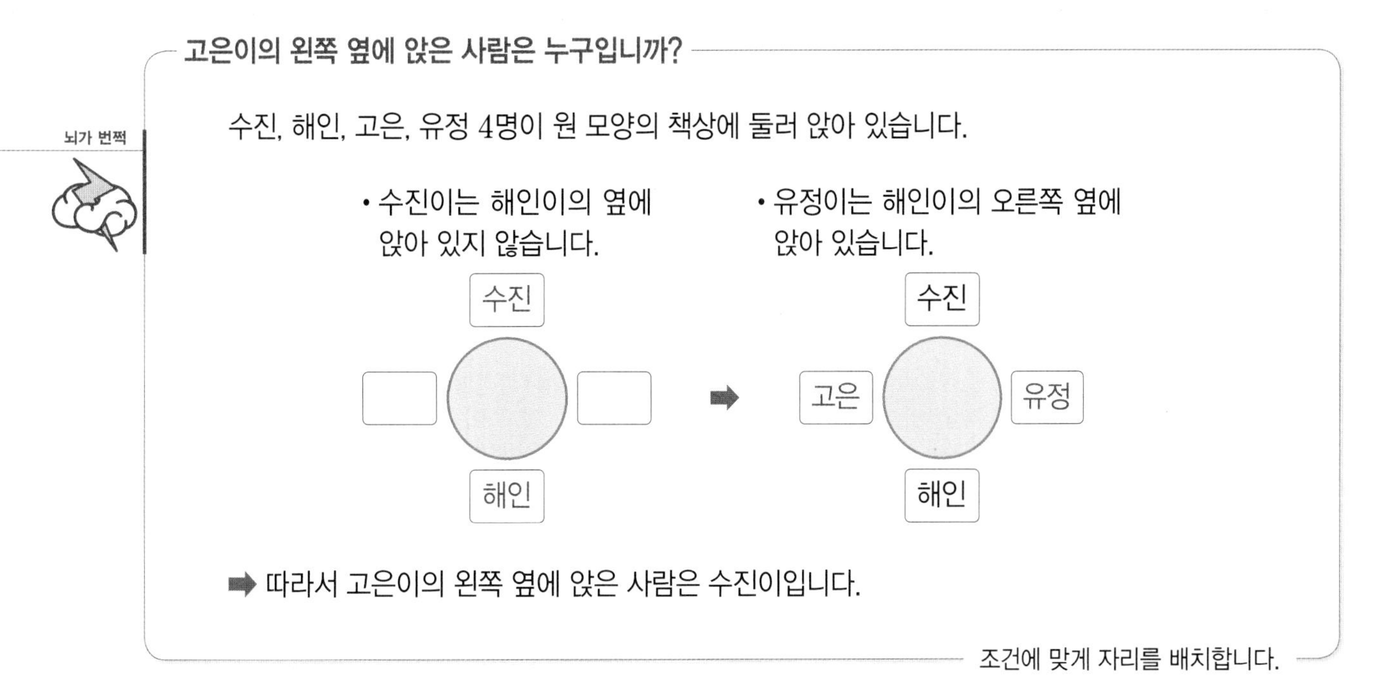

최상위 사고력

여학생인 정아, 지희와 남학생인 상민, 민수 4명이 원 모양의 책상에 둘러앉아 있습니다. 4명이 좋아하는 운동 종목은 야구, 농구, 축구, 탁구 중 하나이고, 서로 좋아하는 운동 종목이 모두 다릅니다. 다음을 보고 정아가 좋아하는 운동 종목이 무엇인지 쓰시오.

- 민수와 지희는 바로 옆에 앉아 있습니다.
- 야구를 좋아하는 학생이 정아의 왼쪽에 앉아 있습니다.
- 탁구를 좋아하는 학생은 상민이와 마주 보고 앉아 있습니다.
- 축구를 좋아하는 학생의 왼쪽에 여학생이 앉아 있습니다.

정답과 풀이 92쪽 ►

14-2. 가정이 있는 조건

1 **다음을 보고 키가 가장 큰 사람부터 이름을 차례로 쓰시오.**

- 준하의 키가 가장 크거나 가장 작습니다.
- 준하가 상민이보다 키가 크다면, 경호의 키가 가장 큽니다.
- 경호가 준하보다 키가 크다면, 상민이의 키가 가장 큽니다.

2 **경미, 명수, 형준, 진하 4명 중 2명이 오늘 도서관에 갔습니다. 다음을 보고 오늘 도서관에 간 사람의 이름을 쓰시오.**

- 경미 : 명수가 간다면 나도 반드시 갈 거야.
- 명수 : 나는 어떻게 해야 할지 잘 모르겠어.
- 형준 : 경미가 간다면 나도 반드시 갈 거야.
- 진하 : 형준이가 간다면 나도 반드시 갈 거야.

세 명 중에 가운데 앉아 있는 사람은?

① 재환이는 가장 왼쪽에 앉아있거나 가장 오른쪽에 앉아 있습니다.
② 재환이가 재림이보다 왼쪽에 앉아 있다면, 진이가 가장 왼쪽에 앉아 있습니다.
③ 진이가 재환이보다 왼쪽에 앉아 있다면, 재림이가 가장 왼쪽에 앉아 있습니다.

재환이가 가장 왼쪽에 앉아 있거나 가장 오른쪽에 앉아 있는 경우로 나누어 구해 봅니다.

① 재환이가 가장 왼쪽에 앉아있는 경우

재환		

➡ ②에 의해 모순

② 재환이가 가장 오른쪽에 앉아있는 경우

		재환

➡ ③에 의해 앉아 있는 순서는

재림	진이	재환

따라서 세 명 중에 가운데 앉아 있는 사람은 진이입니다.

가정이 있는 모든 경우를 따져서 생각합니다.

최상위 사고력

준호 어머니께서 준호에게 ㉠, ㉡, ㉢, ㉣, ㉤의 5가지 일을 시켰습니다. 다음과 같이 일을 할 때 가장 일을 적게 하려면 어떤 일을 선택해야 하는지 구하시오.

- ㉠을 하려면 ㉡도 해야 합니다.
- ㉣과 ㉤ 중에서 적어도 한 가지는 해야 합니다.
- ㉡과 ㉢ 중에는 한 가지 밖에 할 수 없습니다.
- ㉢을 한다면 ㉣을 해야 하고, ㉣을 한다면 ㉢을 해야 합니다.
- ㉤을 하려면 ㉠과 ㉣을 해야 합니다.

정답과 풀이 95쪽 ►

14-3. 강 건너기

1 33명이 배를 타고 강을 건너려고 합니다. 강가에는 배가 한 척밖에 없고 배에는 한 번에 5명까지 탈 수 있습니다. 배를 가장 적게 움직여 33명이 모두 강을 건너려면 배로 강을 몇 번 건너야 하는지 구하시오. (단, 배에는 배를 운전할 사람 한 명이 꼭 있어야 합니다.)

2 한 농부가 개 1마리, 고양이 1마리, 쥐 1마리와 뗏목을 타고 강을 건너려고 합니다. 규칙을 지키면서 뗏목을 가장 적게 움직여 농부와 동물들이 모두 무사히 강을 건너려면 뗏목으로 강을 몇 번 건너야 하는지 구하시오. (단, 뗏목을 저을 수 있는 것은 농부뿐이며 누구도 수영을 하여 강을 건널 수 없습니다.)

규칙

- 뗏목에는 한 번에 농부와 동물 한 마리만 탈 수 있습니다.
- 개와 고양이를 남겨두면 개가 고양이를 뭅니다.
- 고양이와 쥐를 남겨두면 고양이가 쥐를 뭅니다.

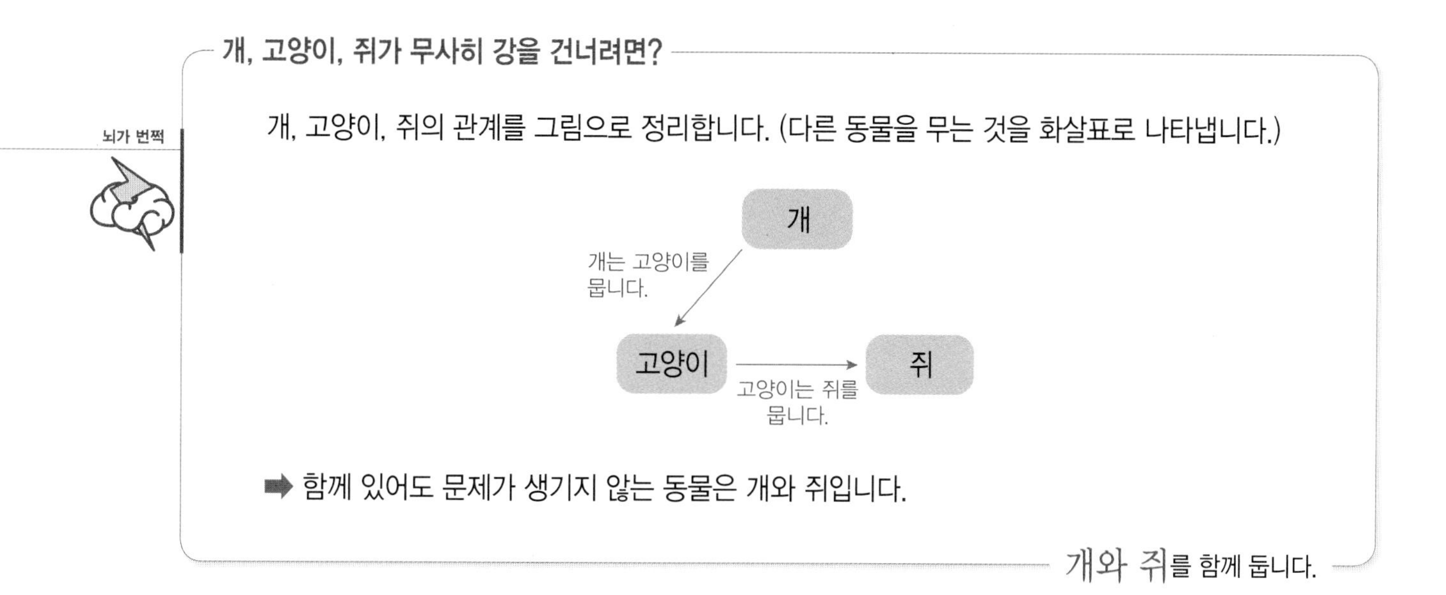

최상위 사고력

원주민 세 명과 식인종 세 명이 강을 건너려고 합니다. 강가에 배가 한 척만 있고 한 번에 두 명만 탈 수 있다고 합니다. 원주민과 식인종은 모두 노를 저을 수 있으며 강을 건넌 식인종의 수가 강을 건넌 원주민의 수보다 많거나 강을 건너지 않은 식인종의 수가 강을 건너지 않은 원주민의 수보다 많으면 식인종은 원주민을 잡아먹는다고 합니다. 배를 가장 적게 움직여 원주민과 식인종이 모두 무사히 강을 건너려면 배로 강을 몇 번 건너야 하는지 구하시오.

정답과 풀이 96쪽 ►

최상위 사고력

1 A, B, C, D, E, F 6명의 학생이 원 모양의 책상에 둘러앉아 있습니다. 학생들이 앉은 자리를 찾아 A부터 시계 방향으로 앉은 학생을 차례로 쓰시오.

- D는 A와 마주 보고 앉아 있습니다.
- C의 오른쪽 방향으로 한 사람을 사이에 두고 E가 앉아 있습니다.
- A와 E 사이에는 B가 앉아 있습니다.

| 경시대회 기출 |

2 다음과 같이 붙어 있는 6칸의 우리 안에 사슴, 토끼, 말, 염소, 돼지, 개를 넣으려고 합니다. 조건을 읽고 알맞은 위치에 동물의 이름을 써넣으시오.

문제풀이

- 말과 염소는 서로 붙어 있는 우리 안에 있어야 합니다.
- 토끼와 개는 최대한 멀리 떨어뜨려 놓아야 합니다.
- 돼지는 토끼의 바로 위쪽에 있는 우리 안에 있어야 합니다.
- 염소는 개의 바로 오른쪽에 있는 우리 안에 있어야 합니다.

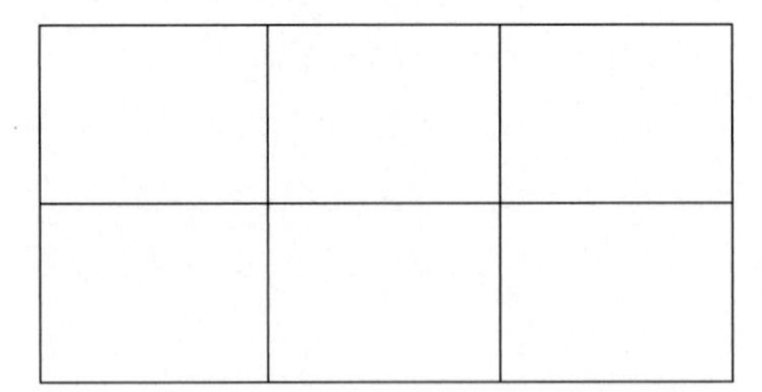

3

몸무게가 $100\,\mathrm{kg}$인 어른 1명과 $50\,\mathrm{kg}$인 어린이 2명이 배를 타고 강을 건너려고 합니다. 강가에는 최대 $100\,\mathrm{kg}$까지 실을 수 있는 배 한 척만 있을 때 배를 가장 적게 움직여 세 사람이 모두 강을 건너려면 배로 강을 몇 번 건너야 하는지 구하시오. (단, 손님이 적어도 한 명은 있어야 배를 운행합니다.)

4

A, B, C, D 4명이 다리를 건너려고 합니다. 그런데 다리가 튼튼하지 않아 동시에 2명까지만 건널 수 있습니다. 4명이 다리를 건너는 데 걸리는 시간은 각각 5분, 7분, 11분, 13분이며 두 사람이 함께 건널 때는 둘 중 느린 사람의 빠르기로만 걸을 수 있습니다. 4명이 모두 다리를 건너려면 최소 몇 분이 걸리는지 구하시오. (단, 다리를 건널 때는 손전등이 꼭 필요하며 손전등은 한 개밖에 없습니다.)

정답과 풀이 98쪽 ►

15-1. 참말과 거짓말

1 어느 섬에 여우 부족과 사슴 부족이 살고 있습니다. 이 중에서 한 부족은 항상 참말만 하고, 다른 부족은 항상 거짓말만 합니다. 한 학자가 섬을 조사하던 중에 만난 한 원주민과 나눈 대화 내용을 보고 항상 참말만 하는 부족은 어느 부족인지 쓰시오.

> 학 자 : 당신은 어느 부족 사람입니까?
> 원주민 : 저는 여우 부족 사람입니다.

2 어느 동네에는 항상 참말만 하거나 항상 거짓말만 하는 두 종류의 사람들만 살고 있습니다. 이 동네에 사는 5명이 모여서 이야기를 하는데, 5명 모두 5명 중 4명이 거짓말쟁이라고 말하였습니다. 5명 중에서 거짓말쟁이는 몇 명인지 구하시오.

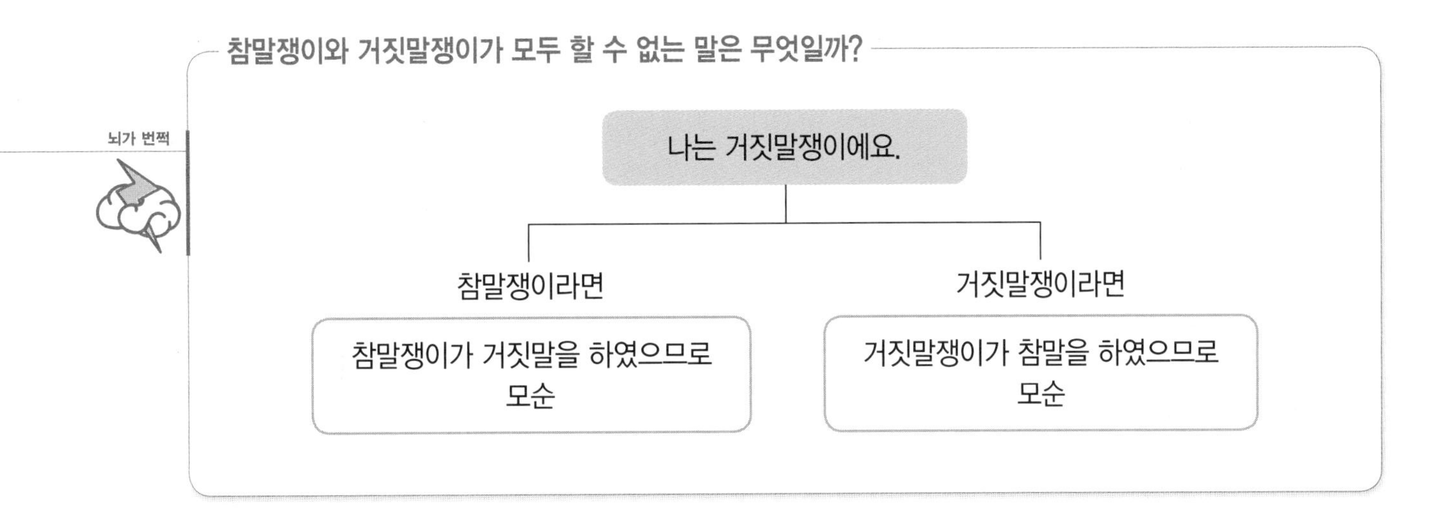

최상위 사고력

상하, 상진, 상연, 상은 중에서 두 명은 남자이고 두 명은 여자입니다. 다음 중 여자가 한 말은 항상 참이고 남자가 한 말은 항상 거짓일 때, 여자는 누구인지 모두 쓰시오.

상하 : 상연이와 상은이는 둘 다 남자입니다.
상진 : 상은이는 남자입니다.
상연 : 상진이와 상은이는 둘 다 남자입니다.
상은 : 상하는 남자입니다.

15-2. 하나만 참인 조건

1 ㉮, ㉯, ㉰ 3개의 상자 중에서 한 상자에만 보석이 들어 있고 나머지 두 상자는 비어 있습니다. 또 상자에 쓰인 글 중에서 하나만 참이고 나머지 둘은 거짓입니다. 상자를 한 번만 열어 보석이 들어 있는 상자를 찾으려면 3개의 상자 중 어느 상자를 열어야 하는지 구하시오.

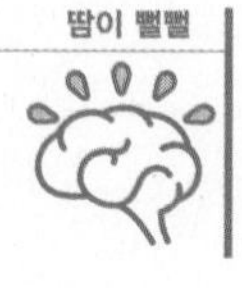

2 지영, 동호, 상현 세 사람 중 한 사람이 결석을 했습니다. 세 사람 중 한 사람만 참말을 하고 나머지 두 사람은 거짓말을 하였다면 항상 참인 것을 고르시오.

- 지영 : 저는 결석하지 않았어요.
- 동호 : 지영이가 결석했어요.
- 상현 : 제가 결석했어요.

① 지영이는 결석을 했습니다.
② 동호는 결석을 했습니다.
③ 상현이는 결석을 했습니다.
④ 상현이는 결석을 하지 않았습니다.
⑤ 지영이는 결석을 하지 않았습니다.

뇌가 번쩍

어떤 조건이 참인지 거짓인지 바로 증명하기 어려울 때는?

어떤 조건을 참 또는 거짓이라 가정하고 논리적으로 모순이 있는지 알아보는 방법인 '가정하여 풀기'를 사용합니다.

가정하여 풀기의 '귀류법'은 어떤 주장을 거짓이라고 가정하여 논리적으로 모순되는 결과를 알아보는 방법입니다.

최상위 사고력

A, B, C, D 네 사람이 오늘이 무슨 요일인지 이야기하고 있습니다. 네 사람 중 한 사람만 참말을 하고 나머지 세 사람은 거짓말을 하였다면 오늘은 무슨 요일인지 쓰시오.

- A : 내일은 금요일이야.
- B : 어제는 일요일이었어.
- C : A, B는 모두 틀리게 말했어.
- D : 오늘은 토요일이 아니야.

15-3. 정오표

1 형준, 상호, 진주 3명의 학생이 맞으면 ○표, 틀리면 ×표로 답하는 4개의 ○, × 문제를 푼 답안과 점수를 나타낸 표입니다. 표를 보고 빈칸에 각 문제의 정답을 써넣으시오.
(단, 문항당 배점은 1점입니다.)

문제	1	2	3	4	점수(점)
형준	×	×	×	×	1
상호	×	×	○	○	3
진주	×	○	×	×	2

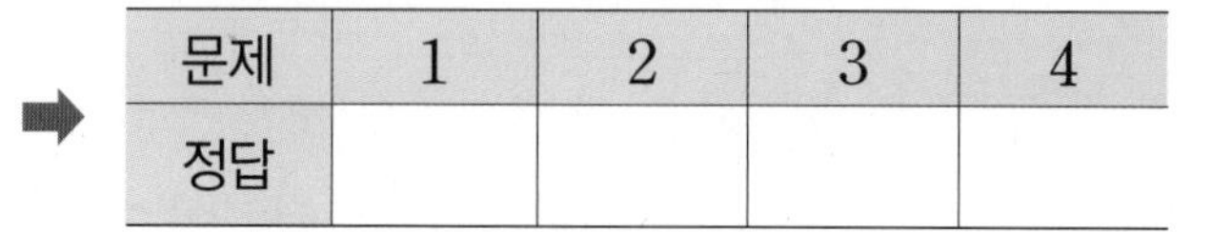

➡

문제	1	2	3	4
정답				

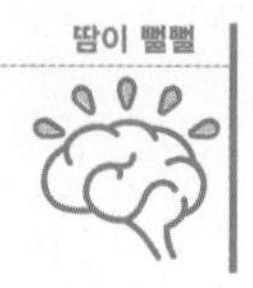

2 지영, 하진, 소희, 민수 4명의 학생이 5개의 ○, × 문제를 푼 답안과 점수를 나타낸 표입니다. 표를 보고 민수의 점수는 몇 점인지 구하시오. (단, 문항당 배점은 1점입니다.)

문제	1	2	3	4	5	점수(점)
지영	○	○	×	○	○	4
하진	○	×	×	×	○	4
소희	○	×	○	○	○	2
민수	○	○	○	○	○	

○, × 문제에서 두 사람의 답이 다를 때 알 수 있는 것은?

뇌가 번쩍

예

문제	1	2	3	4	정답 수(개)
서우	○	○	×	×	3
하윤	×	×	×	○	2
	한 사람은 반드시 맞습니다. (정답 수:3)				5

➡ 정답 수의 총합이 5이므로, 3번의 정답은 ×입니다.

최상위 사고력

수지, 경호, 하영, 초아 4명의 학생이 6개의 ○, × 문제를 푼 답안과 점수를 나타낸 표입니다. 한 문제를 맞히면 2점을 얻고, 답하지 않으면 1점을 얻고, 틀리면 0점입니다. 초아의 점수는 몇 점인지 구하시오.

문제	1	2	3	4	5	6	점수(점)
수지		○	○	○	○	○	7
경호	×	○	×	×		×	9
하영	×	×	×	○	×		7
초아	○	×	×	○	○	×	

정답과 풀이 103쪽 ►

| 경시대회 기출 |

1 축구 대회에서 한국, 브라질, 독일, 터키가 4강에 진출하였습니다. A, B, C 3개의 신문사가 경기 결과를 다음과 같이 두 가지씩 예측하였는데, 각각 한 개씩만 예측이 맞았다고 합니다. 이번 대회에서 우승한 나라를 쓰시오.

- A : 한국 2위, 터키 4위
- B : 브라질 1위, 한국 3위
- C : 독일 1위, 터키 2위

2 빨간색, 검은색, 흰색 옷을 입은 세 남자가 다음과 같이 이야기하고 있습니다. 세 남자는 각각 천사, 악마, 인간이며 천사는 참말만 하고, 악마는 거짓말만 하며, 인간은 참말을 하기도 하고 거짓말을 하기도 합니다. 천사, 악마, 인간이 입은 옷의 색깔을 차례로 쓰시오.

- 빨간색 옷을 입은 남자 : 나는 천사가 아니야.
- 검은색 옷을 입은 남자 : 나는 인간이 아니야.
- 흰색 옷을 입은 남자 : 나는 악마가 아니야.

| 경시대회 기출 |

3

민수는 화요일, 목요일, 토요일에는 거짓말을 하고, 다른 날에는 참말을 합니다. 지유는 월요일, 수요일, 금요일에는 거짓말을 하고, 다른 날에는 참말을 합니다. 어느 날 민수가 "내일은 토요일이야."라고 말했더니 지유가 "어제는 일요일이었어."라고 말했습니다. 오늘은 무슨 요일인지 쓰시오.

4

4명의 학생들이 10개의 ○, × 문제를 푼 답안과 점수를 나타낸 표입니다. 표를 보고 빈칸에 각 문제의 정답을 써넣으시오.

문제	1	2	3	4	5	6	7	8	9	10	맞힌 문제 수(개)
정우	○	×	×	○	○	×	×	○	×	○	8
희상	○	○	○	×	○	○	○	○	×	×	6
연주	×	○	○	○	×	○	×	○	×	×	6
경미	○	○	×	○	×	○	×	○	○	○	4

➡

문제	1	2	3	4	5	6	7	8	9	10
정답										

정답과 풀이 106쪽 ►

1 5명이 다섯 개의 자리가 있는 원 모양의 식탁에 둘러 앉아 있습니다. 앉은 자리를 찾아 성호부터 시계 방향으로 앉아 있는 사람의 이름을 차례로 쓰시오.

- 진경이는 경태 자리에서 한 사람 건너 오른쪽에 앉아 있습니다.
- 성호는 진경이의 바로 옆에 앉아 있습니다.
- 민하는 정민이의 바로 오른쪽 옆에 앉아 있습니다.

2 A, B, C, D, E 5명이 달리기 시합을 하기 전에 등수를 예상한 것입니다. 달리기 시합 결과와 비교해 보니 예상한 것 중에서 각각 1가지씩만 맞혔습니다. 5명의 등수를 빈칸에 써넣으시오. (단, 동시에 들어온 사람은 없습니다.)

- A : 내가 1등이고 C가 4등이야.
- B : 내가 2등이고 C가 1등이야.
- C : 내가 3등이고 A가 4등이야.
- D : 내가 3등이고 B가 2등이야.
- E : 내가 4등이고 B가 1등이야.

A	B	C	D	E

3 A, B, C, D, E 5명은 모두 한 번씩 전화를 걸고 받았습니다. 자기 자신을 제외한 네 명 중 한 명에게 전화를 하고 전화를 하지 않은 나머지 세 명 중 한 명에게 전화를 받았습니다. 다음을 보고 C가 전화를 한 사람은 누구인지 쓰시오.

- A는 E에게 전화를 했고 D로부터 전화를 받았습니다.
- B는 C에게 전화를 했고 E로부터 전화를 받았습니다.

4 어느 식품 가게에서 빵을 도둑맞았습니다. 노인, 아저씨, 청년, 아이 중에서 한 명만 참말을 한다고 할 때 다음을 보고 빵을 훔친 사람은 누구인지 쓰시오.

- 노 인 : 청년이 빵을 훔쳤어요.
- 아저씨 : 노인이 빵을 훔치는 걸 제가 봤어요.
- 청 년: 아저씨의 말은 거짓말이에요.
- 아 이: 전 훔치지 않았어요.

정답과 풀이 108쪽 ►

5 **어느 부부 모임에 부부 4쌍이 참석하였습니다. 모임에 참석한 남자의 이름은 형준, 상호, 명준, 경호이고, 여자의 이름은 상희, 정미, 보연, 진주입니다. 다음을 보고 상희, 정미, 보연, 진주의 남편의 이름을 차례로 쓰시오.**

- 상호와 보연이는 부부입니다.
- 경호는 상희와 부부가 아닙니다.
- 정미의 남편은 형제나 자매가 없습니다.
- 상희는 형준이의 여동생입니다.

6 **승호, 민주, 영철 3명의 나이는 10살, 13살, 15살 중 하나로 모두 다르고, 사는 곳은 서울, 부산, 전주 중 하나로 모두 다릅니다. 다음을 보고 빈칸에 세 사람의 나이와 사는 곳을 써넣으시오.**

- 민주는 서울에 살지 않습니다.
- 승호 동생의 나이는 11살입니다.
- 승호는 15살이 아니고 서울에 살지 않습니다.
- 전주에 사는 사람의 나이는 10살입니다.

	승호	민주	영철
나이(살)			
사는 곳			

정답과 풀이 108쪽 ►

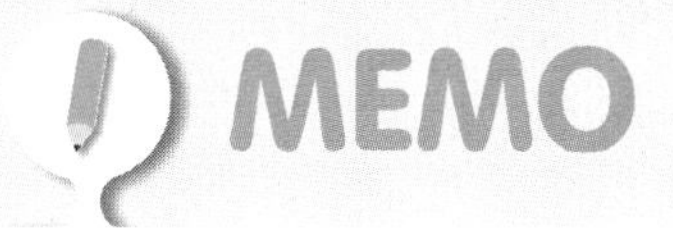
MEMO

MEMO

MEMO

MEMO

초등수학은 디딤돌!

아이의 학습 능력과 학습 목표에 따라
맞춤 선택을 할 수 있도록
다양한 교재를 제공합니다.

문제해결력 강화 문제유형, 응용

개념 다지기 원리, 기본

연산력 강화
최상위 연산

최상위
연산은
수학이다.

개념+문제해결력 강화를 동시에
기본+유형, 기본+응용

정답과 풀이

초등 6A

초등 6A

상위권의 기준

최상위 사고력

수학 좀 한다면

디딤돌

최상위 사고력 SPEED 정답 체크

I 연산

최상위 사고력 1 분수와 소수의 계산 (10~17쪽)

1-1. 간단히 계산하기

1 (1) $2\frac{9}{17}$ (2) 10 (3) $\frac{1}{2}$(=0.5) (4) 33
(5) $\frac{1995}{1996}$ (6) 22221.9

최상위 사고력 (1) 123 (2) 1

1-2. 번분수

1 (1) $3\frac{1}{2}$ (2) 6 (3) 15 (4) $1\frac{2}{3}$

최상위 사고력 A $1\frac{1}{13}$

최상위 사고력 B ●=1, ▲=5, ■=2

1-3. 규칙과 약속

1 (1) $1\frac{3}{10}$(=1.3) (2) $1\frac{4}{5}$(=1.8)

2 $\frac{1}{3}$

최상위 사고력 0.35

최상위 사고력

1 $0.5\left(=\frac{1}{2}\right)$

2 0.1, 0.2, 0.5, 0.7

3 4, 7, 1

4 (1) 0.4 (2) 1

최상위 사고력 2 시계와 각도 (18~25쪽)

2-1. 숫자 없는 시계

1 10시 8분

2 5시 50분

최상위 사고력 11시 40분, 12시 20분

2-2. 일정한 각도일 때의 시각

1 (1) 65° (2) 143.5°

2 1시 14분

최상위 사고력 오후 4시 $45\frac{5}{11}$분

2-3. 시침과 분침이 겹쳐지는 시각

1 (1) 11번 (2) 22번 (3) 오후 1시 $5\frac{5}{11}$분

최상위 사고력 A 2시간 $10\frac{10}{11}$분

최상위 사고력 B 오후 9시 $16\frac{4}{11}$분

최상위 사고력

1 $32\frac{8}{11}$분

2 2시 $21\frac{9}{11}$분

3 4시 $36\frac{12}{13}$분

4 9시 $22\frac{10}{11}$분

Review I 연산 (26~28쪽)

1 $1\frac{5}{8}$

2 $0.3\left(=\frac{3}{10}\right)$

3 2시간 $10\frac{10}{11}$분

4 2시 $29\frac{1}{11}$분

5 $37.5\left(=37\frac{1}{2}\right)$

6 2시 40분

Ⅱ 입체도형

최상위 사고력 3 각기둥과 각뿔 | 30~37쪽

3-1. 각기둥과 각뿔의 꼭짓점, 면, 모서리의 수

1 정삼각형 1개

정삼각형 2개

정삼각형 4개

2 (1) 사각뿔 (2) 오각기둥

최상위 사고력 A 구각뿔

최상위 사고력 B 십일각뿔

3-2. 오일러의 공식

1 (1) 5, 6, 8 / 5, 5, 6 / 6, 8, 9, 12 / 2, 2, 2, 2

(2) 예 $v+f-e$를 계산한 값이 2로 모두 같습니다.

(3) 예 오각뿔에서는 $v+f-e=6+6-10=2$,
오각기둥에서는 $v+f-e=10+7-15=2$
이므로 (2)에서 발견한 규칙이 그대로 적용됩니다.

최상위 사고력 A (1) 2 (2) 3

최상위 사고력 B 10개

3-3. 각기둥과 각뿔의 전개도

1 (1) (2)

2

최상위 사고력

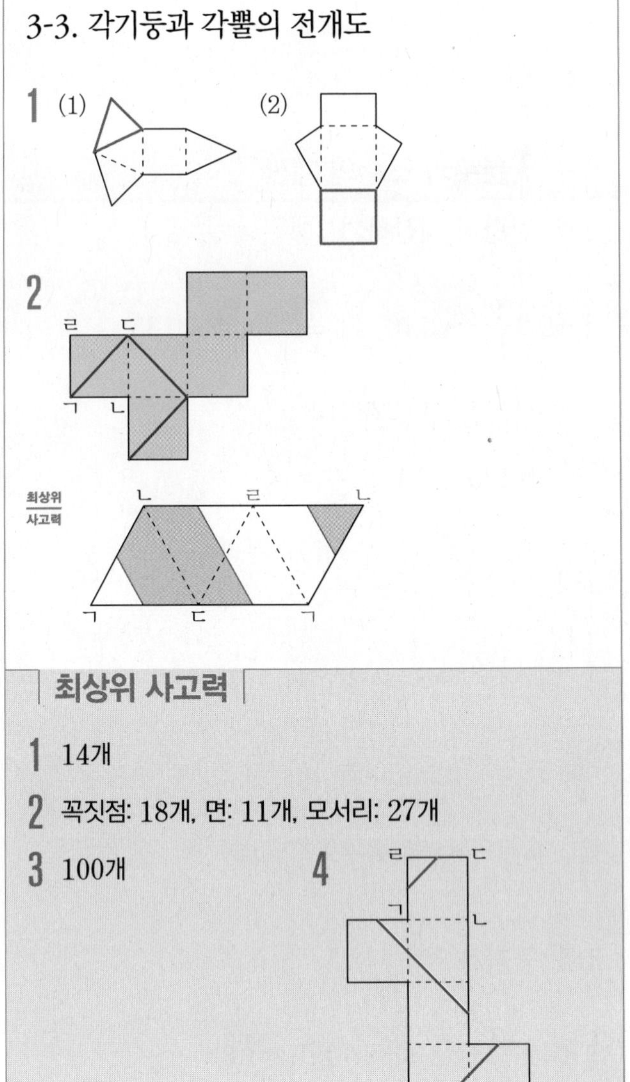

최상위 사고력

1 14개

2 꼭짓점: 18개, 면: 11개, 모서리: 27개

3 100개

4

최상위 사고력 4 전개도의 활용 38~45쪽

4-1. 잘라야 하는 모서리의 수

1 12개　　**2** 5개

최상위 사고력 19개

4-2. 가장 짧은 끈의 길이

1 28cm, 20cm　　**2** 4cm

최상위 사고력 48cm

4-3. 각기둥과 각뿔의 전개도의 가짓수

1

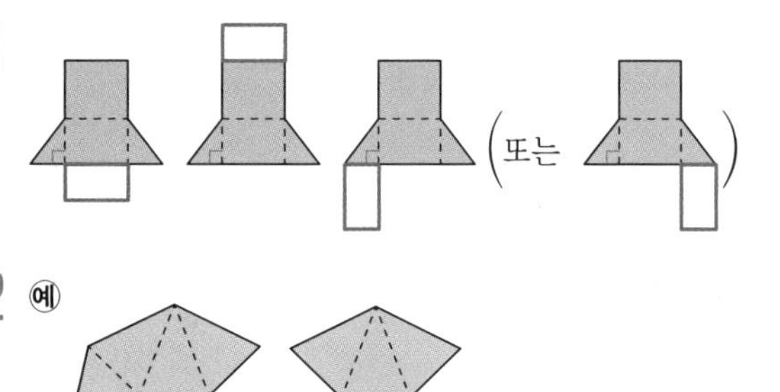

2 예

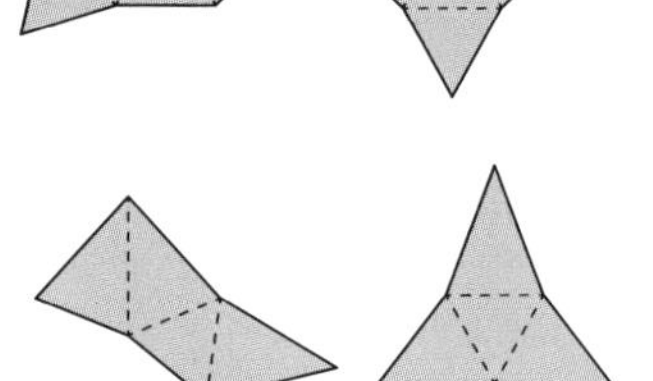

최상위 사고력 9가지

최상위 사고력

1 면: 6개, 모서리: 9개, 꼭짓점: 5개

2 8가지

3

4 59개

최상위 사고력 5 정다면체 46~53쪽

5-1. 정다면체의 정의와 가짓수

1 ⑤

2 예 (1) 정다면체는 모든 면이 합동인 정다각형입니다. 주어진 입체도형은 정오각형과 정육각형으로 이루어져 있으므로 정다면체가 아닙니다.

(2) 정다면체는 각 꼭짓점에 모이는 면의 개수가 같습니다. 주어진 입체도형은 한 꼭짓점에 모인 면의 개수가 3개 또는 4개이므로 정다면체가 아닙니다.

최상위 사고력 예 입체도형은 한 꼭짓점에서 3개 이상의 면이 만나고, 한 꼭짓점에서 모인 각의 크기의 합은 360°보다 작아야 합니다. 한 면이 정삼각형인 경우 3가지, 정사각형인 경우 1가지, 정오각형인 경우 1가지가 나옵니다.

5-2. 정다면체의 전개도

1

2

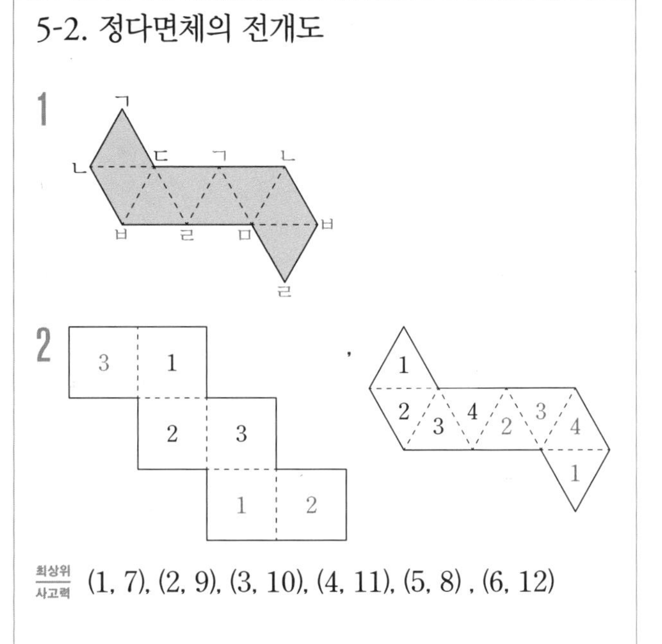

최상위 사고력 (1, 7), (2, 9), (3, 10), (4, 11), (5, 8) , (6, 12)

5-3. 정다면체와 오일러의 공식

1

	정사면체	정육면체	정팔면체
겨냥도	예		예
면의 모양	정삼각형	정사각형	정삼각형
면의 수	4	6	8
모서리의 수	6	12	12
꼭짓점의 수	4	8	6

2 면: 12개, 모서리: 30개, 꼭짓점: 20개

최상위 사고력 18개

최상위 사고력

1 예 정팔각형의 한 내각의 크기는 $180° \times 6 \div 8 = 135°$이므로 세 내각의 크기의 합이 360°보다 큽니다.
따라서 정팔각형으로는 정다면체를 만들 수 없습니다.

2 예

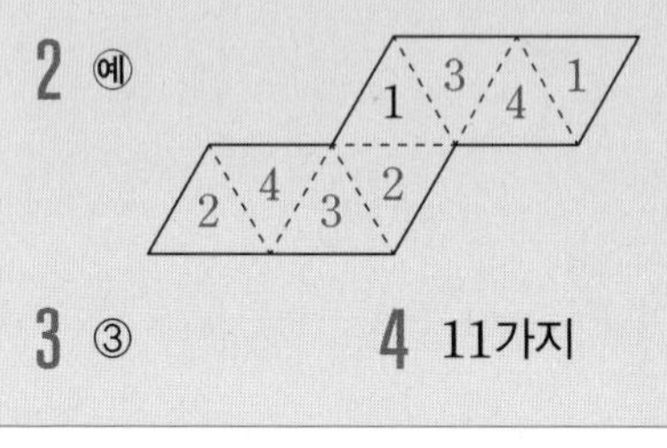

3 ③ 4 11가지

최상위 사고력 6 쌍대다면체와 준정다면체 54~61쪽

6-1. 쌍대다면체

1 (1) 정사면체 (2) 정팔면체

2

쌍대다면체	면의 수	꼭짓점의 수	모서리의 수
정팔면체	8	6	12

쌍대다면체	면의 수	꼭짓점의 수	모서리의 수
정육면체	6	8	12

최상위 사고력 (1) 정이십면체
(2) 12개, 예 정십이면체의 쌍대다면체는 정이십면체입니다. 정십이면체의 면의 수는 정이십면체의 꼭짓점의 수와 같으므로 정이십면체의 꼭짓점은 12개입니다.

6-2. 데카르트의 정리

1 (1) 90°, 120° / 8, 6 / 720°, 720°
(2) 예 정다면체의 외각의 크기의 합은 720°로 모두 같습니다.
(3) 12개

최상위 사고력 A 24개 최상위 사고력 B 90개

6-3. 준정다면체

1

2 꼭짓점: 24개, 면: 14개, 모서리: 36개

최상위 사고력 꼭짓점: 12개, 면: 14개, 모서리: 24개

최상위 사고력

1 정십이면체
이유 예 정십이면체의 한 꼭짓점에서의 외각의 크기는 36°이고 정이십면체의 한꼭짓점에서의 외각의 크기는 60°이므로 한 꼭짓점에서의 외각의 크기가 더 작은 정십이면체가 더 잘 구를 것입니다.

2 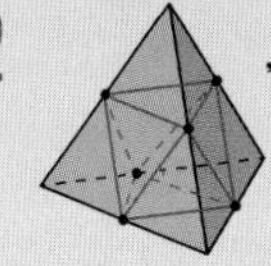 , 정팔면체

3 면: 24개, 모서리: 36개, 꼭짓점: 14개

4 면: 32개, 모서리: 90개, 꼭짓점: 60개

Review II 입체 도형 62~64쪽

1 2가지 2 14

3

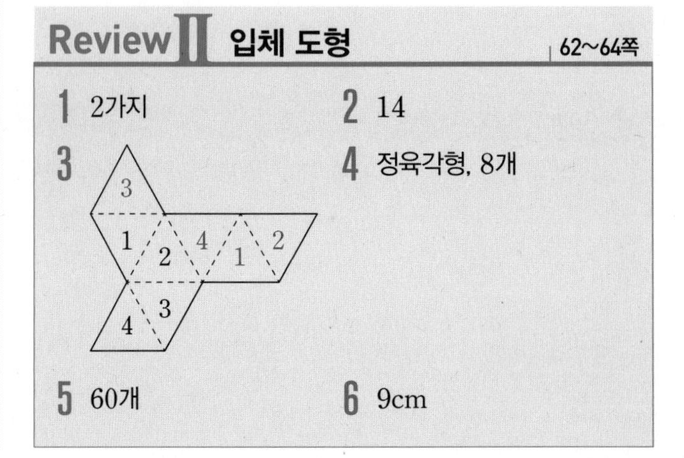

4 정육각형, 8개

5 60개 6 9cm

Ⅲ 규칙

최상위 사고력 7 거리와 속력(1) 66~73쪽

7-1. 거리, 속력, 시간

1 민아, 나영, 정호　　2 100km

최상위 사고력 A 5분　　최상위 사고력 B 정후네 자동차

7-2. 만나기

1 (1) 880m (2) 5시간　　2 57초

최상위 사고력 24분

7-3. 따라잡기

1 (1) 3분 (2) 13분 20초　　2 10분

최상위 사고력 60분

최상위 사고력

1 340m　　2 150m

3 2250m　　4 2000m

최상위 사고력 8 거리와 속력(2) 74~81쪽

8-1. 왕복하기

1 (1) 6시간 (2) 24km　　2 시속 48km

최상위 사고력 시속 150km

8-2. 강물을 거슬러 올라가거나 내려가기

1 (1) 5시간 (2) 15시간　　2 시속 5km

최상위 사고력 시속 7km, 시속 2km

8-3. 터널 통과하기

1 24초　　2 1410m

최상위 사고력 100m

최상위 사고력

1 시속 75km　　2 240m

3 시속 8km　　4 16.5초

최상위 사고력 9 비와 비율(1) 82~89쪽

9-1. 비와 비율

1 60명 2 255명

최상위 사고력 5kg

9-2. 할인율

1 라면 2 5000원

최상위 사고력 A 30000원 최상위 사고력 B ㉮ 문구점

9-3. 농도

1 (1) 20 % (2) 30g (3) 50g

2 5 % 최상위 사고력 50g

최상위 사고력

1 135cm 2 25 %

3 ㉯ 가게 4 5.5 %, 9.25 %

최상위 사고력 10 비와 비율(2) 90~97쪽

10-1. 타율과 승률

1 (1) (위에서부터) 0.316, 11, 35 (2) 0.292

(3) 김병욱, 박규민

최상위 사고력 A 가 야구팀 최상위 사고력 B 96타수 36안타

10-2. 작업 능률

1 24분 2 12일

최상위 사고력 A 2일 최상위 사고력 B 6일

10-3. 뉴튼산

1 (1)

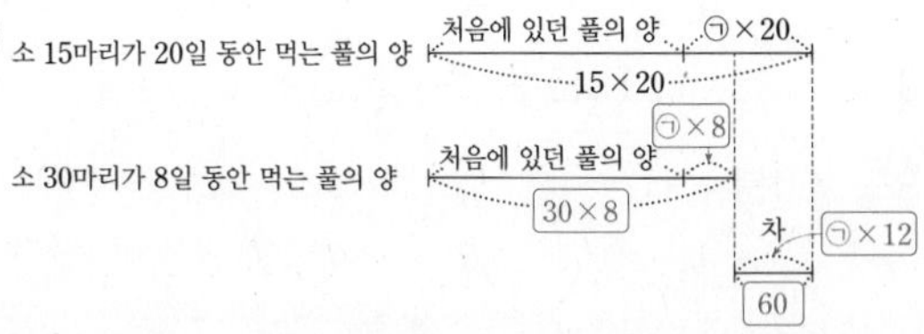

소 15마리가 20일 동안 먹는 풀의 양: 처음에 있던 풀의 양 + ㉠×20 = 15×20

소 30마리가 8일 동안 먹는 풀의 양: 처음에 있던 풀의 양 + ㉠×8 = 30×8

차: ㉠×12 = 60

(2) 5 (3) 200 (3) 40일

최상위 사고력 4마리

최상위 사고력

1 81 2 120분

3 60분 4 6분

Review III 규칙 98~100쪽

1 오후 4시 45분 2 30000원

3 540m 4 300m

5 13.6 % 6 30일

Ⅳ 측정

최상위 사고력 11 입체도형의 부피 | 102~109쪽

11-1. 각기둥과 각뿔의 부피

1 (1) 2, 2, 2, 2, 밑면의 넓이(또는 밑넓이)
(2) 6, 6, 2, 3, 3

최상위 사고력 A 2　　최상위 사고력 B 5배

11-2. 복잡한 입체도형의 부피

1 (1) $200cm^3$ (2) $60cm^3$

2 $540cm^3$　　최상위 사고력 $144cm^3$

11-3. 물의 높이

1 7 : 3　　2 9cm　　최상위 사고력 2cm

최상위 사고력

1 $320cm^3$　　2 $180cm^3$

3 4cm

4 왼쪽과 같이 물을 담는 방법을 생각합니다.

최상위 사고력 12 입체도형의 겉넓이와 부피 | 110~117쪽

12-1. 복잡한 입체도형의 겉넓이

1 (1) $58cm^2$ (2) $314cm^2$

2 $27cm^3$　　최상위 사고력 $114cm^2$

12-2. 색칠된 쌓기나무의 개수

1 7개　　2 72개

최상위 사고력 210개

12-3. 겉넓이의 최대·최소

1 마에 ○표　　2 $50cm^2$, $32cm^2$

최상위 사고력 $128cm^2$

최상위 사고력

1 $270cm^2$　　2 $128cm^2$

3 $168cm^3$　　4 $54cm^2$

Review Ⅳ 측정 | 118~120쪽

1 $72cm^2$　　2 $504cm^2$

3 $216cm^2$　　4 $64cm^3$

5 6cm　　6 $36cm^3$

V 확률과 통계

최상위 사고력 13 연역적 논리(1) | 122~129쪽

13-1. 조건 분석(1)

1 (1) 따라서 나비는 곤충입니다.

(2) 해바라기는 식물입니다.

2 비가 옵니다. 최상위 사고력 6번

13-2. 조건 분석(2)

1 4개 **2** 2판

최상위 사고력 C팀

13-3. 연역표

1 대헌, 재환 **2** 박, 13살

최상위 사고력 A: 교사, 승무원 B: 회계사, 화가 C: 작가, 의사

최상위 사고력

1 ②, ④

2 A: 5등, B: 1등, C: 4등, D: 3등, E: 2등

3 A **4** E

최상위 사고력 14 연역적 논리(2) | 130~137쪽

14-1. 조건에 맞게 배치하기

1 A, B, C, D, E **2** 흰색

최상위 사고력 농구

14-2. 가정이 있는 조건

1 상민, 경호, 준하 **2** 형준, 진하

최상위 사고력 ㉢, ㉣

14-3. 강 건너기

1 15번 **2** 7번

최상위 사고력 11번

최상위 사고력

1 A, B, E, D, C, F

2

개	염소	돼지
사슴	말	토끼

3 5번 **4** 39분

최상위 사고력 15 참과 거짓

138~145쪽

15-1. 참말과 거짓말

1 여우 부족

2 5명

최상위 사고력 상하, 상진

15-2. 하나만 참인 조건

1 ㉯ 상자

2 ④

최상위 사고력 토요일

15-3. 정오표

1

문제	1	2	3	4
정답	×	○	○	○

2 3점

최상위 사고력 8점

최상위 사고력

1 독일

2 검은색, 흰색, 빨간색

3 금요일

4

문제	1	2	3	4	5	6	7	8	9	10
정답	○	×	○	○	○	×	×	○	×	×

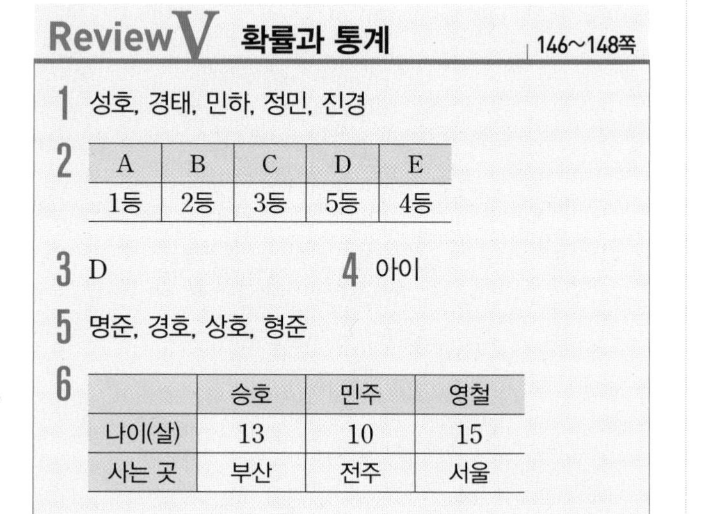

Review V 확률과 통계

146~148쪽

1 성호, 경태, 민하, 정민, 진경

2

A	B	C	D	E
1등	2등	3등	5등	4등

3 D

4 아이

5 명준, 경호, 상호, 형준

6

	승호	민주	영철
나이(살)	13	10	15
사는 곳	부산	전주	서울

최상위 사고력 Final 평가

1회

1~4쪽

01 73

02 3명

03 35명

04 50

05 1600 m

06 5개

07 8 %

08 ①

09 면: 14개, 모서리: 36개, 꼭짓점: 24개

10 120 cm^3, 48 cm^3

2회

5~8쪽

01 36 cm^2

02 십이각기둥

03 25 %

04 24개

05 7

06 1 km

07 3시 $23\frac{7}{11}$분

08 6일

09 30

10 3, 2, 4, 5, 1

I 연산

이번 단원에서는 5학년과 6학년에서 다루게 되는 분수와 소수의 계산을 좀더 효율적으로 할 수 있는 방법에 대해 학습합니다. 무엇보다 분수와 소수의 나눗셈을 능숙히 할 수 있어야 하므로 계산에 어려움이 있는 경우에는 이 단원과 관련된 교과문제를 먼저 해결해 보도록 합니다.

1 분수와 소수의 계산에서는 계산하기 복잡한 식을 간단하게 바꾸어 계산하는 방법을 알아봅니다. 또 분수 안에 분수가 있는 번분수를 나눗셈의 원리에 따라 간단하게 바꾸어 봅니다. 이어서 사칙 연산 기호가 아닌 새로운 기호를 사용하여 연산 규칙을 만들어 보고 새로운 규칙에 따라 계산을 해봅니다.

2 시계와 각도에서는 시침과 분침이 움직이는 규칙을 이용하여 시각과 시계의 시침과 분침이 이루는 각도와의 관계를 알아봅니다. 숫자가 없는 시계에서 시침과 분침이 이루는 각도를 보고 시계가 가리키는 시각을 구하거나, 시침과 분침이 일정하게 움직이는 규칙을 이용하여 시침과 분침이 겹쳐지거나 일직선을 이루거나 직각을 이루는 시각을 알아봅니다.

최상위 사고력 1 분수와 소수의 계산

1-1. 간단히 계산하기 10~11쪽

1 (1) $2\frac{9}{17}$ (2) 10 (3) $\frac{1}{2}(=0.5)$ (4) 33 (5) $\frac{1995}{1996}$ (6) 22221.9 최상위 사고력 (1) 123 (2) 1

저자 톡! 이 단원에서는 복잡한 분수, 소수의 식을 계산하기 쉽게 간단하게 바꾸어 계산하는 방법을 알아봅니다. 소수의 곱셈 또는 나눗셈은 분수의 곱셈 또는 나눗셈의 계산보다 계산하기 복잡한 경우가 많으므로 소수를 분수로 바꾸어 계산하는 것이 좋습니다. 이때 계산을 간단히 하기 위해 수를 '분해 또는 합성'하여 식을 변형합니다. 예를 들어 수의 크기가 크거나 복잡한 경우에는 수를 간단한 수로 분해하여 계산할 수 있고 같은 수가 식에 여러 번 나오는 경우에는 하나의 수로 묶어서 계산할 수 있습니다.

1 (1) 소수를 분수로 바꾸어 계산합니다.

$6.45 \div 2.55 = \frac{645}{100} \div \frac{255}{100}$

$= \frac{\overset{43}{\cancel{645}}}{\underset{1}{\cancel{100}}} \times \frac{\overset{1}{\cancel{100}}}{\underset{17}{\cancel{255}}} = \frac{43}{17} = 2\frac{9}{17}$

(2) 괄호 안의 수를 2.32로 묶은 후 계산합니다.

괄호 안의 수를 2.32로 묶기 위해

(53.1×0.232)의 53.1에 $\frac{1}{10}$을 곱하고, 0.232에 10을 곱해

(53.1×0.232)를 (5.31×2.32)로 바꾸면

$(4.69 \times 2.32 + 53.1 \times 0.232) \div 2.32$

$= (4.69 \times 2.32 + 5.31 \times 2.32) \div 2.32$

$= 2.32 \times (4.69 + 5.31) \div 2.32$

$= 2.32 \times 10 \div 2.32 = 10$

보충 개념

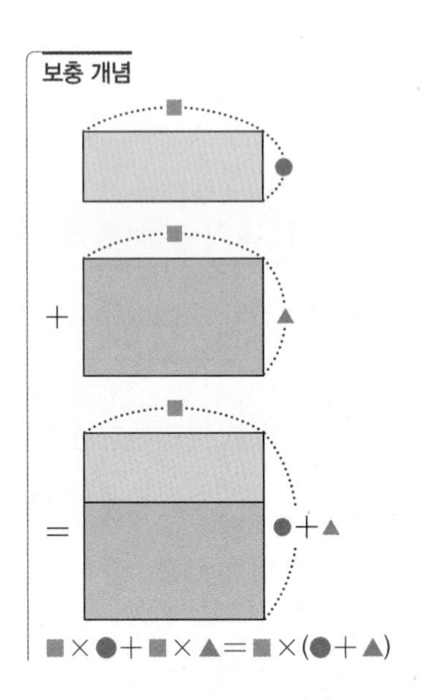

(3) 소수를 분수로 바꾸고 대분수를 가분수로 바꾸어 계산합니다.

$$\frac{3}{4}\times 2.84\div 3\frac{3}{5}\div\left(1\frac{1}{2}\times 1.42\right)\times 1\frac{4}{5}$$

$$=\frac{3}{4}\times\frac{284}{100}\div\frac{18}{5}\div\left(\frac{3}{2}\times\frac{142}{100}\right)\times\frac{9}{5}$$

$$=\frac{3}{4}\times\frac{284}{100}\times\frac{5}{18}\times\frac{100}{213}\times\frac{9}{5}=\frac{1}{2}$$

(4) 괄호 안의 수를 3333으로 묶은 후 계산합니다.

$$\left(9999\times\frac{1}{6}+3333\times\frac{1}{2}-6666\times\frac{1}{9}\right)\div\frac{7}{9}-3300$$

$$=\left(3333\times 3\times\frac{1}{6}+3333\times\frac{1}{2}-3333\times 2\times\frac{1}{9}\right)\div\frac{7}{9}-3300$$

$$=3333\times\left(\frac{1}{2}+\frac{1}{2}-\frac{2}{9}\right)\div\frac{7}{9}-3300$$

보충 개념

■×●+■×▲−■×★
=■×(●+▲−★)

$$=3333\times\frac{7}{9}\div\frac{7}{9}-3300$$

$$=3333\times\frac{7}{9}\times\frac{9}{7}-3300$$

$$=3333-3300=33$$

(5) 1993으로 묶은 후 계산합니다.

$$1993\div 1993\frac{1993}{1995}$$

$$=1993\div\frac{1993\times 1995+1993}{1995}$$

$$=1993\div\frac{1993\times(1995+1)}{1995}$$

보충 개념

1993×1995+1993
=1993×1995+1993×1
=1993×(1995+1)
=1993×1996

$$=1993\times\frac{1995}{1993\times 1996}=\frac{1995}{1996}$$

(6) 같은 수 0.1을 더하고 빼어 계산합니다.

$99999.9\div 5+9999.9\div 5+999.9\div 5+99.9\div 5+9.9\div 5$

$=(99999.9+9999.9+999.9+99.9+9.9)\div 5$

$=(99999.9+0.1-0.1+9999.9+0.1-0.1+999.9+0.1-0.1+99.9+0.1-0.1$
$+9.9+0.1-0.1)\div 5$

$=(100000-0.1+10000-0.1+1000-0.1+100-0.1+10-0.1)\div 5$

$=(100000+10000+1000+100+10-0.1\times 5)\div 5$

보충 개념

■−1+▲−1+●−1
=■+▲+●−1×3

$=(111110-0.5)\div 5$

$=111110\div 5-0.5\div 5$

보충 개념

(■−▲)÷●
=■÷●−▲÷●

$=22222-0.1=22221.9$

참고 • 합, 차, 곱 등을 이용하여 하나의 수를 두 수로 나타내는 방법을 '수의 분해'라 하고, 두 수를 하나의 수로 나타내는 방법을 '수의 합성'이라 합니다.

• 수의 분해와 합성을 이용하면 복잡한 식도 간단히 계산할 수 있습니다.

예 $9+99+999+9999=(10-1)+(100-1)+(1000-1)+(10000-1)=11110-4=11106$

예 $\frac{19}{99}+\frac{19}{99}\times 2+\frac{19}{99}\times 3+\cdots\cdots+\frac{19}{99}\times 10$

$=\frac{19}{99}\times(1+2+3+4+\cdots\cdots+10)=\frac{19}{99}\times\frac{1+10}{2}\times 10=\frac{19}{99}\times 11\times 5=10\frac{5}{9}$

최상위 사고력 (1) $51\frac{2}{3}\div\frac{5}{3}+71\frac{3}{4}\div\frac{7}{4}+91\frac{4}{5}\div\frac{9}{5}$

$=\left(50+\frac{5}{3}\right)\times\frac{3}{5}+\left(70+\frac{7}{4}\right)\times\frac{4}{7}+\left(90+\frac{9}{5}\right)\times\frac{5}{9}$

$=50\times\frac{3}{5}+\frac{5}{3}\times\frac{3}{5}+70\times\frac{4}{7}+\frac{7}{4}\times\frac{4}{7}+90\times\frac{5}{9}+\frac{9}{5}\times\frac{5}{9}$

$=30+1+40+1+50+1=123$

(2) $\left(\left(\frac{49}{12}-\frac{63}{20}+\frac{77}{30}-\frac{91}{42}+\frac{105}{56}\right)-3\frac{1}{6}\right)\div\frac{1}{24}$

$=\left(7\times\left(\frac{7}{12}-\frac{9}{20}+\frac{11}{30}-\frac{13}{42}+\frac{15}{56}\right)-3\frac{1}{6}\right)\div\frac{1}{24}$

$=\left(7\times\left(\left(\frac{1}{3}+\frac{1}{4}\right)-\left(\frac{1}{4}+\frac{1}{5}\right)+\left(\frac{1}{5}+\frac{1}{6}\right)-\left(\frac{1}{6}+\frac{1}{7}\right)+\left(\frac{1}{7}+\frac{1}{8}\right)\right)-3\frac{1}{6}\right)\div\frac{1}{24}$

$=\left(7\times\left(\frac{1}{3}+\frac{1}{4}-\frac{1}{4}-\frac{1}{5}+\frac{1}{5}+\frac{1}{6}-\frac{1}{6}-\frac{1}{7}+\frac{1}{7}+\frac{1}{8}\right)-3\frac{1}{6}\right)\div\frac{1}{24}$

$=\left(7\times\frac{11}{24}-\frac{19}{6}\right)\times 24$

$=7\times\frac{11}{24}\times 24-\frac{19}{6}\times 24$

$=77-76=1$

보충 개념

$\frac{A+B}{A\times B}=\frac{A}{A\times B}+\frac{B}{A\times B}=\frac{1}{B}+\frac{1}{A}$

$\frac{4+3}{4\times 3}-\frac{5+4}{5\times 4}+\frac{6+5}{6\times 5}-\frac{7+6}{7\times 6}+\frac{8+7}{8\times 7}$

$=\left(\frac{1}{3}+\frac{1}{4}\right)-\left(\frac{1}{4}+\frac{1}{5}\right)-\left(\frac{1}{5}+\frac{1}{6}\right)-\left(\frac{1}{6}+\frac{1}{7}\right)-\left(\frac{1}{7}+\frac{1}{8}\right)$

1-2. 번분수

12~13쪽

1 (1) $3\frac{1}{2}$ (2) 6 (3) 15 (4) $1\frac{2}{3}$

최상위 사고력 A $1\frac{1}{13}$

최상위 사고력 B ●=1, ▲=5, ■=2

저자 톡! 분수의 분자와 분모 중에서 적어도 하나가 분수인 복잡한 분수를 '번분수'라고 합니다. 이 단원에서는 번분수를 간단하게 하는 방법으로 $\dfrac{\frac{3}{5}}{\frac{7}{4}}=\dfrac{3\times4}{5\times7}=\dfrac{12}{35}$와 같이 번분수에서 안쪽에 있는 수의 곱을 분모, 바깥쪽에 있는 수의 곱을 분자로 하는 분수를 만들어 문제를 해결할 수 있도록 합니다.

1 (1) $\dfrac{1}{\frac{2}{7}}=1\div\dfrac{2}{7}=1\times\dfrac{7}{2}=\dfrac{7}{2}=3\dfrac{1}{2}$

(2) $\dfrac{8}{\frac{4}{3}}=8\div\dfrac{4}{3}=\overset{2}{\cancel{8}}\times\dfrac{3}{\underset{1}{\cancel{4}}}=6$

(3) $\dfrac{\frac{10}{3}}{\frac{2}{9}}=\dfrac{10}{3}\div\dfrac{2}{9}=\dfrac{\overset{5}{\cancel{10}}}{\underset{1}{\cancel{3}}}\times\dfrac{\overset{3}{\cancel{9}}}{\underset{1}{\cancel{2}}}=15$

(4) $1+\dfrac{1}{1+\frac{1}{2}}=1+\dfrac{1}{\frac{3}{2}}=1+1\div\dfrac{3}{2}=1+1\times\dfrac{2}{3}=1+\dfrac{2}{3}=1\dfrac{2}{3}$

해결 전략
분수 $\dfrac{㉡}{㉠}$은 ㉡÷㉠과 같음을 이용하여 계산합니다.

최상위 사고력 A

$$\dfrac{3-\dfrac{1}{1+\frac{1}{2}}}{\dfrac{1}{2-\frac{1}{2}}+\dfrac{1}{1-\frac{1}{3}}}=\dfrac{3-\dfrac{1}{\frac{3}{2}}}{\dfrac{1}{\frac{3}{2}}+\dfrac{1}{\frac{2}{3}}}=\dfrac{3-\frac{2}{3}}{\frac{2}{3}+\frac{3}{2}}=\dfrac{\frac{7}{3}}{\frac{13}{6}}=\dfrac{\overset{2}{\cancel{6}}\times7}{\underset{1}{\cancel{3}}\times13}=\dfrac{14}{13}=1\dfrac{1}{13}$$

보충 개념
$3-\dfrac{1}{\frac{3}{2}}=3-\dfrac{\frac{1}{1}}{\frac{3}{2}}=3-\dfrac{2}{3}$

최상위 사고력 B $3+\dfrac{1}{●+\dfrac{1}{▲+\frac{1}{■}}}=3\dfrac{11}{13}=3+\dfrac{11}{13}$이므로 $\dfrac{1}{●+\dfrac{1}{▲+\frac{1}{■}}}=\dfrac{11}{13}$입니다.

분모에 포함된 분수의 계산을 먼저 하면

$$\dfrac{1}{●+\dfrac{1}{\frac{▲\times■+1}{■}}}=\dfrac{1}{●+\dfrac{■}{▲\times■+1}}=\dfrac{1}{\dfrac{●\times(▲\times■\times1)+■}{▲\times■+1}}=\dfrac{▲\times■+1}{●\times(▲\times■\times1)+■}=\dfrac{11}{13}$$이므로

▲×■+1=11, ●×(▲×■+1)+■=13입니다.
따라서 ●×(▲×■+1)+■=●×11+■=13이므로 ●=1, ■=2이고,
▲×■+1=▲×2+1=11이므로 ▲=5입니다.

다른 풀이 1

$3\frac{11}{13}=3+\frac{11}{13}=3+\cfrac{1}{\frac{13}{11}}=3+\cfrac{1}{1+\frac{2}{11}}=3+\cfrac{1}{1+\cfrac{1}{\frac{11}{2}}}=3+\cfrac{1}{1+\cfrac{1}{5+\frac{1}{2}}}$

따라서 ●=1, ▲=5, ■=2입니다.

보충 개념

$\frac{▲}{■}=\cfrac{1}{\frac{■}{▲}}$

다른 풀이 2

$▲+\frac{1}{■}=㉠$이라 하면

$(\text{주어진 식})=3+\cfrac{1}{●+\frac{1}{㉠}}=3\frac{11}{13}=3+\frac{11}{13}$이므로 $\cfrac{1}{●+\frac{1}{㉠}}=\frac{11}{13}$, $●+\frac{1}{㉠}=\frac{13}{11}=1+\frac{2}{11}$

따라서 ●=1, $\frac{1}{㉠}=\frac{2}{11}$입니다.

$\frac{1}{㉠}=\frac{2}{11}$이므로 $㉠=\frac{11}{2}$입니다.

즉 $▲+\frac{1}{■}=\frac{11}{2}=5+\frac{1}{2}$이므로 ▲=5, ■=2입니다.

1-3. 규칙과 약속

14~15쪽

1 (1) $1\frac{3}{10}(=1.3)$ (2) $1\frac{4}{5}(=1.8)$ **2** $\frac{1}{3}$ 최상위 사고력 0.35

저자 톡! 우리는 사칙연산의 계산 방법을 알고 있기 때문에 +, −, ×, ÷ 계산을 쉽게 할 수 있습니다. 그러므로 새로운 연산 기호 ★, ◎, ▲도 일정한 규칙에 따라 어떤 방법으로 계산할지 약속한다면 쉽게 계산할 수 있습니다. 이 단원에서는 새로운 연산 기호에 따른 규칙을 알아보고, 규칙에 따라 주어진 식을 바르게 계산해 봅니다.

1 (1) 0.6을 분수로 바꾸어 계산합니다.

$0.6=\frac{6}{10}=\frac{3}{5}$이므로

$0.6▲1\frac{1}{2}=\left(\frac{3}{5}\div\frac{3}{2}\right)+\left(\frac{3}{2}\times\frac{3}{5}\right)=\left(\frac{3}{5}\times\frac{2}{3}\right)+\left(\frac{3}{2}\times\frac{3}{5}\right)=\frac{2}{5}+\frac{9}{10}=\frac{13}{10}=1\frac{3}{10}$

해결 전략

분수와 소수가 섞여 있는 계산은 소수를 분수로 바꾸어 계산합니다.

(2) 1.2를 분수로 바꾸어 계산합니다.

$1.2=\frac{12}{10}=\frac{6}{5}$이므로

$2\frac{2}{5}♣1.2=\left(\frac{12}{5}+\frac{6}{5}\right)\div\frac{12}{5}\times\frac{6}{5}=\frac{18}{5}\times\frac{5}{12}\times\frac{6}{5}=\frac{9}{5}=1\frac{4}{5}$

2 ◎가 나타내는 규칙은 (앞의 수)×((뒤의 수)+1)입니다.

$2◎3=2\times(3+1)=8$, $1◎4=1\times(4+1)=5$, $3◎2=3\times(2+1)=9$,

$4◎3=4\times(3+1)=16$, $6◎2=6\times(2+1)=18$, $5◎6=5\times(6+1)=35$

$(7◎\square)◎2=(7\times(\square+1))◎2=7\times(\square+1)\times(2+1)$이므로

$7\times(\square+1)\times3=28$, $\square+1=28\times\frac{1}{3}\times\frac{1}{7}$, $\square+1=\frac{4}{3}$, $\square=\frac{1}{3}$입니다.

다른 풀이

◎가 나타내는 규칙은 (앞의 수 × 뒤의 수 + 앞의 수)입니다.

$2◎3=2\times3+2=8$, $1◎4=1\times4+1=5$, $3◎2=3\times2+3=9$,

$4◎3=4\times3+4=16$, $6◎2=6\times2+6=18$, $5◎6=5\times6+5=35$

$(7◎\square)◎2=(7\times\square+7)◎2=(7\times\square+7)\times2+(7\times\square+7)$

$=14\times\square+14+7\times\square+7=21\times\square+21=28$, $21\times\square=7$, $\square=\frac{1}{3}$입니다.

최상위 사고력 ▲와 ★의 규칙은 다음과 같습니다.

가▲나=(가와 나의 합)×(가와 나의 차)

가★나=(가×가)+(나×나)

$((0.6▲0.5)+(0.4★0.8))\div((1.2★1.6)-(0.65▲1.35))$

$=((1.1\times0.1)+(0.16+0.64))\div((1.44+2.56)-(2\times0.7))$

$=(0.11+0.8)\div(4-1.4)$

$=0.91\div2.6=0.35$

보충 개념

가▲나=(큰 수)×(큰 수)−(작은 수)×(작은 수)의 규칙도 찾을 수 있으나 계산 결과는 같습니다.

최상위 사고력

16~17쪽

1 $0.5\left(=\frac{1}{2}\right)$ **2** 0.1, 0.2, 0.5, 0.7

3 4, 7, 1 **4** (1) 0.4 (2) 1

1 □가 2보다 크거나 같은 경우와 2보다 작은 경우로 나누어 생각합니다.

① □가 2보다 크거나 같은 경우

□※2=□×3+2×2이므로 □×3+4=7, □×3=3, □=1

□=1이므로 □는 2보다 작습니다. ➡ 조건을 만족하지 않습니다.

② □가 2보다 작은 경우

□※2=□×2+2×3이므로 □×2+6=7, □×2=1, □=0.5

□=0.5이므로 □는 2보다 작습니다. ➡ 조건을 만족합니다.

따라서 □ 안에 알맞은 수는 $0.5\left(=\frac{1}{2}\right)$입니다.

2 □ 안에 알맞은 수는 1보다 작은 소수 한 자리 수이므로 □를

$0.㉠=\frac{㉠}{10}$으로 놓고 계산합니다.

$2\frac{1}{4}\times2+1\frac{2}{5}\div\frac{㉠}{10}=\frac{9}{4}\times2+\frac{7}{5}\times\frac{10}{㉠}=\frac{9}{2}+\frac{14}{㉠}=4.5+\frac{14}{㉠}$

$4.5+\frac{14}{㉠}$가 소수 한 자리 수가 되는 경우를 구합니다.

㉠=3, 6, 9인 경우: 계산 결과를 소수로 나타낼 수 없습니다.

해결 전략

□ 안에 알맞은 수를 $0.㉠=\frac{㉠}{10}$이라 할 때 ㉠이 14의 약수인 경우 $\frac{14}{㉠}$의 값은 자연수가 됩니다.

주의

□ 안에 넣을 수 있는 수는 1보다 작은 소수 한 자리 수이므로 ㉠이 될 수 있는 수는 0보다 크고 10보다 작습니다.

㉠=1, 2, 7인 경우: $\frac{14}{㉠}$의 값이 자연수가 되므로 주어진 식의 계산 결과가 소수 한 자리 수가 됩니다.

㉠=5인 경우: $4.5+2.8=7.3$ (○)

㉠=4인 경우: $4.5+3.5=8$ (×)로 자연수가 나오고,

㉠=8인 경우: $4.5+1.75=6.25$ (×)

따라서 □ 안에 알맞은 수는 0.1, 0.2, 0.5, 0.7입니다.

3 $0.2422=\frac{2422}{10000}=\frac{1211}{5000}=\frac{1}{\frac{5000}{1211}}=\frac{1}{\boxed{4}+\frac{156}{1211}}=\frac{1}{\boxed{4}+\frac{1}{\frac{1211}{156}}}$

$$=\frac{1}{\boxed{4}+\frac{1}{\boxed{7}+\frac{119}{156}}}$$

$$=\frac{1}{\boxed{4}+\frac{1}{\boxed{7}+\frac{1}{\frac{156}{119}}}}$$

$$=\frac{1}{\boxed{4}+\frac{1}{\boxed{7}+\frac{1}{\boxed{1}+\frac{37}{119}}}}$$

4 (1) $f(㉠)=\frac{㉠+2}{2\times㉠+1}$에 ㉠ 대신 $\frac{1}{3}$을 넣어 계산한 후 계산 결과의 소수 부분을 구합니다.

$$f\left(\frac{1}{3}\right)=\frac{\frac{1}{3}+2}{2\times\frac{1}{3}+1}=\frac{\frac{7}{3}}{\frac{5}{3}}=\frac{7}{5}=1.4$$

➡ $\left\{f\left(\frac{1}{3}\right)\right\}=\{1.4\}=0.4$

보충 개념

$\frac{\frac{▲}{■}}{\frac{●}{■}}=\frac{▲\times■}{■\times●}=\frac{▲}{●}$

(2) $f(㉠)=\frac{㉠+2}{2\times㉠+1}$에 ㉠ 대신 $\frac{3}{7}$을 넣어 계산한 후 계산 결과를 초과하지 않는 가장 큰 자연수를 구합니다.

$$f\left(\frac{3}{7}\right)=\frac{\frac{3}{7}+2}{2\times\frac{3}{7}+1}=\frac{\frac{17}{7}}{\frac{13}{7}}=\frac{17}{13}=1\frac{4}{13}$$

➡ $\left[f\left(\frac{3}{7}\right)\right]=\left[1\frac{4}{13}\right]=1$

2-1. 숫자 없는 시계

18~19쪽

1 10시 8분 **2** 5시 50분 최상위 사고력 11시 40분, 12시 20분

저자 톡! 이 단원에서는 고정 관념에서 벗어나 시계의 제일 윗부분에 12가 고정되어 있지 않은 시계에서 시침과 분침이 이루는 각도를 이용하여 시각을 구해 봅니다. 시계의 시침은 1분에 0.5°씩 움직인다는 사실을 알고 있어야 숫자 없는 시계의 문제를 해결할 수 있습니다.

1 시침은 60분에 30°를 움직이므로 1분에 0.5°를 움직입니다.
시침이 큰 눈금에서부터 4°를 움직였으므로 $4° \div 0.5° = 8$(분)을 움직인 것입니다.
따라서 분침이 가리키는 곳이 8분이고 분침이 가리키는 눈금에서 작은 눈금 8칸만큼 시계 반대 방향으로 움직인 곳의 숫자가 12입니다.
12를 기준으로 시계에 시계 방향으로 수를 쓰면 오른쪽과 같습니다.
따라서 시계가 가리키는 시각은 10시 8분입니다.

해결 전략
① 시침이 움직인 각도를 보고 시침은 몇 분을 움직인 것인지 생각하고,
② 분침이 가리키는 시각을 구하여
③ 숫자 12의 위치를 찾습니다.

2 1시, 2시, 3시, 4시……10시, 11시에 시계의 시침과 분침이 이루는 작은 쪽의 각의 크기는 30°, 60°, 90°, 120°……60°, 30°입니다.
주어진 시계에서 시침과 분침이 이루는 작은 쪽의 각의 크기가 125°이므로 시침이 5°를 더 움직이면 큰 눈금을 가리키게 됩니다.
시침은 1분에 0.5°를 움직이므로 시침이 $5° \div 0.5° = 10$(분)을 더 움직이면 큰 눈금을 가리키게 됩니다. 시침이 10분을 더 움직이면 분침도 10분을 더 움직이게 되므로 분침이 큰 눈금 2칸만큼을 더 가면 시침과 분침이 180°를 이루게 되고 이때의 시각은 6시입니다.
따라서 시계가 가리키는 시각은 6시에서 10분 전인 5시 50분입니다.

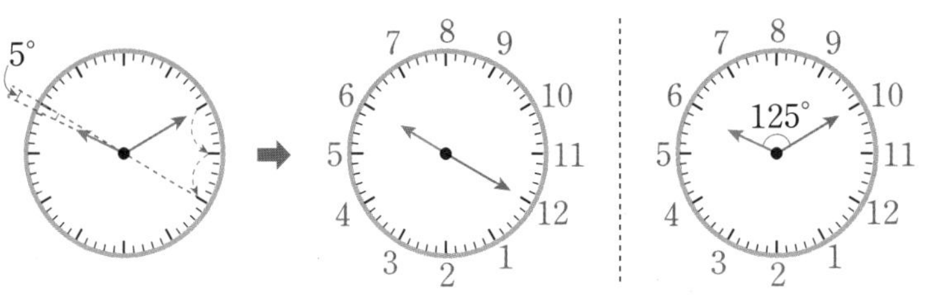

해결 전략
시침이 큰 눈금을 가리키려면 몇 도를 더 움직여야 하는지 알아봅니다.

최상위 사고력 ① 시침이 주어진 분침을 기준으로 왼쪽을 가리키는 경우
시침은 큰 눈금에서부터 10°를 움직였습니다.
시침은 1분에 0.5°씩 움직이므로 10°를 움직이는 데 걸리는 시간은 $10° \div 0.5° = 20$(분)입니다.
따라서 분침은 정각에서 20분을 움직였으므로
분침이 가리키는 숫자는 4입니다.

해결 전략
시침과 분침이 이루는 작은 쪽의 각도가 110°인 경우는 시침이 주어진 분침을 기준으로 왼쪽을 가리킬 때와 오른쪽을 가리킬 때의 2가지가 있습니다.

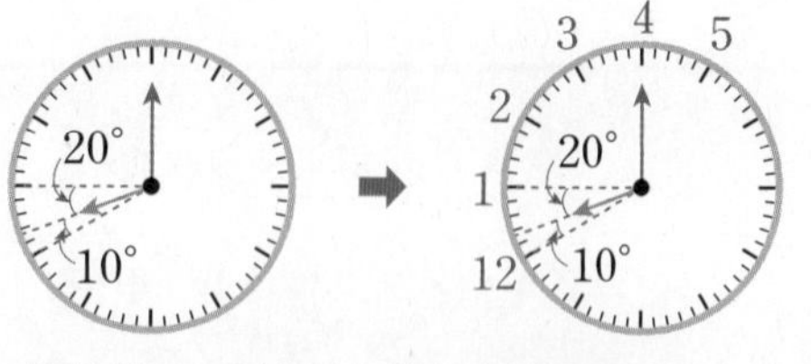

따라서 시계가 가리키는 시각은 12시 20분입니다.

② 시침이 주어진 분침을 기준으로 오른쪽을 가리키는 경우
시침은 큰 눈금에서부터 20°를 움직였습니다.
시침은 1분에 0.5°씩 움직이므로 20°를 움직이는 데 걸리는 시간은
$20° \div 0.5° = 40$(분)입니다.
따라서 분침은 정각에서 40분을 움직였으므로
분침이 가리키는 숫자는 8입니다.

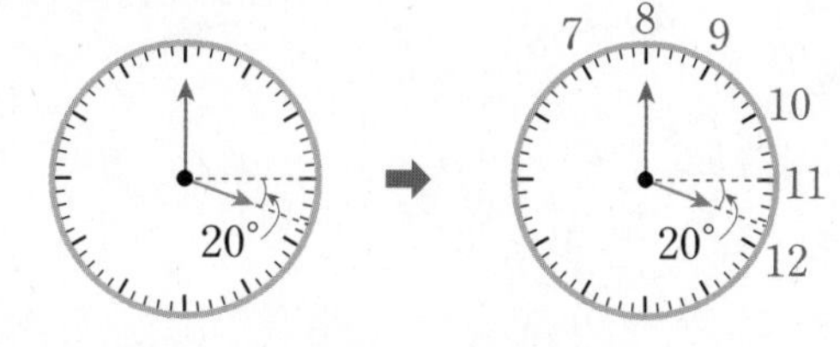

따라서 시계가 가리키는 시각은 11시 40분입니다.

➡ 시계가 가리키는 시각으로 가능한 시각은 11시 40분과 12시 20분입니다.

2-2. 일정한 각도일 때의 시각

20~21쪽

1 (1) 65° (2) 143.5° **2** 1시 14분 최상위 사고력 오후 4시 $45\frac{5}{11}$분

저자 톡! 이 단원에서는 시각을 알고 있을 때 두 바늘이 이루는 각도를 구하거나, 두 바늘이 이루는 각도를 알고 있을 때 시각을 구해 봅니다. 앞 단원에서는 시침의 움직임에 주의하여 문제를 해결했다면 이 단원에서는 시침과 분침의 움직임과 그 관계를 알아야 문제를 해결할 수 있습니다. 시침은 1분에 0.5°씩, 분침은 1분에 6°씩 움직인다는 사실을 통해 분침은 시침보다 1분에 5.5°씩 더 움직인다는 것을 문제에 이용합니다.

1 (1) ㉠=(큰 눈금 2칸의 각도)
+(시침이 10분 동안 움직인 각도)
$= 30° \times 2 + 0.5° \times 10 = 65°$

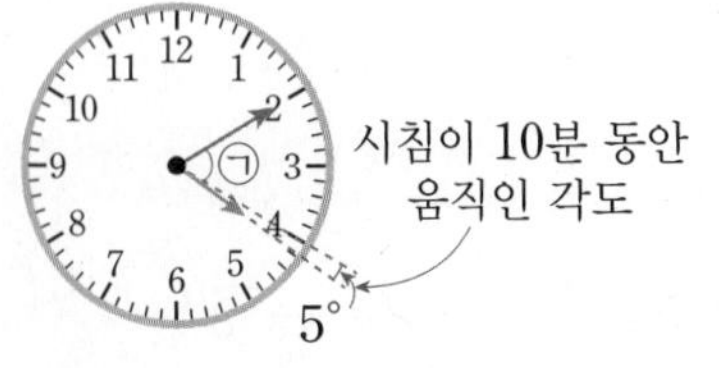

해결 전략
시침은 60분 동안 30°를 움직이므로 1분 동안 $30° \div 60 = 0.5°$를 움직이고,
분침은 60분 동안 360°를 움직이므로 1분 동안 $360° \div 60 = 6°$를 움직입니다.

(2) ㉡=(분침이 37분 동안 움직인 각도)
−((큰 눈금 2칸의 각도)
+(시침이 37분 동안 움직인 각도))
$= 6° \times 37 - (30° \times 2 + 0.5° \times 37)$
$= 222° - 78.5° = 143.5°$

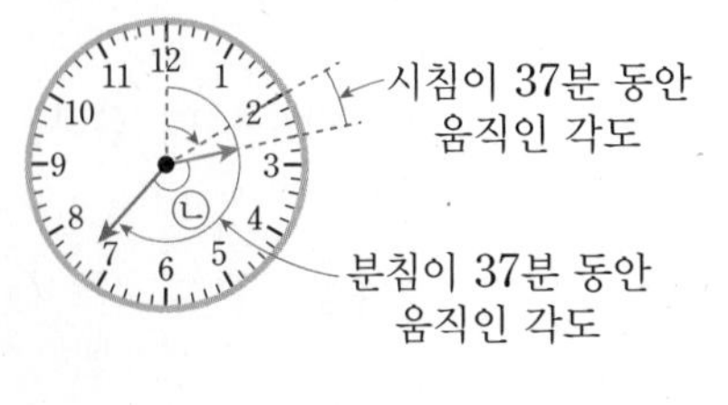

2 1시일 때 시계의 시침과 분침이 이루는 작은 쪽의 각의 크기는 큰 눈금 1칸의 크기와 같은 $360° \div 12 = 30°$입니다.
또 1분 동안 분침은 $6°$, 시침은 $0.5°$ 움직이므로 1분 동안 분침은 시침보다 $5.5°$ 더 움직입니다.

> 해결 전략
> 분침이 시침보다 1분에 5.5°씩 더 움직입니다.

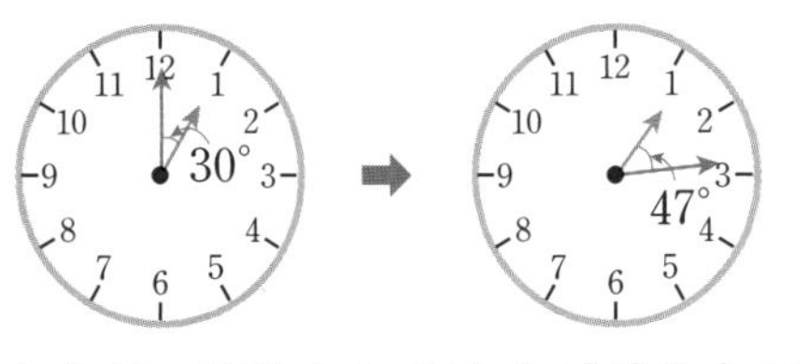

1시부터 시계가 가리키는 시각까지 분침이 시침보다 $30° + 47° = 77°$ 더 움직였습니다.
분침이 시침보다 $77°$ 더 움직이는 데 걸리는 시간은
$77° \div 5.5° = 14$(분)이므로
시계가 가리키는 시각은 1시 14분입니다.

최상위 사고력 병호가 놀이공원에 입장한 오후 4시에는 시침과 분침이 이루는 작은 쪽의 각의 크기가 $120°$입니다.
병호가 놀이공원에서 나온 시각에 시침과 분침이 이루는 작은 쪽의 각의 크기가 $130°$이고, 놀이공원에서 1시간 이상 놀지 않았으므로
병호가 놀이공원에 있는 동안 분침은 시침보다 $120° + 130° = 250°$ 더 움직였습니다.
분침은 시침보다 1분에 $5.5°$ 더 움직이므로 병호가 놀이공원에 있었던 시간은 $250° \div 5.5° = 45\frac{5}{11}$(분)입니다.
따라서 병호가 놀이공원에서 나온 시각은 오후 4시 $45\frac{5}{11}$분입니다.

2-3. 시침과 분침이 겹쳐지는 시각

22~23쪽

1 (1) 11번 (2) 22번 (3) 오후 1시 $5\frac{5}{11}$분

최상위 사고력 A 2시간 $10\frac{10}{11}$분

최상위 사고력 B 오후 9시 $16\frac{4}{11}$분

저자 톡! 이 단원에서는 시침과 분침이 겹쳐지거나 일직선을 이루거나 직각을 이루는 경우에 시침과 분침이 어떤 규칙을 보이는지 알아봅니다. 24시간 동안 시침과 분침이 일직선을 이루는 경우는 22번 나타나는 데, 시계의 시침과 분침은 규칙적으로 움직이기 때문에 한 번 겹쳐진 후 다시 겹쳐질 때까지 걸리는 시간을 구할 수 있습니다.

1 (1) 밤 12시부터 낮 12시까지 시계의 시침과 분침이 겹쳐지는 경우는 다음과 같이 12시간 동안 모두 11번입니다.

밤12시~1시	1시~2시	2시~3시	3시~4시	4시~5시	5시~6시	6시~7시	7시~8시	8시~9시	9시~10시	10시~11시	11시~낮12시	낮12시
0번	1번	1번	1번	1번	1번	1번	1번	1번	1번	1번	0번	1번

(2) (1)과 같이 생각하면 시침과 분침은 하루 중 오전에 11번 겹쳐지고, 오후에도 11번 겹쳐지므로 하루에 모두 $11+11=22$(번) 겹쳐집니다.

(3) 시침과 분침은 일정하게 움직이므로 시침과 분침이 겹쳐지는 시간의 간격도 모두 같습니다.

따라서 시침과 분침이 겹쳐진 상태에서 다시 겹쳐질 때까지 걸리는 시간은 12시간(=720분)을 11로 나누어 구합니다.

$720 \div 11 = \frac{720}{11} = 65\frac{5}{11}$(분)이므로 낮 12시에 시침과 분침이 겹쳐진 후 처음으로 시침과 분침이 다시 겹쳐지는 때는 오후 1시 $5\frac{5}{11}$분입니다.

다른 풀이

12시에 시침과 분침이 겹쳐진 후 처음으로 시침과 분침이 다시 겹쳐지려면 분침이 시침보다 한 바퀴를 더 돌아 360°를 더 움직이면 됩니다.
분침은 시침보다 1분에 5.5° 더 움직이므로

$360° \div 5.5° = 360° \div \frac{55°}{10} = \overset{72}{\cancel{360°}} \times \frac{10}{\underset{11}{\cancel{55°}}} = \frac{720}{11} = 65\frac{5}{11}$(분) 후에 시침과 분침이 처음으로 다시 겹쳐집니다.

따라서 낮 12시에 시침과 분침이 겹쳐진 후 처음으로 시침과 분침이 다시 겹쳐지는 때는 오후 1시 $5\frac{5}{11}$분입니다.

최상위 사고력 A

시침과 분침이 겹쳐진 시각에서 다음 번에 겹쳐지는 시각까지 걸리는 시간은 1시간 $5\frac{5}{11}$분입니다.

오후 2시와 오후 3시 사이에 시침과 분침이 겹쳐진 후 2번째로 겹쳐지는 때가 오후 4시와 5시 사이이므로 수지가 할머니 댁에 가는 데 걸린 시간은 $\left(1\text{시간 } 5\frac{5}{11}\text{분}\right) \times 2 = 2\text{시간 } 10\frac{10}{11}$분입니다.

최상위 사고력 B

오전 6시부터 오후 6시까지 시계의 시침과 분침이 일직선을 이루는 경우는 다음과 같이 12시간 동안 모두 11번입니다. (단, 오전 6시는 횟수에 포함하지 않습니다.)

오전6시–7시	7시–8시	8시–9시	9시–10시	10시–11시	11시–낮12시	12시–1시	1시–2시	2시–3시	3시–4시	4시–5시	5시–6시	6시
0번	1번	1번	1번	1번	1번	1번	1번	1번	1번	1번	0번	1번

시침과 분침은 일정하게 움직이므로 시침과 분침이 일직선이 된 후 처음으로 시침과 분침이 다시 일직선이 될 때까지 걸리는 시간은 1시간 $5\frac{5}{11}$분입니다.

오후 9시와 오후 10시 사이에 시침과 분침이 일직선을 이루는 시각은 오후 6시 정각에 시침과 분침이 일직선이 된 후 3번째이므로

오후 6시 $+\left(1\text{시간 } 5\frac{5}{11}\text{분}\right) \times 3 =$ 오후 9시 $16\frac{4}{11}$분입니다.

지도 가이드

시침과 분침이 겹쳐지거나 일직선을 이루는 것은 12시간 동안 11번, 24시간 동안 22번으로 같습니다.

최상위 사고력

24~25쪽

1 $32\frac{8}{11}$분　　**2** 2시 $21\frac{9}{11}$분

3 4시 $36\frac{12}{13}$분　　**4** 9시 $22\frac{10}{11}$분

1 밤 12시부터 낮 12시까지 시계의 시침과 분침이 직각을 이루는 경우는 다음과 같이 12시간 동안 모두 22번입니다.

시침과 분침은 일정하게 움직이므로 시침과 분침이 직각을 이룬 후 처음으로 다시 직각을 이루는 때까지 걸리는 시간은 12시간(=720분)을 22로 나누어 구합니다.

따라서 구하는 시간은 $720 \div 22 = \frac{720}{22} = 32\frac{8}{11}$(분)입니다.

다른 풀이

시침과 분침이 직각을 이룬 상태에서 처음으로 다시 직각을 이루려면 분침이 시침을 90° 따라 잡고 다시 90° 앞서 가야 합니다.
즉 분침이 시침보다 90°+90°=180° 더 움직여야 합니다. 분침은 시침보다 1분에 5.5°씩 더 움직이므로 $180° \div 5.5° = 32\frac{8}{11}$(분) 후에 처음으로 시침과 분침이 다시 직각을 이룹니다.

해결 전략

오전 1시부터 오전 2시까지 시계의 시침과 분침이 직각을 이루는 경우는 2번입니다.

2 2시 이후에 시계의 시침과 분침이 처음으로 다시 60°를 이루려면 먼저 분침이 시침과 겹쳐질 때까지 시침보다 60°를 더 가고 다시 시침보다 60°를 앞서가야 합니다.

즉 분침이 시침보다 60°+60°=120° 더 움직여야 합니다.

분침은 시침보다 1분에 5.5°씩 더 움직이므로 분침이 120°를 움직이는데 걸리는 시간은

$120° \div 5.5° = 21\frac{9}{11}$(분)입니다.

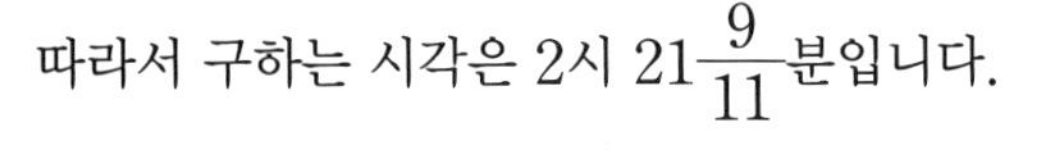

따라서 구하는 시각은 2시 $21\frac{9}{11}$분입니다.

3 시침과 선분 ㅇㄱ이 이루는 각의 크기와 분침과 선분 ㅇㄱ이 이루는 각의 크기가 같고 (각 ㄴㅇㄱ)=(각 ㄷㅇㄱ)이므로 시침과 선분 ㅇㄷ이 이루는 각의 크기와 분침과 선분 ㅇㄴ이 이루는 각의 크기는 같습니다.

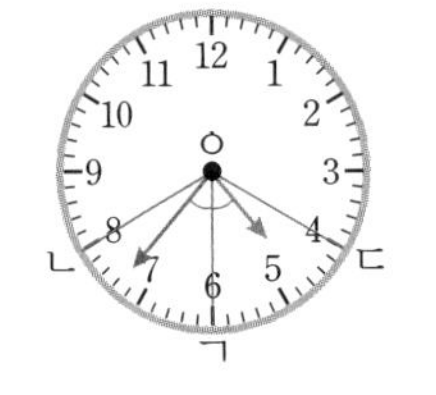

시침은 1분에 0.5°를 움직이고 분침은 1분에 6°를 움직이므로

시침과 분침은 1분에 6°+0.5°=6.5°를 움직입니다.

4시부터 시계가 가리키는 시각까지 시침과 분침이 움직인 각도의 합은 숫자 12부터 8까지 8칸을 움직인 것과 같으므로 30°×8=240°입니다.

따라서 4시부터 시계가 가리키는 시각까지 $240° \div 6.5° = 36\frac{12}{13}$(분) 움직였으므로 구하는 시각은 4시 $36\frac{12}{13}$분입니다.

보충 개념

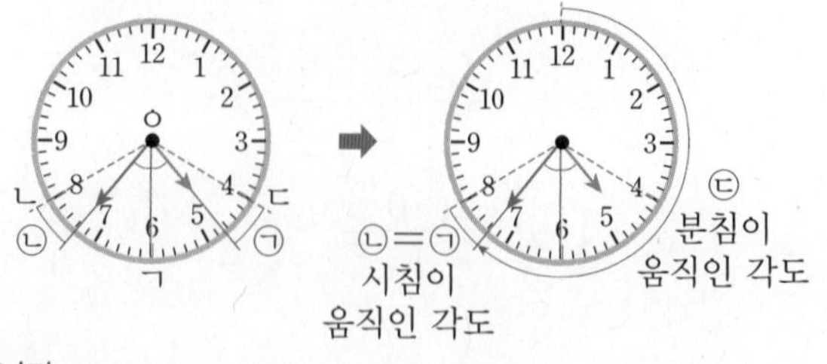

㉠과 ㉡의 각도는 같습니다.
따라서 4시부터 시계가 가리키는 시각까지 시침과 분침이 움직인 각도의 합은 ㉠+㉢=㉡+㉢이므로
숫자 12에서 숫자 8까지의 8칸의 각의 크기와 같습니다.
➡ $30^\circ \times 8=240^\circ$입니다.

4 9시일 때 시계의 시침과 분침이 이루는 큰 쪽의 각의 크기는 270°입니다.
9시부터 시계가 가리키는 시각까지 분침이 시침보다 $270^\circ-144^\circ=126^\circ$ 더 움직였습니다.
분침은 시침보다 1분에 5.5°씩 더 움직이므로 시계가 가리키는 시각은

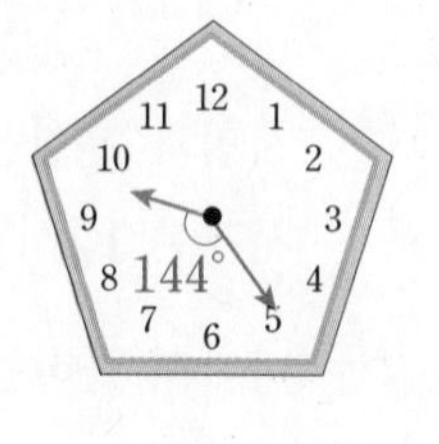

9시에서 시계가 가리키는 시각까지 $126^\circ \div 5.5^\circ=126^\circ \times \frac{10}{55^\circ}=22\frac{10}{11}$(분) 움직였으므로
시계가 가리키는 시각은 9시 $22\frac{10}{11}$분입니다.

다른 풀이
구하는 시각을 9시 □분이라고 하면
$270^\circ+\underline{0.5^\circ \times \square}=\underline{6^\circ \times \square}+144^\circ$, $126^\circ=5.5^\circ \times \square$, $\square=22\frac{10}{11}$
시침이 □분 동안 움직인 각도 / 분침이 □분 동안 움직인 각도
따라서 시계가 가리키는 시각은 9시 $22\frac{10}{11}$분입니다.

Review I 연산

26~28쪽

1 $1\frac{5}{8}$	**2** $0.3\left(=\frac{3}{10}\right)$	**3** 2시간 $10\frac{10}{11}$분
4 2시 $29\frac{1}{11}$분	**5** $37.5\left(=37\frac{1}{2}\right)$	**6** 2시 40분

1 번분수의 분모와 분자에 2, 3, 4, 5, 6, 10, 12, 15, 20, 30, 60의 최소공배수인 60을 각각 곱하면

$$\frac{1+\frac{1}{3}+\frac{1}{5}+\frac{1}{10}+\frac{1}{15}+\frac{1}{30}}{\frac{1}{2}+\frac{1}{4}+\frac{1}{6}+\frac{1}{12}+\frac{1}{20}+\frac{1}{60}}$$
$$=\frac{\left(1+\frac{1}{3}+\frac{1}{5}+\frac{1}{10}+\frac{1}{15}+\frac{1}{30}\right)\times 60}{\left(\frac{1}{2}+\frac{1}{4}+\frac{1}{6}+\frac{1}{12}+\frac{1}{20}+\frac{1}{60}\right)\times 60}$$
$$=\frac{60+20+12+6+4+2}{30+15+10+5+3+1}$$
$$=\frac{104}{64}=\frac{13}{8}=1\frac{5}{8}$$

해결 전략
분모, 분자에 0이 아닌 같은 수를 곱하여도 계산 결과는 변하지 않습니다.

보충 개념
$\left(\frac{1}{■}+\frac{1}{▲}+\frac{1}{●}\right)\times ★$
$=\frac{1}{■}\times ★+\frac{1}{▲}\times ★+\frac{1}{●}\times ★$

2 $5♥1=\frac{5+1}{5\div1}=\frac{6}{5}=1.2$이므로

$\square♥(5♥1)=\square♥1.2=\frac{\square+1.2}{\square\div1.2}$

$\frac{\square+1.2}{\square\div1.2}=6$이므로

$\square+1.2=\square\div1.2\times6$

$\square+1.2=\square\times\frac{5}{6}\times6$

$\square+1.2=\square\times5$

$\square\times4=1.2$

$\square=1.2\div4=0.3$

해결 전략
괄호 안의 식부터 먼저 계산합니다.

3 오전 6시부터 오후 6시까지 12시간 동안 시계의 시침과 분침이 일직선을 이루는 것은 모두 11번입니다.
시침과 분침은 일정하게 움직이므로 시침과 분침이 일직선을 이룬 후 처음으로 다시 일직선을 이루는 데 걸리는 시간은

$720\div11=65\frac{5}{11}$(분) ➡ 1시간 $5\frac{5}{11}$분입니다.

오후 8시와 오후 9시 사이에 시계의 시침과 분침이 일직선을 이루는 것은 오후 6시에 시침과 분침이 일직선을 이룬 후 2번째이므로 미영이가 피아노 연습을 한 시간은

$\left(1\text{시간 } 5\frac{5}{11}\text{분}\right)\times2=2\text{시간 } 10\frac{10}{11}$분입니다.

4 2시일 때 시계의 시침과 분침이 이루는 작은 쪽의 각의 크기는 큰 눈금 2칸의 크기와 같은 60°입니다.
2시부터 시계가 가리키는 시각까지 분침이 시침보다
$60°+100°=160°$ 더 움직였습니다.
분침은 시침보다 1분에 5.5° 더 움직이므로 분침이 시침보다 160° 더 움직이는 데 걸리는 시간은

$160°\div5.5°=29\frac{1}{11}$(분)입니다.

따라서 시계가 가리키는 시각은 2시 $29\frac{1}{11}$분입니다.

해결 전략
분침은 시침보다 1분에 5.5° 더 움직입니다.

5 $13.7 \div 0.5 = 27.4$이므로 $< 13.7 \div 0.5 > = 28$입니다.

$\frac{7}{4} \div \frac{7}{9} = \frac{\cancel{7}^{1}}{4} \times \frac{9}{\cancel{7}_{1}} = \frac{9}{4} = 2\frac{1}{4}$이므로 $< \frac{7}{4} \div \frac{7}{9} > = 3$입니다.

$6\frac{1}{2} + \frac{2}{5} \div 4 = \frac{13}{2} + \frac{\cancel{2}^{1}}{5} \times \frac{1}{\cancel{4}_{2}} = \frac{13}{2} + \frac{1}{10} = \frac{66}{10} = 6\frac{6}{10}$이므로

$< 6\frac{1}{2} + \frac{2}{5} \div 4 > = 7$입니다.

따라서 (주어진 식)$= 28 + 3 \times 2 + 7 \div 2 = 37.5$입니다.

6 큰 눈금 5칸의 각도는 $30° \times 5 = 150°$이므로 시침이 시계 방향으로 $10°$ 더 움직이면 시침은 큰 눈금을 가리키게 됩니다.
시침은 1시간에 $0.5°$를 움직이므로 $10° \div 0.5° = 20$(분)을 더 움직이면 큰 눈금을 가리키게 됩니다.
시침이 20분을 더 움직이면 분침도 20분을 더 움직이게 되므로 분침이 시계 방향으로 큰 눈금 4칸을 더 가면 분침은 숫자 12의 위치를 가리키게 되며 시침과 분침이 $90°$를 이루게 되므로 시각은 3시입니다.

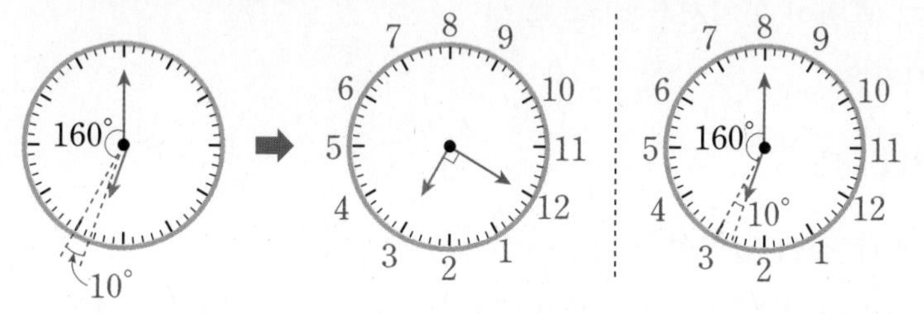

따라서 시계가 가리키는 시각은 3시에서 20분 전인 2시 40분입니다.

해결 전략
시침이 큰 눈금을 가리키려면 몇 도를 더 움직여야 하는지 알아봅니다.

Ⅱ 입체도형

이번 단원에서는 크게 2가지 주제에 대하여 학습합니다. 먼저 교과서에서 다루었던 각기둥과 각뿔에 대해 알아보고, 이어서 중학교 과정에서 다루게 되는 정다면체에 대해 학습합니다. 정다면체와 이를 변형하여 만든 준정다면체를 미리 접해 보며 도형의 신비함과 아름다움을 느끼고 도형에 대한 자신감을 가질 수 있는 기회가 되길 바랍니다.

3 각기둥과 각뿔에서는 각기둥과 각뿔의 꼭짓점, 면, 모서리의 수 사이에 일정하게 성립하는 식을 구해 보고 오일러의 공식과 각기둥과 각뿔의 전개도에 대해 살펴봅니다.

4 전개도의 활용에서는 입체도형을 전개도로 펼치기 위해 잘라야 하는 모서리의 수, 전개도 위의 두 점을 연결하는 가장 짧은 끈의 길이, 그리고 각기둥과 각뿔의 전개도의 가짓수에 대해 학습합니다.

5 정다면체에서는 정다면체의 정의와 정다면체가 5가지인 이유에 대해 살펴보고, 정다면체의 전개도에서 서로 마주 보는 면을 찾아봅니다. 또 정다면체의 면, 모서리, 꼭짓점의 수를 구하는 활동도 해 봅니다.

6 쌍대다면체와 준정다면체에서는 정다면체의 각 면의 한가운데 점을 선으로 연결하여 만든 쌍대다면체를 학습하고 정다면체의 각 꼭짓점을 자르거나 부풀려 만든 준정다면체를 이어서 학습합니다. 또 데카르트의 정리를 이용하여 정다면체의 꼭짓점의 수를 구해 봅니다.

이번 단원의 문제를 해결할 때는 직접 전개도를 그려 접어 보거나 입체도형을 펼쳐 보며 공간 감각을 익히도록 합니다. 이렇게 생긴 공간 감각은 나중에 배우게 될 여러 가지 입체도형에 관한 문제 해결의 실마리가 될 것입니다.

최상위 사고력 3 각기둥과 각뿔

3-1. 각기둥과 각뿔의 꼭짓점, 면, 모서리의 수 30~31쪽

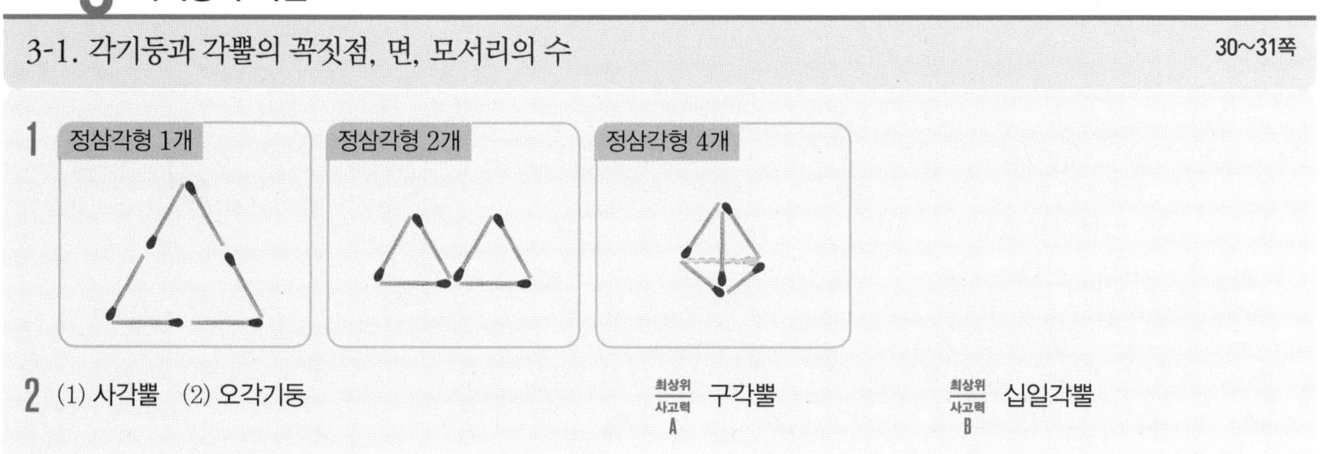

2 (1) 사각뿔 (2) 오각기둥　　최상위 사고력 A 구각뿔　　최상위 사고력 B 십일각뿔

저자 톡! 각기둥과 각뿔은 꼭짓점, 면, 모서리의 수에 대하여 일정한 관계가 성립합니다. 따라서 꼭짓점, 면, 모서리의 조건을 보고 설명하는 입체도형을 찾아봅니다. 특히 설명하는 입체도형이 각뿔 또는 각기둥임을 아는 경우 면, 모서리, 꼭짓점의 수를 □를 이용한 식으로 나타낼 수 있어야 합니다. 예를 들어 설명하는 각뿔을 □각뿔이라 하면 면의 수와 꼭짓점의 수는 모두 □+1이 됩니다. 이렇게 □를 이용한 식으로 나타내면 설명하는 도형을 쉽게 찾을 수 있습니다.

1 성냥개비 6개를 평면 위에 놓으면 한 변의 길이가 성냥개비 2개인 정삼각형 1개, 한 변의 길이가 성냥개비 1개인 정삼각형 2개를 각각 만들 수 있습니다.
그러나 성냥개비를 평면 위에 놓아 정삼각형 4개를 만드는 것은 불가능합니다.
따라서 성냥개비를 입체적으로 놓는 생각의 전환이 필요합니다.

> **보충 개념**
> 정삼각뿔은 면 4개, 모서리 6개, 꼭짓점 4개로 이루어진 입체도형입니다.

2 (1) • 두 번째 조건에서 밑면의 모양이 사각형이므로 사각뿔 또는 사각기둥입니다.

• 첫 번째 조건에서 꼭짓점의 수와 면의 수가 5개로 같으므로 각뿔입니다.

따라서 설명하는 입체도형은 사각뿔입니다.

(2) • 첫 번째, 두 번째 조건에서 두 밑면이 서로 합동이고 꼭짓점의 수가 옆면의 수의 2배이므로 각기둥입니다.

• 세 번째 조건에서 모서리의 수는 면의 수의 2배보다 1이 더 크므로 설명하는 입체도형을 ■각기둥이라 하면

(■각기둥의 모서리의 수)$=$■$\times 3$,

(■각기둥의 면의 수)$=$■$+2$입니다.

■$\times 3=($■$+2)\times 2+1$, ■$\times 3=$■$\times 2+2\times 2+1$,

■$\times 3=$■$\times 2+5$, ■$=5$입니다.

따라서 설명하는 입체도형은 오각기둥입니다.

해결 전략

꼭짓점, 면, 모서리, 밑면, 옆면 등이 의미하는 것을 생각하며 입체도형을 머릿속으로 그려 보며 찾습니다.

보충 개념

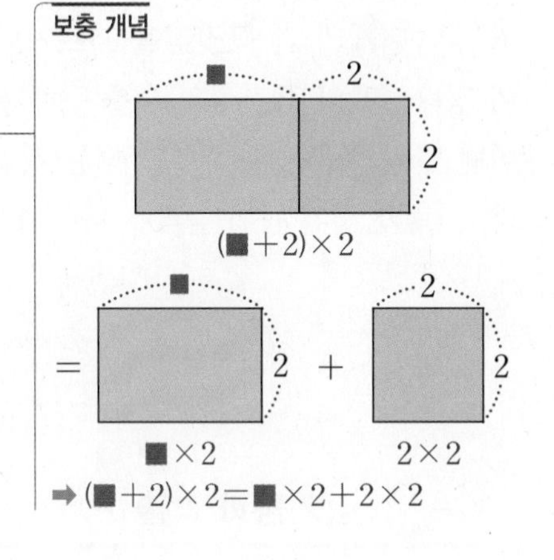

보충 개념

■각기둥과 ■각뿔의 꼭짓점, 면, 모서리의 수는 다음과 같은 관계가 있습니다.

	꼭짓점의 수	면의 수	모서리의 수
■각기둥	■×2	■+2	■×3
■각뿔	■+1	■+1	■×2

최상위 사고력 A 밑면이 다각형이고 옆면의 모양이 모두 삼각형이므로 구하는 입체도형은 각뿔입니다.

구하는 각뿔을 ■각뿔이라 하면

(■각뿔의 꼭짓점의 수)$=$■$+1$, (■각뿔의 모서리의 수)$=$■$\times 2$입니다.

구하는 입체도형의 꼭짓점의 수와 모서리의 수의 합이 28이므로

■$+1+$■$\times 2=28$, ■$\times 3+1=28$, ■$\times 3=27$, ■$=9$입니다.

따라서 구하는 입체도형은 구각뿔입니다.

해결 전략

구하는 각뿔을 ■각뿔이라 하고 꼭짓점과 모서리의 수를 ■를 이용한 식으로 나타내어 봅니다.

최상위 사고력 B 자르기 전의 각뿔을 ■각뿔이라 하면 각뿔을 밑면과 평행하게 잘랐을 때 각뿔 부분이 아닌 나머지 입체도형은 ■각뿔대입니다.

■각뿔대는 ■각기둥과 면, 모서리, 꼭짓점의 수가 각각 같습니다.

(■각뿔대의 모서리의 수)$=$■$\times 3$,

(■각뿔대의 면의 수)$=$■$+2$이고

■각뿔대의 모서리의 수와 면의 수의 합이 46이므로

■$\times 3+$■$+2=46$, ■$\times 4+2=46$, ■$\times 4=44$, ■$=11$입니다.

따라서 자르기 전의 각뿔은 십일각뿔입니다.

보충 개념

■각뿔을 밑면과 평행하게 자르면 ■각뿔과 ■각뿔대로 나뉘어집니다.

자르기
삼각뿔
삼각뿔
삼각뿔대

3-2. 오일러의 공식

1 (1) 5, 6, 8 / 5, 5, 6 / 6, 8, 9, 12 / 2, 2, 2, 2 (2) ㉠ v+f−e를 계산한 값이 2로 모두 같습니다.
(3) ㉠ 오각뿔에서는 v+f−e=6+6−10=2, 오각기둥에서는 v+f−e=10+7−15=2이므로 (2)에서 발견한 규칙이 그대로 적용됩니다.

최상위 사고력 A (1) 2 (2) 3

최상위 사고력 B 10개

저자 톡! 각기둥과 각뿔과 같은 입체도형은 면, 모서리, 꼭짓점의 수에 대한 일정한 식 (꼭짓점의 수)+(면의 수)−(모서리의 수)=2가 성립하는데 이것을 '오일러의 공식'이라고 합니다. 이 공식은 모든 다면체(다각형인 면으로 둘러싸인 입체도형)에 적용되며 면, 모서리, 꼭짓점의 수 중에서 2가지만 알고 있는 경우에 나머지 1가지를 구할 때 유용합니다.

1 (3)

	오각뿔	오각기둥
꼭짓점의 수(v)	6	10
면의 수(f)	6	7
모서리의 수(e)	10	15
v+f−e	2	2

보충 개념
18세기의 유명한 수학자 오일러는 상자, 피라미드, 축구공과 같은 다면체들에 대해 면의 수와 꼭짓점의 수를 더한 값은 모서리의 수에 2를 더한 값과 같다는 사실을 발견하였습니다.
이것을 식으로 나타낸 것이 오일러의 공식입니다.

v+f−e=2

v: 꼭짓점(vertex)의 수, f: 면(face)의 수, e: 모서리(edge)의 수

보충 개념
다면체: 다각형의 면으로 둘러싸인 입체도형
㉠

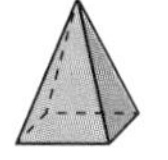
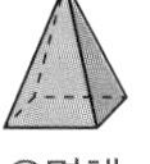
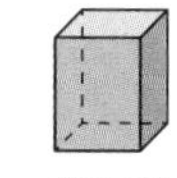
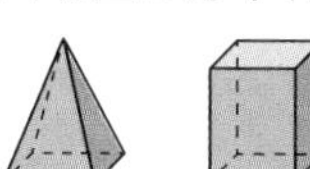

사면체 오면체 육면체

➡ 모든 다면체에서는 오일러의 공식이 성립합니다.
➡ 원뿔, 원기둥, 구는 다각형이 아닌 도형으로 둘러싸여 있으므로 다면체가 아닙니다.

최상위 사고력 A (1) 주어진 도형은 다면체입니다.
꼭짓점: 10개, 면: 9개, 모서리: 17개
(꼭짓점의 수)+(면의 수)−(모서리의 수)
=10+9−17=2

(2) 주어진 도형은 사각기둥과 삼각기둥의 모서리 1개가 겹쳐진 입체도형입니다.
꼭짓점: 12개, 면: 11개, 모서리: 20개
(꼭짓점의 수)+(면의 수)−(모서리의 수)
=12+11−20=3

보충 개념
(2) 모서리 1개가 겹쳐져 있어 겉면을 부풀려도 구와 같은 모양이 되지 않습니다.
따라서 오일러의 공식이 성립하지 않습니다.

최상위 사고력 B 입체도형에서는 오일러의 공식인
(꼭짓점의 수)+(면의 수)−(모서리의 수)=2가 항상 성립합니다.
따라서 16+(면의 수)−24=2, 16+(면의 수)=26, (면의 수)=10
이므로 설명하는 입체도형의 면은 10개입니다.

보충 개념

• 연결 상태가 같은 평면도형

한 도형을 자르거나 이어붙이지 않고, 늘이거나 줄이거나 구부리기만 하여 만든 도형을 연결 상태가 같은 도형이라고 합니다. 아래의 도형은 모두 연결 상태가 같은 도형입니다.

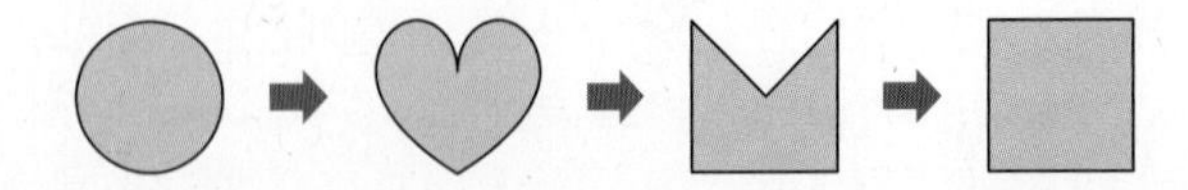

• 연결 상태가 같은 입체도형

한 입체도형을 자르거나 겹치지 않고, 늘이거나 줄이기만 하여 만든 도형을 연결 상태가 같은 도형이라고 합니다. 아래의 도형은 모두 연결 상태가 같은 도형입니다.

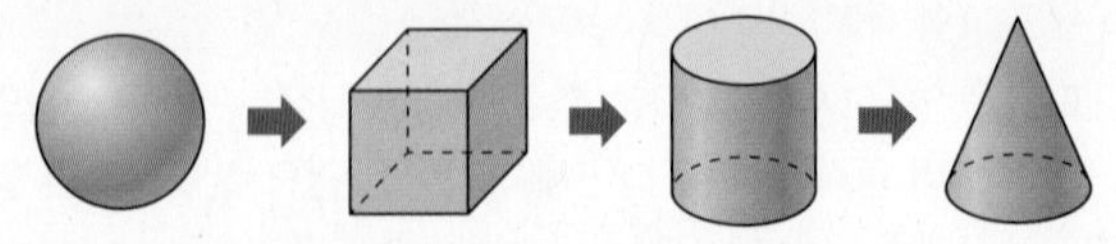

각기둥, 원기둥, 각뿔과 같은 입체도형은 모두 겉면을 부풀리면 구와 같은 모양이 됩니다. 구와 연결 상태가 같은 입체도형에서는 오일러의 공식이 성립합니다.
그러나 구와 연결 상태가 같지 않은 입체도형에서는 오일러의 공식이 성립하지 않을 수 있습니다.

3-3. 각기둥과 각뿔의 전개도

34~35쪽

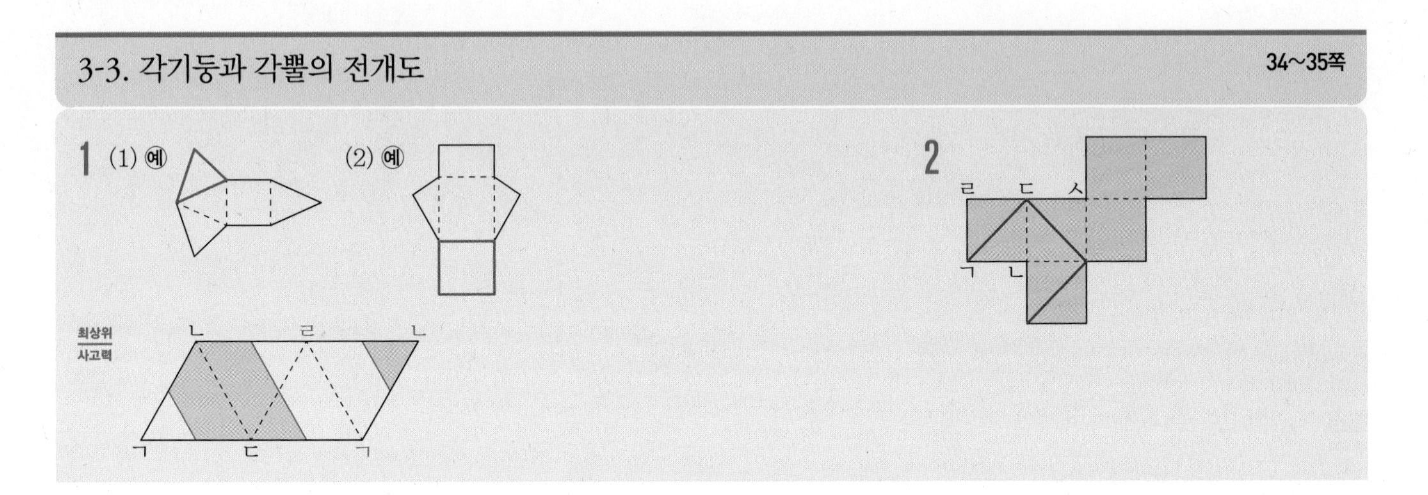

저자 톡! 이 단원에서는 면 위에 선이 그어 있거나 색칠된 부분이 있는 각기둥과 각뿔을 전개도로 나타내 봅니다. 높은 수준의 공간 감각을 요구하는 문제이지만 입체도형과 전개도의 관계, 전개도의 기본 원리만 알면 충분히 해결할 수 있습니다. 입체도형의 각 꼭짓점의 기호를 전개도에 나타내는 것과 주어진 전개도를 다른 모양의 전개도로 바꾸는 연습이 필요합니다.

1 접었을 때 면이 서로 겹쳐지지 않도록 전개도를 완성합니다.
전개도는 여러 가지 방법으로 그릴 수 있습니다.

보충 개념
입체도형의 모서리를 잘라서 펼친 그림을 입체도형의 전개도라고 합니다.

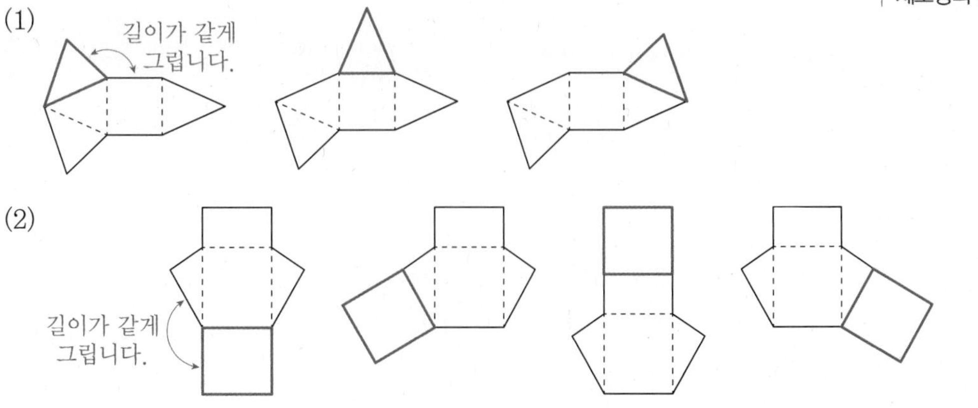

2 전개도에 각 꼭짓점의 위치를 찾아 알맞게 기호를 쓴 후 선분 ㄱㄷ, 선분 ㄷㅂ, 선분 ㅂㄱ을 긋습니다.

최상위 사고력 먼저 삼각뿔의 전개도에 각 꼭짓점의 위치를 찾아 알맞게 기호를 씁니다.
삼각뿔에서 물이 닿은 부분을 보고
① 선분 ㄱㄴ을 이등분하는 점과 선분 ㄱㄷ을 이등분하는 점,
② 선분 ㄷㄱ을 이등분하는 점과 선분 ㄷㄹ을 이등분하는 점,
③ 선분 ㄹㄷ을 이등분하는 점과 선분 ㄴㄹ을 이등분하는 점,
④ 선분 ㄹㄴ을 이등분하는 점과 선분 ㄱㄴ을 이등분하는 점을 차례로 선분으로 잇습니다.
⑤ 물이 들어 있는 쪽의 꼭짓점인 점 ㄴ과 점 ㄷ이 포함된 쪽에 색칠합니다.

보충 개념
다음과 같이 생각한 후 모양을 변형할 수도 있습니다.

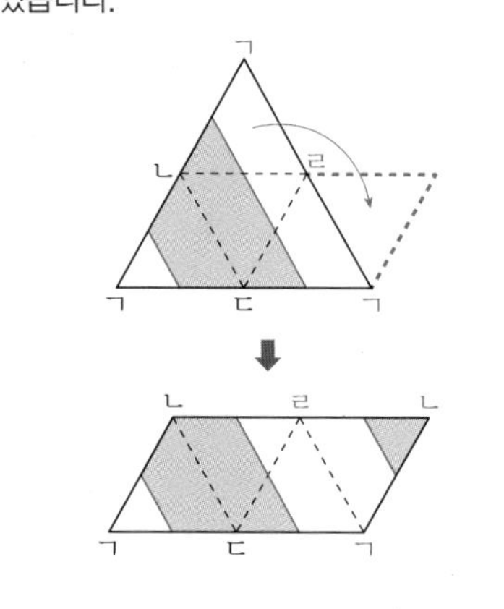

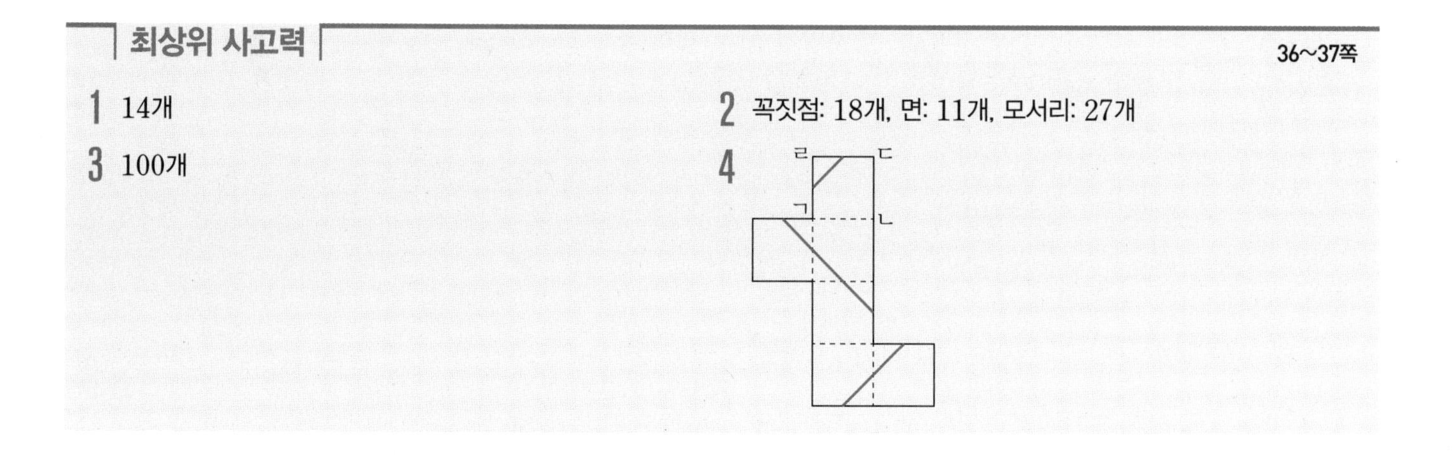

최상위 사고력

36~37쪽

1 14개

2 꼭짓점: 18개, 면: 11개, 모서리: 27개

3 100개

4

1 첫 번째 조건에서 다면체이므로 오일러의 공식인
(꼭짓점의 수)+(면의 수)−(모서리의 수)=2가 항상 성립합니다.
즉 (꼭짓점의 수)+(면의 수)=2+(모서리의 수)입니다.
입체도형의 꼭짓점의 수를 ■라 하면
면의 수는 ■−5, 모서리의 수는 ■+7이므로
■+■−5=2+■+7, ■−5=9, ■=14입니다.
따라서 설명하는 입체도형의 꼭짓점은 모두 14개입니다.

해결 전략
다면체이므로 오일러의 공식을 사용합니다.

다른 풀이

네 번째 조건에서 입체도형의 옆면은 모두 직사각형이므로 각기둥입니다.
이 입체도형을 ■각기둥이라 하면 꼭짓점의 수는 ■×2, 면의 수는 ■+2입니다.
두 번째 조건에서 면의 수가 꼭짓점의 수보다 5 작다고 했으므로
■×2−5=■+2, ■−5=2, ■=7입니다.
따라서 설명하는 입체도형은 칠각기둥이므로 꼭짓점은 7×2=14(개)입니다.

2 삼각기둥의 한 꼭짓점에서 삼각뿔 모양만큼 잘라낼 때마다 잘라내고 남은 입체도형의 꼭짓점, 면, 모서리의 수의 규칙은 다음과 같습니다.

해결 전략
한 꼭짓점에서 삼각뿔 모양만큼 잘랐을 때 삼각기둥의 꼭짓점, 면, 모서리의 수가 어떻게 변하는지 규칙을 찾아봅니다.

꼭짓점	면	모서리
꼭짓점 1개가 없어지고 3개가 새로 생깁니다. ➡ 꼭짓점의 수가 2만큼 늘어납니다.	면 1개가 새로 생깁니다.	모서리 3개가 새로 생깁니다.

자르기 전의 삼각기둥은 꼭짓점이 6개, 모서리가 9개, 면이 5개이므로
삼각기둥의 6개의 꼭짓점에서 삼각뿔 모양만큼 모두 잘라내면
꼭짓점은 $6+2\times6=18$(개) (늘어난 꼭짓점의 수: 2×6), 면은 $5+1\times6=11$(개) (늘어난 면의 수: 1×6),
모서리는 $9+3\times6=27$(개)입니다. (늘어난 모서리의 수: 3×6)

3 정삼각뿔의 꼭짓점, 모서리, 면에서 각각 점이 늘어나는 규칙을 찾아봅니다.

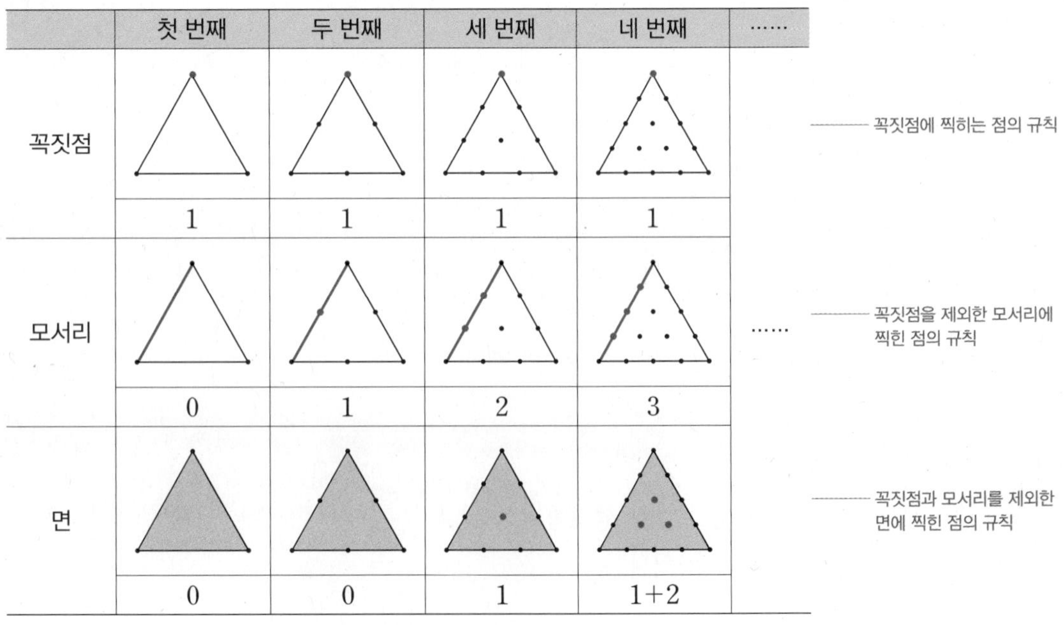

	첫 번째	두 번째	세 번째	네 번째	……
꼭짓점	1	1	1	1	
모서리	0	1	2	3	……
면	0	0	1	1+2	

꼭짓점에 찍히는 점의 규칙
꼭짓점을 제외한 모서리에 찍힌 점의 규칙
꼭짓점과 모서리를 제외한 면에 찍힌 점의 규칙

한 꼭짓점에 찍히는 점의 개수는 항상 1개입니다.
한 모서리에 찍히는 점의 개수는 두 번째 모양에서부터 1개씩 늘어납니다.
한 면에 찍히는 점의 개수는 세 번째 모양에서부터 1, 1+2, 1+2+3……으로 늘어납니다.

따라서 일곱 번째 정삼각뿔의 한 꼭짓점에 찍히는 점은 1개, 한 면에 찍히는 점은 $1+2+3+4+5=15$(개), 한 모서리에 찍히는 점은 6개입니다.
정삼각뿔은 꼭짓점이 4개, 면이 4개, 모서리가 6개 이므로 일곱 번째 정삼각뿔에 찍히는 점은 모두
$1\times4+15\times4+6\times6=100$(개)입니다.

4 먼저 전개도의 각 꼭짓점에 알맞게 기호를 씁니다.
① 선분 ㄹㄷ의 한가운데 점과 선분 ㄹㄱ의 한가운데 점, ② 선분 ㄹㄱ의 한가운데 점과 선분 ㄱㅁ의 한가운데 점, ③ 선분 ㄱㅁ의 한가운데 점과 선분 ㅁㅂ의 한가운데 점, ④ 선분 ㅁㅂ의 한가운데 점과 선분 ㅂㅅ의 한가운데 점, ⑤ 선분 ㅂㅅ의 한가운데 점과 선분 ㅅㄷ의 한가운데 점, ⑥ 선분 ㅅㄷ의 한가운데 점과 선분 ㄹㄷ의 한가운데 점을 차례로 선분으로 잇습니다.

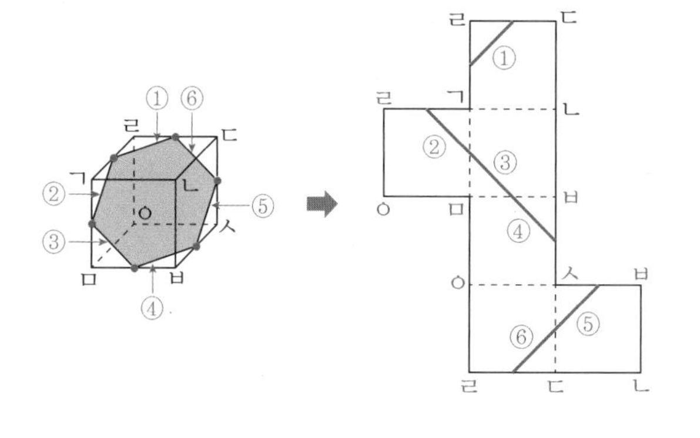

최상위 사고력 **4** **전개도의 활용**

4-1. 잘라야 하는 모서리의 수

38~39쪽

1 12개　　**2** 5개

최상위 사고력 19개

저자 톡! 입체도형의 모서리를 잘라서 펼친 그림을 그 입체도형의 전개도라고 합니다. 이 단원에서는 입체도형의 전개도를 만들기 위해서 잘라야 하는 모서리의 수에 대해 학습합니다. 각기둥과 각뿔의 경우에는 입체도형의 모양을 상상하여 쉽게 구할 수 있지만 다면체인 경우에는 머릿속으로 생각하여 구하는 것이 매우 복잡하고 어렵습니다. 따라서 이 단원에서 전개도를 이용하여 잘라야 하는 모서리의 수를 구하는 방법을 알아봅니다.

1 전개도에서 점선으로 표시된 선분은 접었을 때 1개의 모서리가 됩니다. 또 전개도에서 실선으로 표시된 선분은 2개가 만나서 1개의 모서리가 됩니다. 즉 전개도에서
(점선으로 표시된 선분의 수)+(실선으로 표시된 선분의 수)÷2
=(입체도형의 모서리의 수)입니다.
주어진 전개도에서 점선으로 표시된 선분은 6개, 실선으로 표시된 선분은 12개이므로 전개도를 접었을 때 만들어지는 입체도형의 모서리는 모두 $6+12\div2=12$(개)입니다.

보충 개념
전개도를 접으면 다음과 같은 입체도형이 만들어집니다.

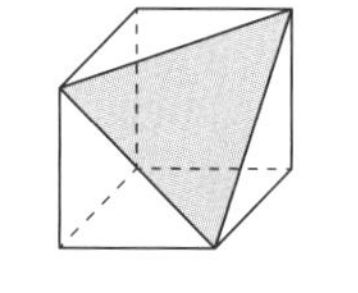

2 주어진 전개도는 삼각기둥의 전개도입니다.
전개도에서 점선으로 표시된 선분은 잘리지 않은 모서리입니다.
(자른 모서리의 수)
=(삼각기둥의 모서리의 수)−(전개도에서 점선으로 표시된 선분의 수)=9−4=5(개)입니다.
└ (면의 수)−1

다른 풀이 1
전개도를 만들 때 입체도형의 한 모서리를 자르면 전개도에서 2개의 실선이 됩니다.
주어진 삼각기둥의 전개도에서 실선으로 표시된 모서리가 모두 10개이므로 이 전개도를 만들 때 자른 모서리는 $10 \div 2 = 5$(개)입니다.

다른 풀이 2
오른쪽과 같이 삼각기둥을 직접 그려서 찾을 수도 있습니다. 빨간색 선으로 표시한 5개의 모서리를 잘라서 펼치면 주어진 전개도가 됩니다.
전개도는 모서리를 어떻게 자르느냐에 따라 여러 가지 모양이 나올 수 있습니다.

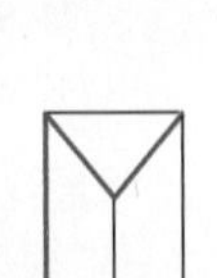

최상위 사고력 입체도형의 모서리는 입체도형을 둘러싼 다각형의 2개의 변이 만나서 생깁니다. 정십이면체는 정오각형 12개로 이루어져 있으므로
(정십이면체의 모서리의 수)$=5\times12\div2=30$(개)
(5: 정오각형의 변의 수, 12: 정십이면체를 둘러싼 정오각형의 수)
(잘라야 하는 모서리의 수)
=(정십이면체의 모서리의 수)−(전개도에서 점선으로 표시된 선분의 수)
└ 잘리지 않은 모서리
$=30-11=19$(개)입니다.
└ (면의 수)−1

보충 개념
오각형의 2개의 변이 만나 1개의 모서리가 생기므로 5×12를 2로 나눕니다.

4-2. 가장 짧은 끈의 길이

40~41쪽

1 28cm, 20cm　**2** 4cm　**최상위 사고력** 48cm

저자 톡! 입체도형에서 두 점을 잇는 가장 짧은 끈의 길이를 구하는 문제를 해결해 봅니다. 우리는 평면에서 두 점을 잇는 가장 짧은 선이 선분이라는 것을 알고 있습니다. 따라서 입체도형에서 가장 짧은 선을 구하는 문제는 입체도형의 전개도를 그린 다음 두 점을 잇는 선분을 그어 찾을 수 있습니다.

1 끈을 가장 짧게 사용하여 상자를 묶으려면 세 모서리에 각각 수직이 되도록 묶어야 합니다.

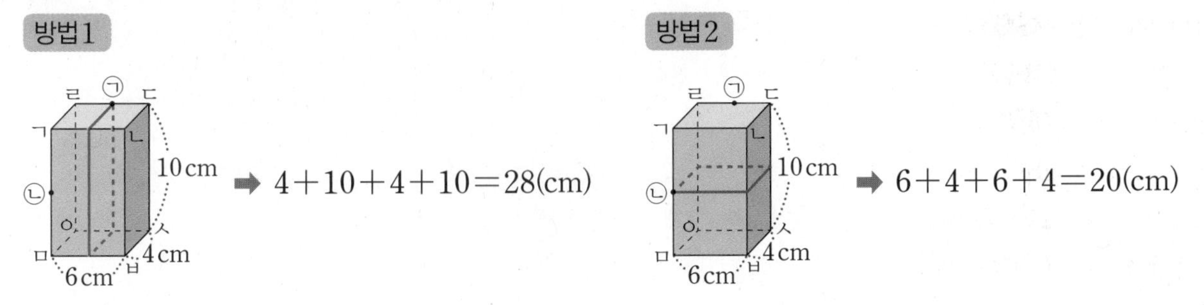

2 삼각기둥의 전개도를 그리면 다음과 같습니다.

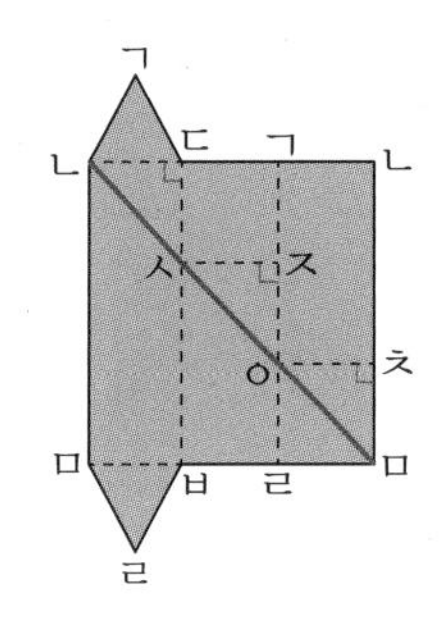

점 ㄴ과 점 ㅁ을 잇는 가장 짧은 선은 빨간선으로 표시한 선분 ㄴㅁ이고, 삼각형 ㄴㅅㄷ, 삼각형 ㅅㅇㅈ, 삼각형 ㅇㅁㅊ은 서로 합동입니다.
따라서 선분 ㄷㅅ의 길이는 $12 \div 3 = 4$(cm)입니다.

> **해결 전략**
> 전개도를 그려 생각해 봅니다.

> **보충 개념**
> 삼각형 ㄴㅅㄷ, 삼각형 ㅅㅇㅈ, 삼각형 ㅇㅁㅊ은 대응각의 크기가 모두 같고 (변 ㄴㄷ)=(변 ㅅㅈ)=(변 ㅇㅊ)=4 cm이므로 서로 합동입니다.

최상위 사고력 주어진 입체도형은 정삼각뿔이므로 정삼각뿔의 전개도를 그립니다.
전개도에 각 꼭짓점의 위치를 찾아 알맞게 기호를 쓰고 점 ㉠을 표시한 후 점 ㉠에서 정삼각뿔의 모든 면을 한 번씩 지난 후 다시 점 ㉠으로 돌아오도록 가장 짧은 선분을 긋습니다.

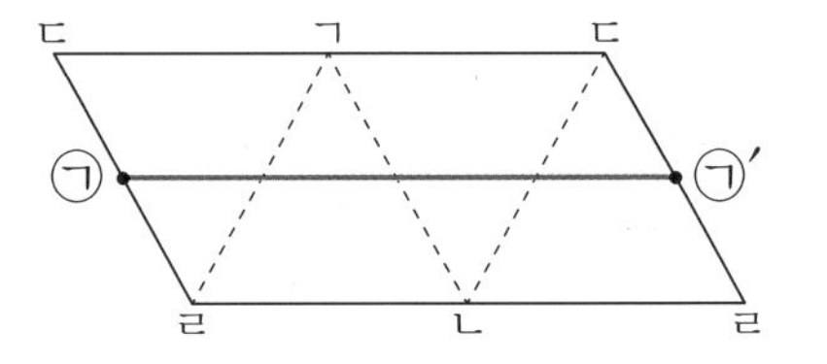

정삼각형의 한 변의 길이가 24 cm이므로 평행사변형 모양의 전개도에서 밑변의 길이는 $24 \times 2 = 48$(cm)이고 전개도에 그은 가장 짧은 선분은 밑변과 평행하므로 선분 ㉠㉠′의 길이는 48 cm입니다.

> **보충 개념**
> 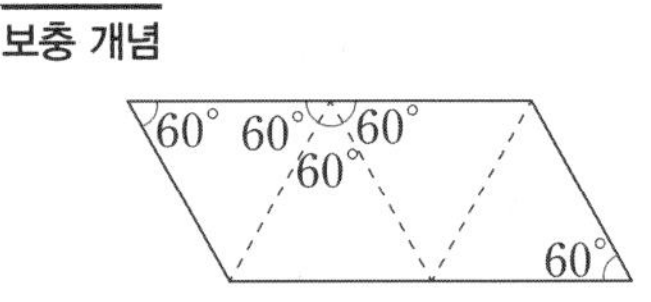
>
> 정삼각뿔의 모든 면은 정삼각형이므로 전개도를 위와 같이 그렸을 때 평행사변형이 됩니다.

4-3. 각기둥과 각뿔의 전개도의 가짓수

42~43쪽

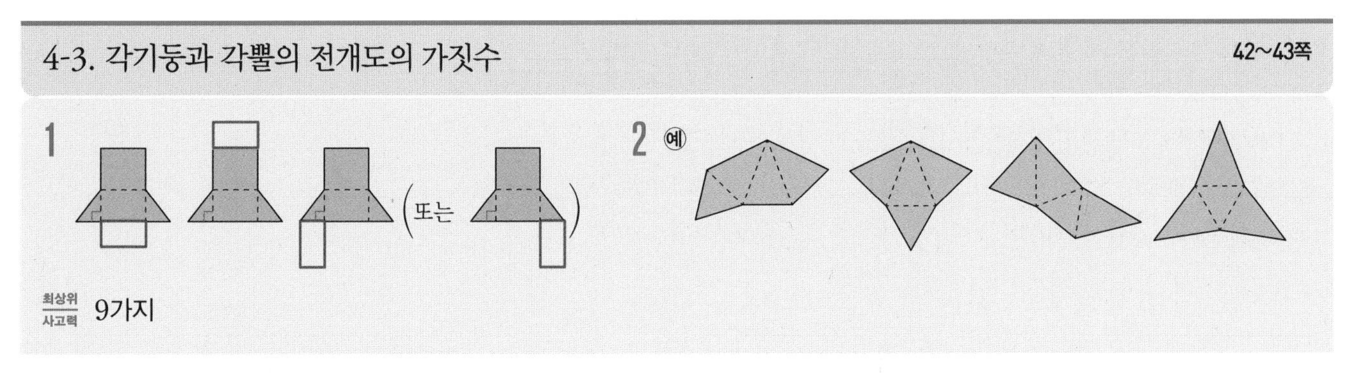

저자 톡! 각기둥과 각뿔의 전개도는 붙어 있는 면에 따라 여러 가지 모양이 나옵니다. 각기둥 중에서 우리에게 익숙한 정육면체는 전개도가 모두 11가지입니다. 이 단원에서는 각기둥과 각뿔에서 그릴 수 있는 전개도를 모두 찾아봅니다. 전개도를 모두 찾는 것은 복잡해 보이지만 '도형 붙이기' 방법을 이용하면 생각보다 간단하게 해결할 수 있습니다. 예를 들어 정육면체의 전개도를 모두 찾을 때는 가로로 연속하여 붙어 있는 정사각형의 개수가 4개, 3개, 2개인 경우로 나누어 찾습니다. 이와 같이 각뿔과 각기둥의 전개도를 중복되거나 빠짐없이 모두 찾기 위해서는 일정한 기준을 정하여 붙어 있는 옆면의 개수가 0개, 1개, 2개……인 경우로 나누어 생각하면 모두 찾을 수 있습니다.

1 삼각기둥은 밑면이 2개, 옆면이 3개입니다. 주어진 전개도는 옆면이 2개이므로 옆면 하나를 더 그려야 합니다.
따라서 직사각형 모양의 옆면을 맞닿는 모서리의 길이가 같도록 그려 전개도를 완성합니다.

2 옆면이 3개 모두 붙어 있는 경우, 옆면이 2개만 붙어 있는 경우, 옆면이 서로 붙어 있지 않은 경우로 각각 나누어 찾아봅니다.

> 주의
> 모든 면이 정삼각형인 정삼각뿔의 전개도는 다음과 같이 2가지입니다.
>
> 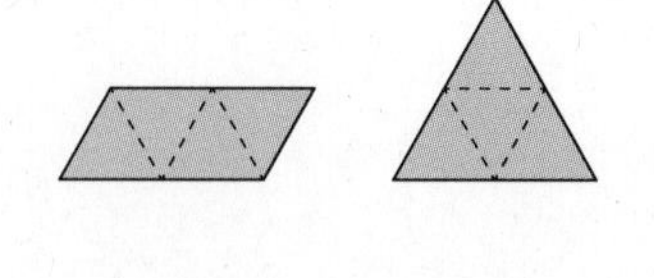

① 옆면이 3개 모두 붙어 있는 경우

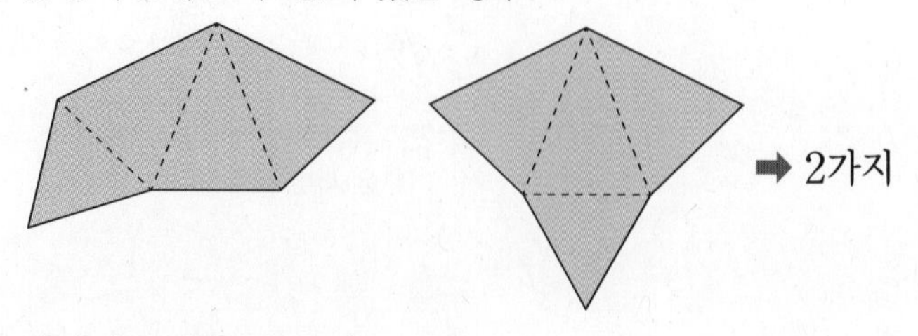

➡ 2가지

② 옆면이 2개만 붙어 있는 경우

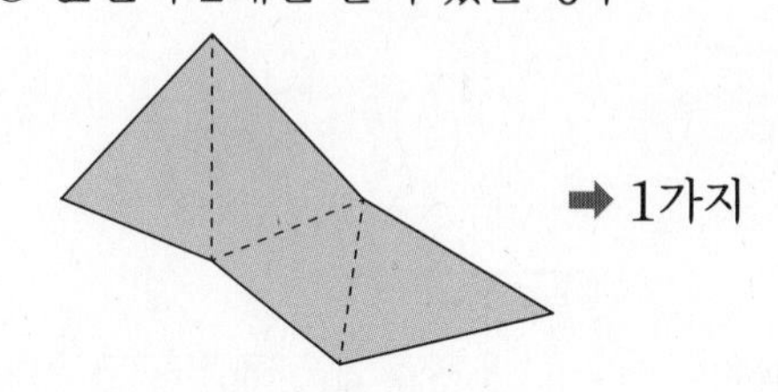

➡ 1가지

③ 옆면이 서로 붙어 있지 않은 경우

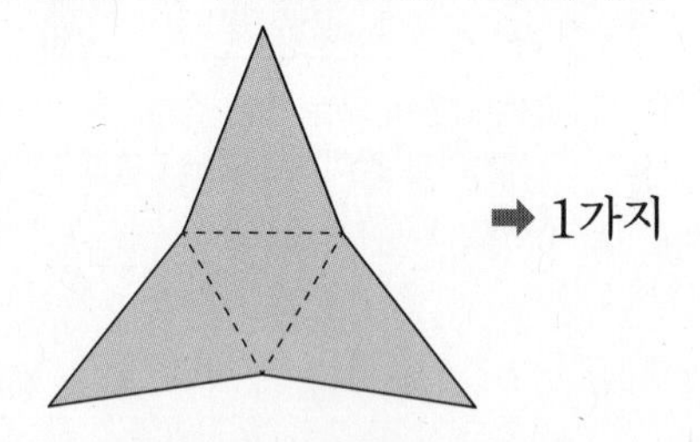

➡ 1가지

따라서 주어진 삼각뿔의 전개도는 모두 $2+1+1=4$(가지)입니다.

최상위 사고력 옆면이 3개 모두 붙어 있는 경우, 옆면이 2개만 붙어 있는 경우, 옆면이 서로 붙어 있지 않은 경우로 각각 나누어 찾아봅니다.

> 보충 개념
> 옆면이 모두 정사각형인 삼각기둥이므로 밑면은 정삼각형입니다.

① 옆면이 3개 모두 붙어 있는 경우

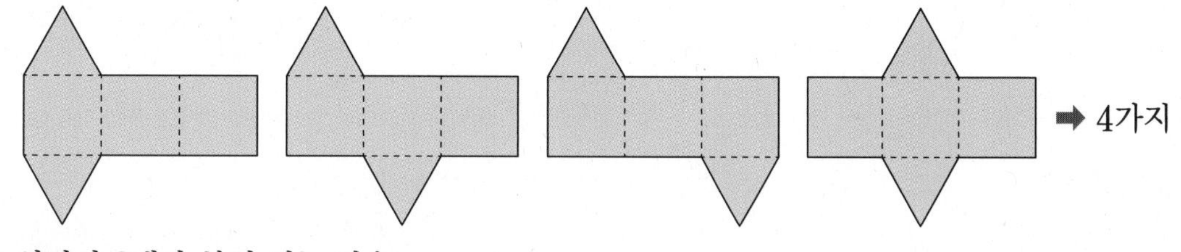

➡ 4가지

② 옆면이 2개만 붙어 있는 경우

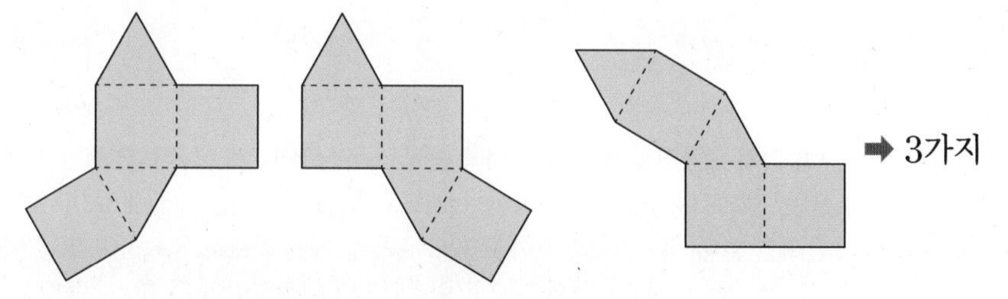

➡ 3가지

③ 옆면이 서로 붙어 있지 않은 경우

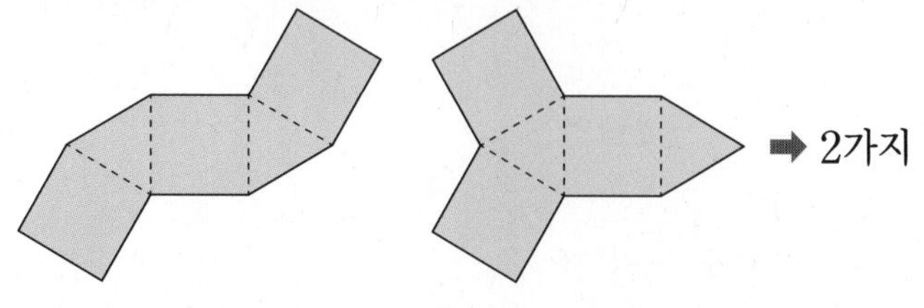

➡ 2가지

따라서 주어진 삼각기둥의 전개도는 모두 $4+3+2=9$(가지)입니다.

최상위 사고력

44~45쪽

1 면: 6개, 모서리: 9개, 꼭짓점: 5개

2 8가지

3

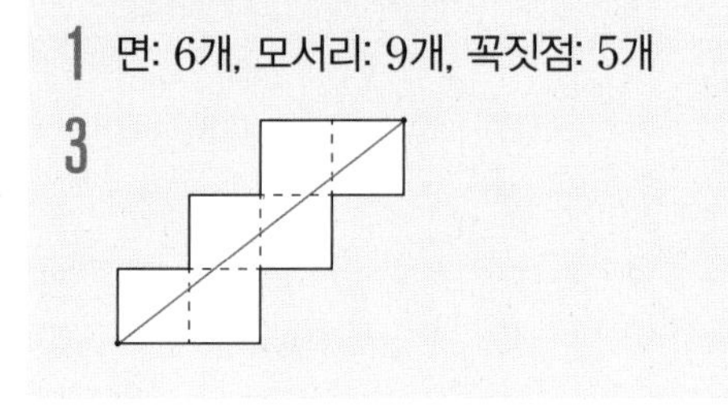

4 59개

1 전개도 한 개를 접으면 면이 4개, 모서리가 6개, 꼭짓점이 4개인 정삼각뿔이 만들어집니다.
두 전개도를 접어 만들어진 두 개의 정삼각뿔을 색칠한 부분끼리 포개어지게 붙이면 한 면이 서로 겹쳐져서 2개의 면이 줄어들고, 모서리 3개가 서로 겹쳐져서 3개의 모서리가 줄어듭니다.
또 꼭짓점 3개가 서로 겹쳐져서 3개의 꼭짓점이 줄어듭니다.
따라서 새로 만든 입체도형은 면이 $4+4-2=6$(개),
모서리가 $6+6-3=9$(개), 꼭짓점이 $4+4-3=5$(개)입니다.

보충 개념

2 옆면이 4개 모두 붙어 있는 경우, 옆면이 3개만 붙어 있는 경우, 옆면이 2개만 붙어 있는 경우, 옆면이 서로 붙어 있지 않은 경우로 각각 나누어 찾아봅니다.

① 옆면이 4개 모두 붙어 있는 경우(2가지)

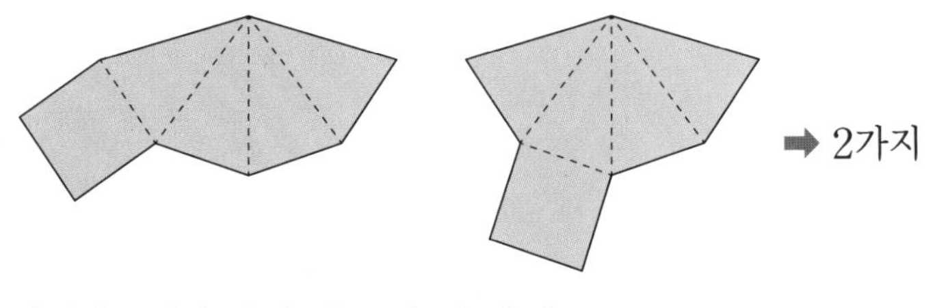

② 옆면이 3개만 붙어 있는 경우(2가지)

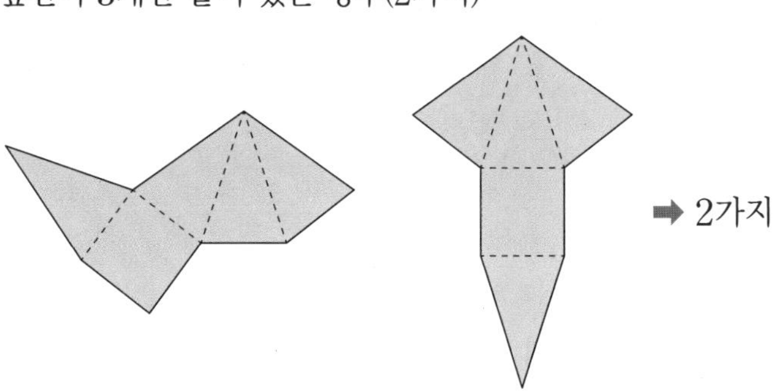

보충 개념
각뿔의 옆면은 밑면의 변의 개수만큼 있으므로 정사각뿔의 옆면은 4개 입니다.

③ 옆면이 2개만 붙어 있는 경우

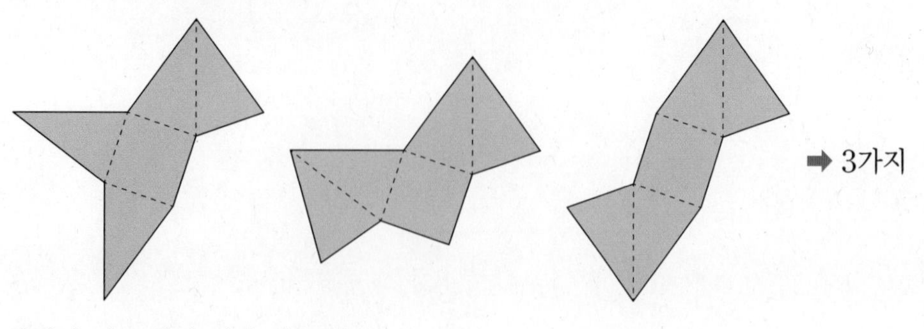

④ 옆면이 서로 붙어 있지 않은 경우

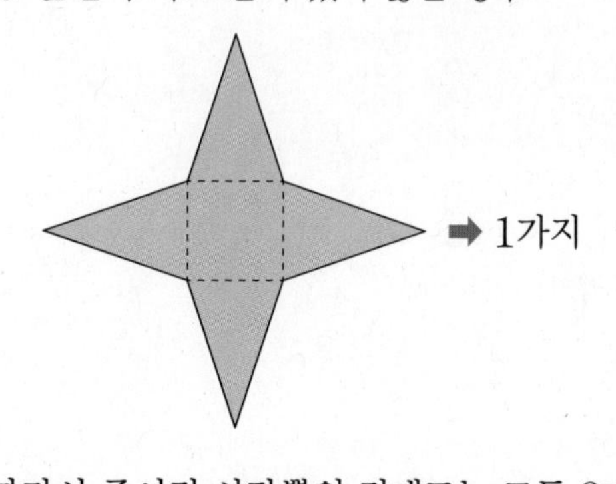

따라서 주어진 사각뿔의 전개도는 모두 8가지입니다.

3 정육면체의 모든 면을 한 번씩 지나면서 점 ㉠에서 출발하여 다른 꼭짓점으로 가려면 정육면체의 전개도에서 일직선이 되도록 이동해야 합니다. 정육면체의 전개도 중에서 다음과 같은 전개도를 그리면 점 ㉠에서 일직선이 되도록 이동하면서 6개의 면을 모두 지나 다른 꼭짓점으로 이동할 수 있습니다.

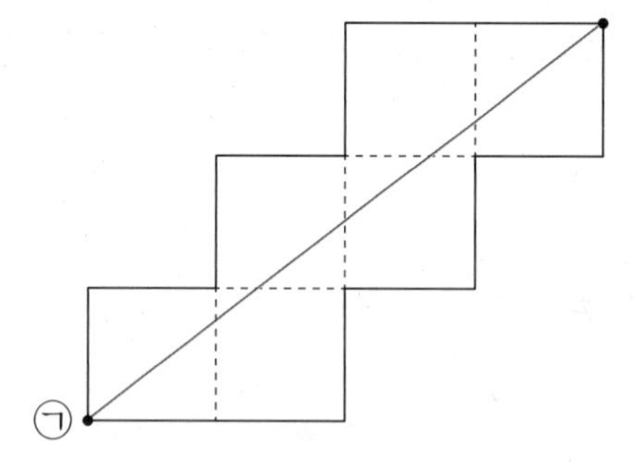

해결 전략

정육면체의 한 꼭짓점에서 다른 꼭짓점으로 가는 가장 짧은 길은 정육면체의 전개도에서 두 점을 잇는 선분입니다.
또 이 선분은 정육면체의 6개의 면을 모두 지나야 하므로 정육면체의 전개도 11가지 중에서 조건을 만족하는 전개도를 찾습니다.

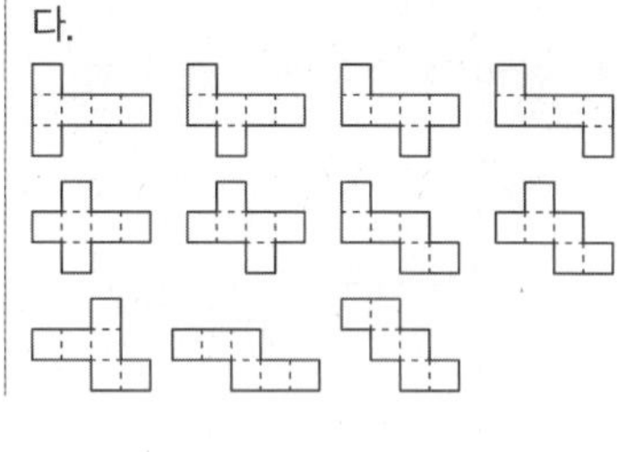

4 입체도형의 모서리는 다각형인 면의 2개의 변이 만나서 생깁니다. 주어진 입체도형의 모서리는 12개의 정오각형의 변과 20개의 정육각형의 변에 의해 만들어지므로

(입체도형의 모서리의 수)$=(5\times12+6\times20)\div2=90$(개)입니다.

입체도형의 전개도에서

(점선으로 표시되는 모서리의 수)=(면의 수)-1의 관계가 있습니다.

따라서 (잘라야 하는 모서리의 수)

=(입체도형의 모서리의 수)

$-$(전개도에서 점선으로 표시되는 모서리의 수)

$=90-(12+20-1)=90-31=59$(개)입니다.

(12+20−1: 면의 수)

해결 전략

(잘라야 하는 모서리의 수)
=(입체도형의 모서리의 수)
−(전개도에서 점선으로 표시되는 모서리의 수)
의 관계를 이용합니다.

5-1. 정다면체의 정의와 가짓수

46~47쪽

1 ⑤

2 예 (1) 정다면체는 모든 면이 합동인 정다각형입니다. 주어진 입체도형은 정오각형과 정육각형으로 이루어져 있으므로 정다면체가 아닙니다.

(2) 정다면체는 각 꼭짓점에 모이는 면의 개수가 같습니다. 주어진 입체도형은 한 꼭짓점에 모인 면의 개수가 3개 또는 4개이므로 정다면체가 아닙니다.

최상위 사고력 입체도형은 한 꼭짓점에서 3개 이상의 면이 만나고, 한 꼭짓점에서 모인 각의 크기의 합은 360°보다 작아야 합니다. 한 면이 정삼각형인 경우 3가지, 정사각형인 경우 1가지, 정오각형인 경우 1가지가 나옵니다.

저자 톡! 플라톤은 입체도형 중에서 모든 방향에서 똑같이 보이는 구를 완전한 도형으로 생각하였습니다. 또한 그는 구와 같이 어느 방향에서 보아도 똑같이 보이는 완전한 도형을 발견하게 되는데 그것은 5가지 밖에 존재하지 않는 정다면체입니다. 그래서 정다면체를 플라톤의 이름을 따서 '플라톤 입체'라고도 부릅니다. 정다면체는 2가지 조건을 만족하는 다면체를 말하는데 첫째는 모든 면이 합동인 정다각형으로 둘러싸여 있다는 것이고, 둘째는 각 꼭짓점에 모이는 면의 개수가 같다는 것입니다.
'정다면체가 5가지인 이유'는 시험 문제에 자주 출제되므로 충분한 시간을 가지고 그 이유를 알아 봅니다.

1 ① 정다면체는 정사면체, 정육면체, 정팔면체, 정십이면체, 정이십면체로 5가지뿐입니다.

② 정다면체는 모든 면이 서로 합동인 정다각형입니다.

③ 정다면체는 한 꼭짓점에 모이는 면의 개수가 같습니다.

정다면체	정사면체	정육면체	정팔면체	정십이면체	정이십면체
꼭짓점에 모이는 면의 개수	3개	3개	4개	3개	5개

④ 정다면체의 한 꼭짓점에 모인 각의 크기의 합이 360°이면 평면도형이 되고, 360°보다 크면 볼록다면체가 될 수 없습니다.

⑤ 정다면체의 면의 모양은 정삼각형, 정사각형, 정오각형의 3가지입니다.

정다면체	정사면체	정육면체	정팔면체	정십이면체	정이십면체
면의 모양	정삼각형	정사각형	정삼각형	정오각형	정삼각형

2 정다면체가 되려면 다음 2가지 조건을 모두 만족해야 합니다.

① 모든 면이 서로 합동인 정다각형입니다.

② 각 꼭짓점에 모이는 면의 개수가 같습니다.

(1)

➡ 조건 ①을 만족하지 않습니다.

(2)

➡ 조건 ②를 만족하지 않습니다.

최상위 사고력

정다면체의 한 면이 정삼각형, 정사각형, 정오각형……인 경우로 나누어 생각해 봅니다.

① 정다면체의 한 면이 정삼각형인 경우

정다면체의 한 꼭짓점에 모이는 정삼각형이 3개이면 정사면체, 4개이면 정팔면체, 5개이면 정이십면체가 됩니다.

한 꼭짓점에서 모이는 정삼각형이 6개 이상인 경우에는 한 꼭짓점에 모이는 정삼각형의 내각의 크기의 합이 360° 이상이 되어 정다면체를 만들 수 없습니다.

따라서 정다면체의 한 면이 정삼각형인 경우는 3가지입니다.

② 정다면체의 한 면이 정사각형인 경우

정다면체의 한 꼭짓점에 모이는 정사각형이 3개이면 정육면체가 됩니다.

한 꼭짓점에서 모이는 정사각형이 4개 이상인 경우에는 한 꼭짓점에 모이는 정사각형의 내각의 크기의 합이 360° 이상이 되어 정다면체를 만들 수 없습니다.

따라서 정다면체의 한 면이 정사각형인 경우는 1가지입니다.

③ 정다면체의 한 면이 정오각형인 경우

정다면체의 한 꼭짓점에 모이는 정오각형이 3개이면 정십이면체가 됩니다.

한 꼭짓점에서 모이는 정오각형이 4개 이상인 경우에는 한 꼭짓점에 모이는 정오각형의 내각의 크기의 합이 360°보다 크게 되어 정다면체를 만들 수 없습니다.

따라서 정다면체의 한 면이 정오각형인 경우는 1가지입니다.

④ 정다면체의 한 면이 정육각형, 정칠각형, 정팔각형……인 경우

정다면체의 한 꼭짓점에 모이는 정다각형이 3개 이상인 경우 한 꼭짓점에 모이는 정다각형의 내각의 크기의 합이 360° 이상이 되어 정다면체를 만들 수 없습니다.

따라서 정다면체는 5가지뿐입니다.

해결 전략

정다면체가 되기 위해서는 한 꼭짓점에 모이는 면의 수가 최소 3개 이상이어야 하고, 한 꼭짓점에 모이는 정다각형의 내각의 크기의 합이 360°보다 작아야 함을 이용합니다.

보충 개념

정다면체는 입체도형이므로 한 꼭짓점에서 3개 이상의 면이 만나야 하고, 한 꼭짓점에서 모인 각의 크기의 합은 360°보다 작아야 합니다. 따라서 정다면체는 다음과 같이 5가지뿐입니다.

정삼각형으로 이루어진 정다면체			정사각형으로 이루어진 정다면체	정오각형으로 이루어진 정다면체
60° 60° 60°	60° 60° 60° 60°	60° 60° 60° 60° 60°	90° 90° 90°	108° 108° 108°
한 꼭짓점에 정삼각형 3개가 모이면 정사면체가 됩니다.	한 꼭짓점에 정삼각형 4개가 모이면 정팔면체가 됩니다.	한 꼭짓점에 정삼각형 5개가 모이면 정이십면체가 됩니다.	한 꼭짓점에 정사각형 3개가 모이면 정육면체가 됩니다.	한 꼭짓점에 정오각형 3개가 모이면 정십이면체가 됩니다.

5-2. 정다면체의 전개도

1

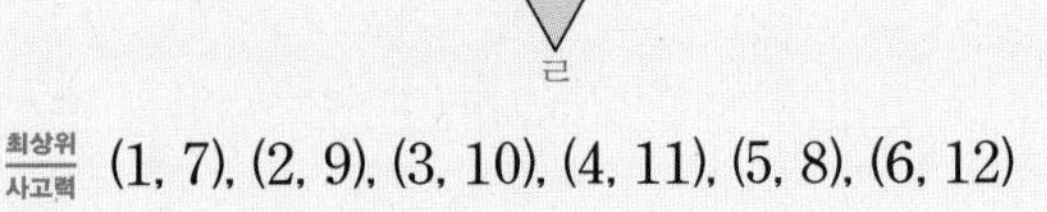

2

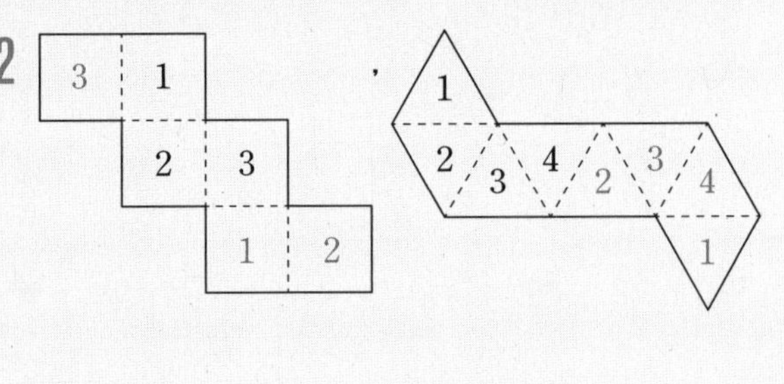

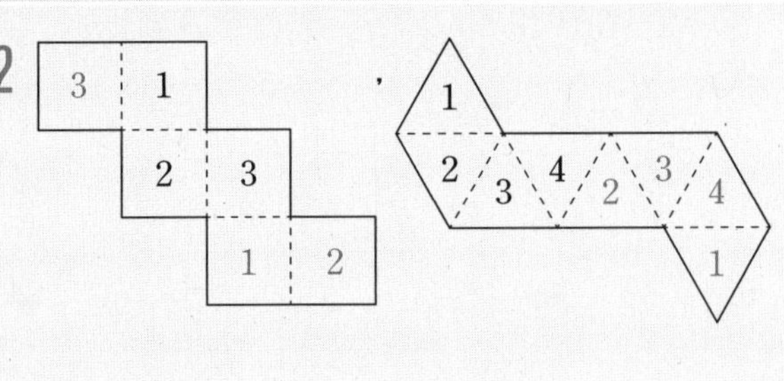

최상위 사고력 (1, 7), (2, 9), (3, 10), (4, 11), (5, 8), (6, 12)

저자 톡! 정다면체의 전개도에서 마주 보는 면을 찾는 내용입니다. 앞 단원에서 학습한 각뿔과 각기둥의 전개도의 원리를 이용하여 전개도에서 마주 보는 면의 규칙을 찾아 봅니다. 필요한 경우에는 전개도를 직접 접어 마주 보는 면의 관계를 찾아보도록 합니다.

1

해결 전략
정팔면체의 전개도를 접었을 때 만나는 꼭짓점과 만나는 모서리의 관계를 이용하여 기호를 씁니다.

① 전개도를 접었을 때 점 ㄱ, 점 ㄴ과 만나는 꼭짓점을 찾아 각각 기호 ㄱ, ㄴ을 씁니다.

② 점 ㄷ을 기준으로 모서리 ㄷㄱ, 모서리 ㄷㄴ, 모서리 ㄷㅂ, 모서리 ㄷㄹ이 전개도에 알맞게 표시되도록 기호 ㅂ, ㄹ을 씁니다.

③ 전개도를 접었을 때 점 ㅂ, 점 ㄹ과 만나는 꼭짓점을 찾아 각각 기호 ㅂ, ㄹ을 쓰고 나머지 기호 ㅁ을 씁니다.

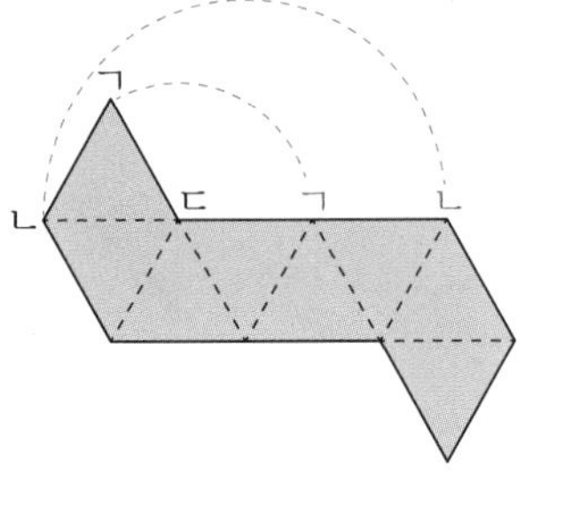

주의
전개도에서 마주 보는 면끼리는 꼭짓점과 모서리가 어느 한 곳에서도 만나지 않습니다. ②에서 면 ㄴㄷㅂ과 면 ㄱㅁㄹ은 평행하므로 점 ㄹ은 점 ㄴ 아래쪽에 쓸 수 없습니다.
따라서 점 ㅂ은 점 ㄴ 아래쪽에, 점 ㄹ은 점 ㅂ 오른쪽에 씁니다.

2 한 면과 마주 보는 면은 전개도에서 연결된 면이 일직선을 이룰 때 정육면체는 직선방향으로 2개의 모서리를 지나 2번째 면에 있고, 정팔면체는 직선방향으로 3개의 모서리를 지나 3번째 면에 있습니다.

보충 개념
전개도에서 연결된 면이 일직선을 이루는 부분
예 예

전개도를 접었을 때 만나는 꼭짓점과 모서리를 찾고 전개도를 변형하는 방법으로 다음과 같이 마주 보는 면을 찾습니다.

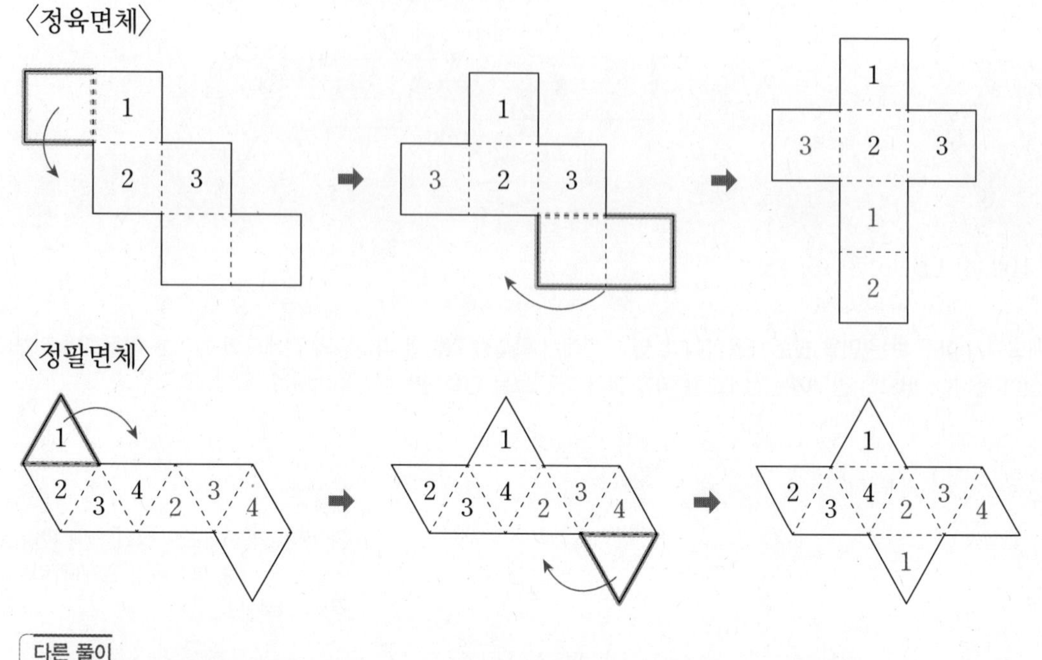

다른 풀이

전개도에서 마주 보는 면끼리는 꼭짓점과 모서리가 어느 한 곳에서도 만나지 않습니다.
따라서 만나는 꼭짓점을 점선으로 표시하고 수를 써넣습니다.

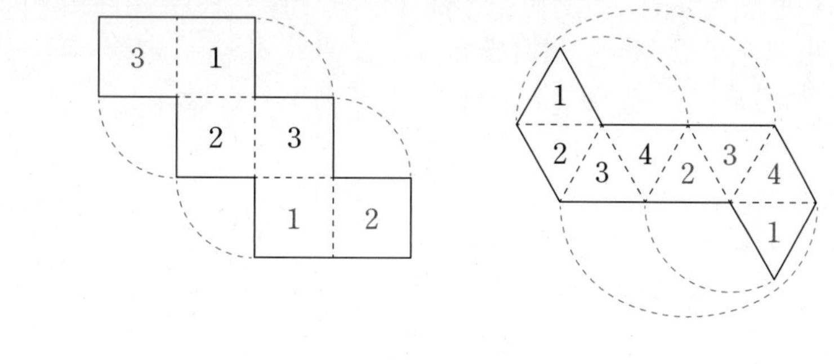

최상위 사고력 정십이면체에서 서로 마주 보는 면은 모두 6쌍입니다. 이때 서로 마주 보는 면은 전개도에서 연결된 면이 일직선을 이룰 때 3개의 모서리를 지나 3번째 면입니다.

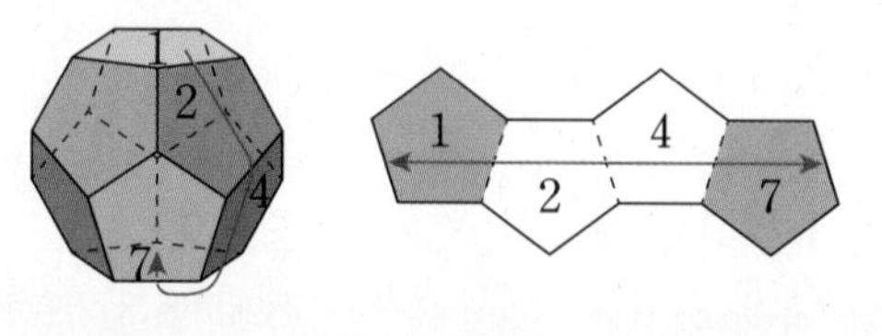

주어진 전개도에서 서로 마주 보는 면은 (1, 7), (2, 9)가 있습니다.
또 전개도에서 만나는 모서리를 이용하면 전개도를 직선 모양으로 변형할 수 있습니다. 이때 서로 마주 보는 면은 (3, 10), (4, 11), (5, 8), (6, 12)의 4쌍입니다.

주의

다음은 연결된 면이 일직선을 이루지 않으므로 색칠한 두 면은 마주 보는 면이 아닙니다.

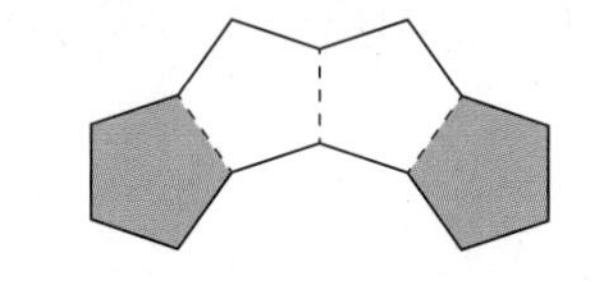

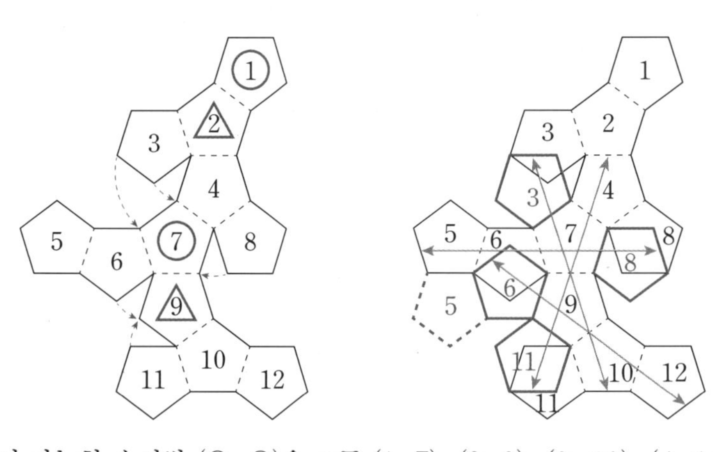

따라서 가능한 순서쌍 (㉠, ㉡)은 모두 (1, 7), (2, 9), (3, 10), (4, 11), (5, 8), (6, 12)입니다.

5-3. 정다면체와 오일러의 공식

50~51쪽

1

	정사면체	정육면체	정팔면체
겨냥도	예		예
면의 모양	정삼각형	정사각형	정삼각형
면의 수	4	6	8
모서리의 수	6	12	12
꼭짓점의 수	4	8	6

2 면: 12개, 모서리: 30개, 꼭짓점: 20개　　최상위 사고력 18개

저자 톡! 이 단원에서는 5가지 정다면체의 면, 모서리, 꼭짓점의 수를 구해 봅니다. 정다면체의 면의 수는 정다면체의 이름에서 쉽게 알 수 있습니다. 또 모양이 단순한 3가지의 정다면체(정사면체, 정육면체, 정팔면체)는 면, 모서리, 꼭짓점의 개수를 어렵지 않게 구할 수 있습니다. 하지만 정십이면체와 정이십면체는 그 모양을 상상하기 어렵기 때문에 모서리와 꼭짓점의 수를 구하는 것이 쉽지 않습니다. 하지만 모서리의 수는 정다각형인 정다면체의 두 면이 만나서 생기므로 그 특징을 이용하여 구할 수 있고, 꼭짓점의 수는 오일러의 공식을 이용하여 구할 수 있습니다.

1 겨냥도를 그릴 때에는 보이는 모서리는 실선으로, 보이지 않는 모서리는 점선으로 그립니다. 겨냥도는 입체도형을 바라 보는 방향에 따라 모양이 달라집니다.

2 정오각형으로 둘러싸인 정다면체는 정십이면체입니다.

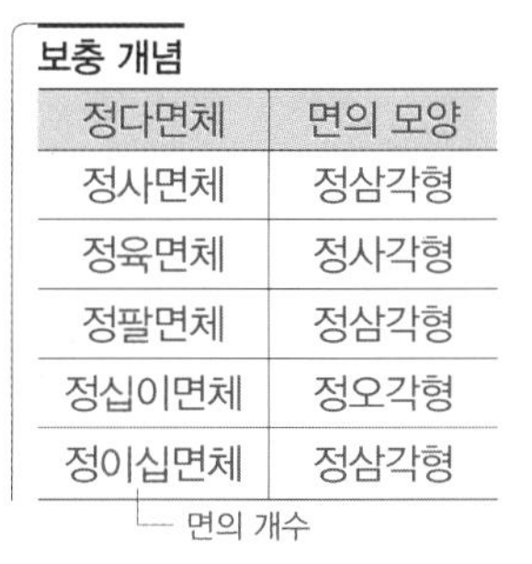

① 면: 12개입니다.

② 모서리: 정십이면체는 정오각형이 12개로 둘러싸인 입체도형이고, 정오각형의 두 변이 만나 한 개의 모서리가 되므로 모서리는 $5 \times 12 \div 2 = 30$(개)입니다.

(5: 정오각형의 변의 수, 12: 정십이면체를 둘러싼 정오각형의 수)

③ 다면체에서는 오일러의 공식

(꼭짓점의 수)＋(면의 수)－(모서리의 수)＝2가 항상 성립합니다.

따라서 (꼭짓점의 수)＋12－30＝2이므로 꼭짓점은 20개입니다.

보충 개념

정다면체	면의 모양
정사면체	정삼각형
정육면체	정사각형
정팔면체	정삼각형
정십이면체	정오각형
정이십면체	정삼각형

(이십: 면의 개수)

예

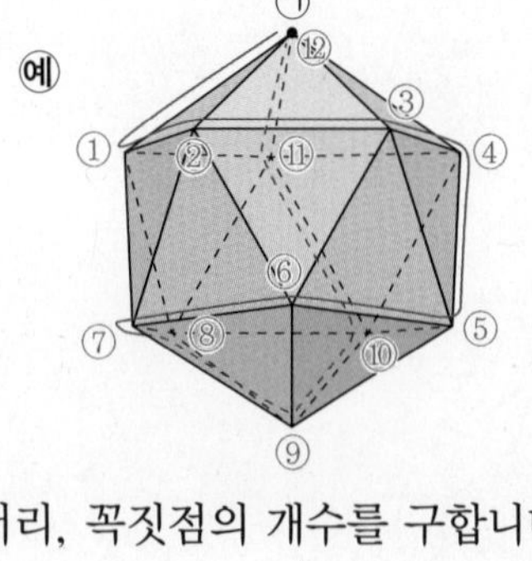

> 해결 전략
> 개미는 꼭짓점을 한 번씩만 지나갔으므로 중복해서 지난 모서리는 한 개도 없습니다. 정이십면체의 꼭짓점과 모서리의 수를 구하여 생각해 봅니다.

정이십면체의 면, 모서리, 꼭짓점의 개수를 구합니다.

① 면: 20개입니다.

② 모서리: 정이십면체는 정삼각형이 20개로 둘러싸인 입체도형이고 정삼각형의 두 변이 만나 한 개의 모서리가 되므로 모서리는
$3 \times 20 \div 2 = 30$(개)입니다.
(3: 정삼각형의 변의 수, 20: 정이십면체를 둘러싼 정삼각형의 수)

③ 다면체에서는 오일러의 공식
(꼭짓점의 수)+(면의 수)−(모서리의 수)$=2$가 항상 성립합니다.
따라서 (꼭짓점의 수)$+20-30=2$이므로 꼭짓점은 12개입니다.
개미가 지나가는 꼭짓점은 모서리 하나와 짝을 지을 수 있으므로 개미가 지나간 모서리의 수는 꼭짓점의 수와 같습니다.

따라서 정이십면체의 모서리는 30개이므로 개미가 지나가지 않은 모서리는 $30-12=18$(개)입니다.

최상위 사고력

52~53쪽

1 정팔각형의 한 내각의 크기는 $180° \times 6 \div 8 = 135°$이므로 세 내각의 크기의 합이 $360°$보다 큽니다.
따라서 정팔각형으로는 정다면체를 만들 수 없습니다.

2 예

3 ③

4 11가지

1 예 정다면체를 만들기 위해서는 한 꼭짓점에 모이는 면의 수가 3개 이상이어야 하고 한 꼭짓점에 모이는 정다각형의 내각의 크기의 합이 $360°$보다 작아야 합니다.

2 정팔면체의 6개의 꼭짓점에 각각 모이는 4개의 면에 1, 2, 3, 4를 쓰려면 같은 수끼리는 정팔면체에서 서로 마주 보는 면에 있어야 합니다.
정팔면체에서 서로 마주 보는 면은 전개도에서 직선 방향으로 3개의 모서리를 지나 3번째 면에 있으므로 이 원리를 이용하여 전개도에 1, 2, 3, 4를 써넣습니다.

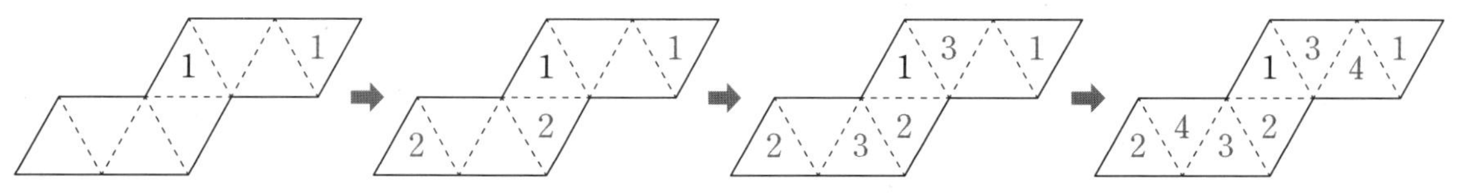

위와 같은 방법으로 서로 마주 보는 면에 같은 수가 들어가도록 씁니다.
이외에도 여러 가지 답이 있습니다.

3 |보기|의 전개도에서 색칠된 두 면이 직선방향으로 3개의 모서리를 지나 3번째 면에 색칠되어 있으므로 정팔면체에서 서로 마주 보는 면입니다.
서로 마주 보는 면끼리는 전개도를 접었을 때 만나는 부분이 없어야 합니다. ①, ②, ④는 다음과 같이 만나는 부분이 있습니다.

> **해결 전략**
> 색칠된 두 면은 어떤 관계에 있는지 살펴봅니다.

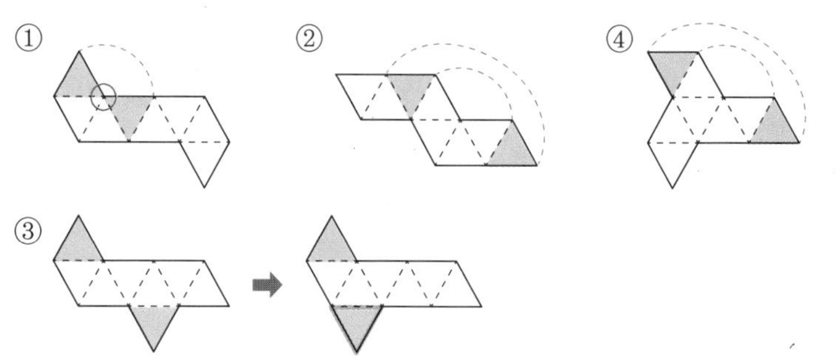

③의 전개도를 변형하면 |보기|와 같이 일직선으로 3번째 칸에 색칠되므로 서로 마주 보는 면에 색칠됩니다.
따라서 주어진 전개도와 같은 것은 ③번입니다.

4 직선 모양으로 이어진 삼각형이 가운데를 기준으로 6개, 5개, 4개인 경우로 나누어 찾아봅니다.
① 삼각형 6개가 직선 모양으로 이어진 경우(6가지)

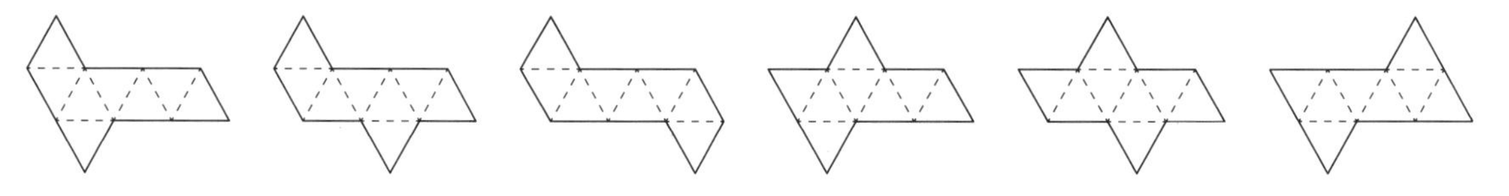

② 삼각형 5개가 직선 모양으로 이어진 경우(3가지)

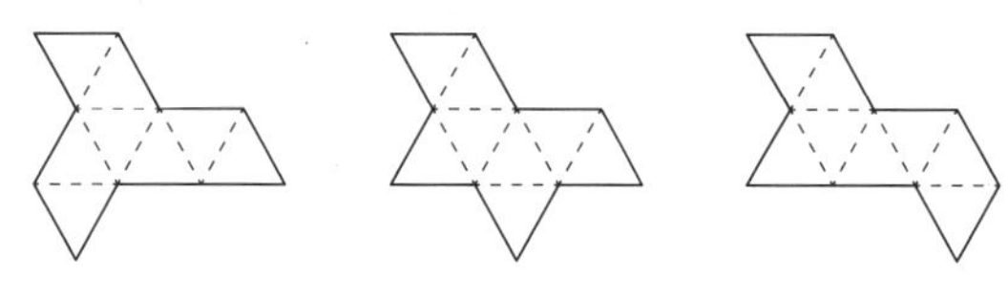

③ 삼각형 4개가 직선 모양으로 이어진 경우(2가지)

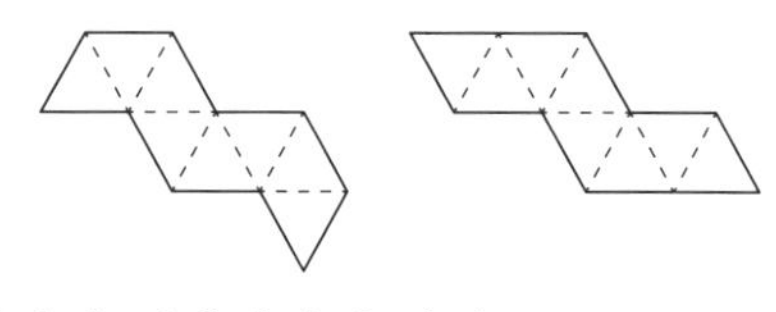

따라서 정팔면체의 전개도는 모두 11가지입니다.

6-1. 쌍대다면체

54~55쪽

1 (1) 정사면체 (2) 정팔면체

2

쌍대다면체	면의 수	꼭짓점의 수	모서리의 수
정팔면체	8	6	12

쌍대다면체	면의 수	꼭짓점의 수	모서리의 수
정육면체	6	8	12

최상위 사고력 (1) 정이십면체
(2) 12개, ㉮ 정십이면체의 쌍대다면체는 정이십면체입니다. 정십이면체의 면의 수는 정이십면체의 꼭짓점의 수와 같으므로 정이십면체의 꼭짓점은 12개입니다.

저자 톡! 정다면체의 각 면의 한가운데에 점을 찍고 이웃하는 면에 있는 점들을 선으로 연결하면 또 하나의 정다면체를 만들 수 있는데, 이 입체도형을 처음 도형의 '쌍대다면체'라고 합니다. 쌍대다면체끼리는 면과 꼭짓점의 수가 서로 바뀌고 모서리의 수는 같습니다. 이와 같은 쌍대다면체의 특징을 이용하여 오일러의 공식을 이용하지 않고도 정다면체의 면, 모서리, 꼭짓점의 수를 쉽게 구할 수 있습니다. 5가지 정다면체의 쌍대다면체는 어떤 도형인지 면, 모서리, 꼭짓점의 수의 관계를 이용하여 찾아봅니다.

1 (1) 정사면체

정사면체는 면과 꼭짓점이 각각 4개, 모서리가 6개이므로 만들어지는 입체도형도 면과 꼭짓점이 각각 4개, 모서리가 6개인 정사면체입니다.

> **보충 개념**
> 면의 수 → 꼭짓점의 수
> 꼭짓점의 수 → 면의 수
> 모서리의 수는 변하지 않습니다.

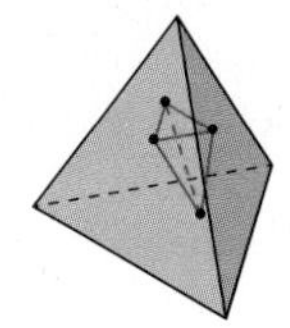
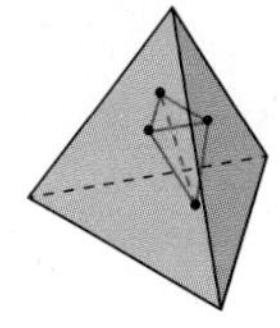

(2) 정육면체

정육면체는 면이 6개, 꼭짓점이 8개, 모서리가 12개입니다. 만들어지는 입체도형은 면의 수와 꼭짓점의 수가 바뀌고 모서리의 수는 변하지 않으므로 면이 8개, 꼭짓점이 6개, 모서리가 12개인 정팔면체입니다.

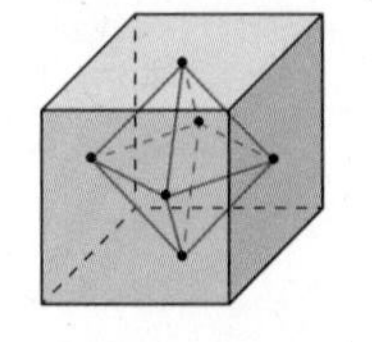

2 정팔면체의 8개의 면의 한가운데에 8개의 점을 찍고 이웃하는 면에 있는 점들을 선으로 이으면 오른쪽과 같이 정육면체가 만들어집니다.

> **보충 개념**
> 정육면체와 정팔면체는 쌍대다면체입니다.

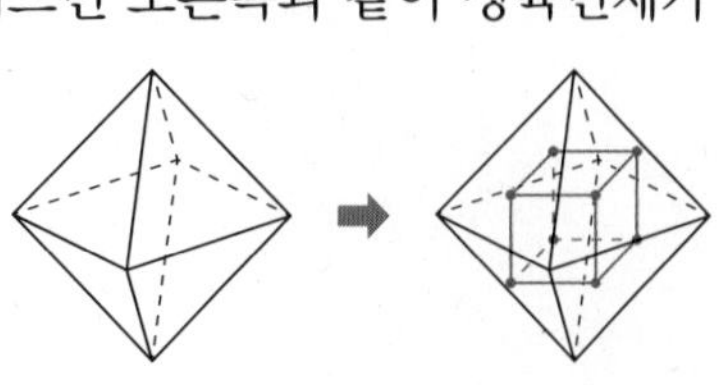

최상위 사고력 (1) 정십이면체는 면이 12개, 꼭짓점이 20개, 모서리가 30개입니다.

정십이면체의 각 면의 한가운데 점을 연결하면 면의 수와 꼭짓점의 수가 바뀌고 모서리의 수는 변하지 않으므로 정십이면체의 쌍대다면체는 면이 20개, 꼭짓점이 12개, 모서리가 30개입니다.

따라서 정십이면체의 쌍대다면체는 모서리의 길이가 모두 같고 면이 20개이므로 정이십면체입니다.

(2) 쌍대다면체끼리는 면과 꼭짓점의 수가 서로 바뀝니다.

해결 전략

정십이면체의 면, 꼭짓점, 모서리는 각각 어떻게 바뀌는지 생각해 봅니다.

보충 개념

정다면체 5개의 쌍대다면체와 면, 꼭짓점, 모서리의 수의 관계를 정리하면 다음과 같습니다.

	쌍대다면체	면의 수	꼭짓점의 수	모서리의 수
정사면체	정사면체	4	4	6
정육면체	정팔면체	6	8	12
정팔면체	정육면체	8	6	12
정십이면체	정이십면체	12	20	30
정이십면체	정십이면체	20	12	30

6-2. 데카르트의 정리

56~57쪽

1 (1) 90°, 120° / 8, 6 / 720°, 720° (2) 예 정다면체의 외각의 크기의 합은 720°로 모두 같습니다. (3) 12개

최상위 사고력 A 24개

최상위 사고력 B 90개

저자 톡! 평면도형의 외각의 크기의 합은 360°이고, 입체도형의 외각의 크기의 합은 720°입니다. '다면체의 외각의 크기의 합은 720°' 이것을 '데카르트의 정리'라고 하는데 이 단원에서는 데카르트의 정리를 이용하여 복잡해 보이는 입체도형의 면, 모서리, 꼭짓점의 수를 구해 봅니다. 그 과정에서 오일러의 공식이 어떻게 사용되는지 학습합니다.

1 (1) 정육면체의 한 꼭짓점에는 정사각형 3개가 모이므로 정육면체의 한 외각의 크기는 $360° - 90° \times 3 = 90°$입니다.

또 정육면체의 꼭짓점은 8개이므로 정육면체의 외각의 크기의 합은 $90° \times 8 = 720°$입니다.

정팔면체의 한 꼭짓점에는 정삼각형 4개가 모이므로 정팔면체의 한 외각의 크기는 $360° - 60° \times 4 = 120°$입니다.

또 정팔면체의 꼭짓점은 6개이므로 정팔면체의 외각의 크기의 합은 $120° \times 6 = 720°$입니다.

(3) 정이십면체의 한 꼭짓점에는 정삼각형 5개가 모이므로 정이십면체의 한 외각의 크기는 $360° - 60° \times 5 = 60°$입니다.

데카르트의 정리에 의해 정다면체의 외각의 크기의 합은 720°이므로 정이십면체의 꼭짓점은 $720° \div 60° = 12$(개)입니다.

보충 개념

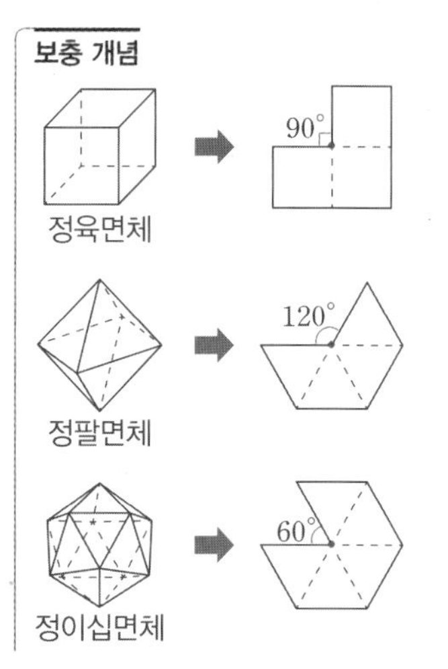

최상위 사고력 A 주어진 도형은 각 꼭짓점에 정사각형 3개와 정삼각형 1개가 모이므로 이 입체도형의 한 외각의 크기는 30°입니다.
데카르트의 정리에 의해 입체도형의 외각의 크기의 합은 720°이므로 이 입체도형의 꼭짓점은 $720° \div 30° = 24$(개)입니다.

해결 전략
다면체의 외각의 크기의 합이 720°임을 이용합니다.

최상위 사고력 B 전개도를 접어 입체도형을 만들면 정오각형 1개, 정육각형 2개가 한 꼭짓점에서 만나므로 이 입체도형의 한 외각의 크기는
$360° - (120° + 120° + 108°) = 12°$입니다.
데카르트의 정리에 의해 입체도형의 외각의 크기의 합은 720°이므로 입체도형의 꼭짓점의 수를 ■라 하면 $12° \times$ ■$= 720°$, ■$= 60$입니다.
따라서 주어진 입체도형의 꼭짓점은 60개입니다.
전개도에서 면이 32개(정오각형: 12개, 정육각형: 20개)이고, 오일러의 공식에 의해 (면의 수)+(꼭짓점의 수)−(모서리의 수)=2이므로 주어진 입체도형의 모서리의 수를 구하면
(모서리의 수)=(면의 수)+(꼭짓점의 수)$-2=32+60-2=90$(개)
입니다.

해결 전략
데카르트의 정리를 이용하여 꼭짓점의 수를 구하고, 오일러의 공식을 이용하여 모서리 수를 구합니다.

6-3. 준정다면체

58~59쪽

1

2 꼭짓점: 24개, 면: 14개, 모서리: 36개

최상위 사고력 꼭짓점: 12개, 면: 14개, 모서리: 24개

저자 톡! 2가지 이상의 정다각형으로 이루어진 입체도형으로 한 꼭짓점에 모인 정다각형의 배열이 모두 같은 도형을 '준정다면체'라고 합니다. 준정다면체는 13가지가 있는데 아르키메데스가 발견하였다고 하여 '아르키메데스 입체'라고도 부릅니다. 준정다면체는 정다면체를 잘라내거나 정다면체의 각면을 적당한 간격을 두고 떨어뜨린 후 그 사이를 정삼각형으로 채우는 방법으로 만들 수 있습니다. 이 단원에서는 정다면체의 꼭짓점을 포함하도록 잘라냈을 때 면, 모서리, 꼭짓점의 수가 어떻게 변하는지 알아보고, 준정다면체의 면, 모서리, 꼭짓점의 수를 구합니다.

1
- 정사면체의 각 모서리를 3등분하는 점을 지나도록 꼭짓점을 포함하여 자르면 꼭짓점과 면이 다음과 같이 변합니다.
꼭짓점 → 정삼각형, 면 → 육각형

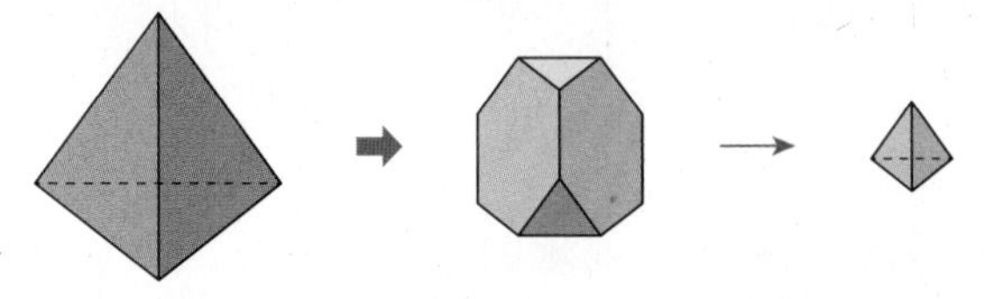

- 정팔면체의 각 모서리를 3등분하는 점을 지나도록 꼭짓점을 포함하여 자르면 꼭짓점과 면이 다음과 같이 변합니다.

보충 개념
정다면체를 변형하여 만든 준정다면체의 모든 면은 정다각형입니다.

꼭짓점 → 정사각형, 면 → 정육각형

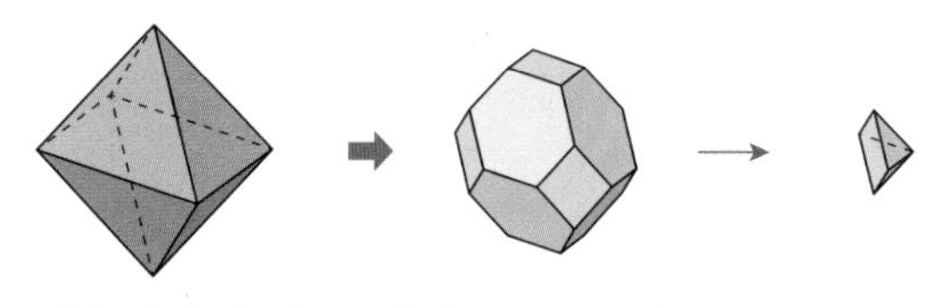

- 정육면체의 각 모서리를 2등분하는 점을 지나도록 꼭짓점을 포함하여 자르면 꼭짓점과 면이 다음과 같이 변합니다.
  꼭짓점 → 정삼각형, 면 → 정사각형

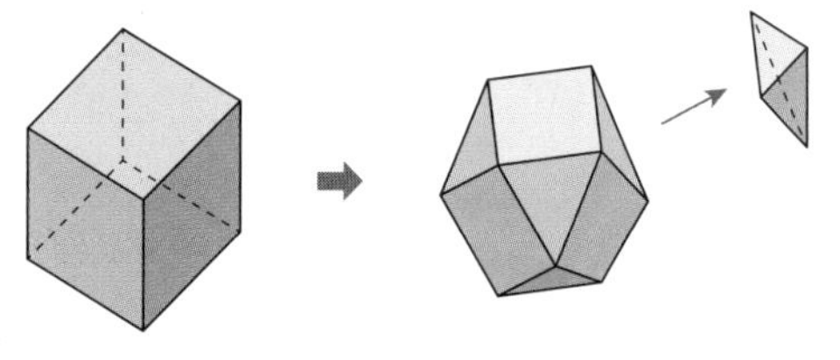

- 정십이면체는 모든 면이 정오각형이므로 각 면을 적당한 간격을 두고 떨어뜨린 후 그 사이사이를 정삼각형으로 메우면 정오각형과 정삼각형으로 이루어진 모양이 됩니다.

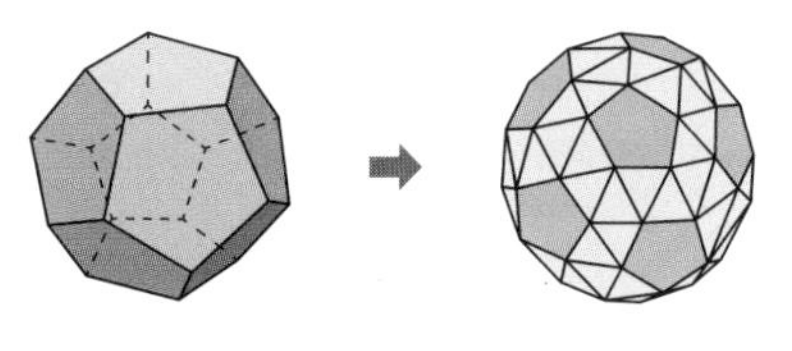

2 정육면체의 각 모서리를 3등분하는 점을 지나도록 꼭짓점을 포함하여 1개를 잘라내면 자르기 전 정육면체의 꼭짓점은 없어지고, 3개의 꼭짓점이 새로 생깁니다. 정육면체의 꼭짓점은 8개이므로 새로 만든 입체도형의 꼭짓점은 $3\times8=24$(개)입니다.

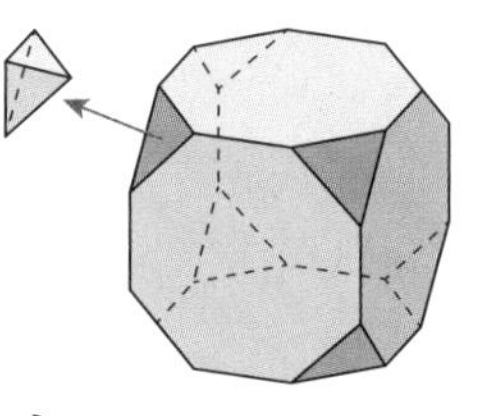

또 정육면체의 면은 6개이고 각 꼭짓점에서 면이 1개씩 더 생기므로 새로 만든 입체도형의 면은 $6+8=14$(개)입니다.
정육면체의 모서리는 12개이고 각 꼭짓점에서 모서리가 3개씩 더 생기므로 새로 만든 입체도형의 모서리는 $12+3\times8=36$(개)입니다.

보충 개념

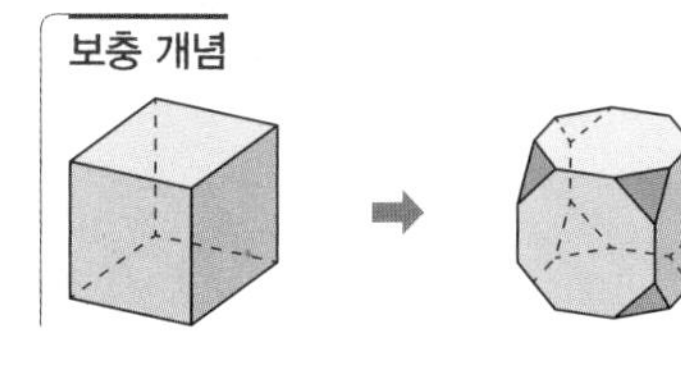

최상위 사고력 정팔면체의 각 모서리를 2등분하는 점을 지나도록 꼭짓점을 포함하여 1개를 잘라내면 자르기전 정팔면체의 꼭짓점은 없어지고, 4개의 꼭짓점이 새로 생깁니다. 정팔면체의 꼭짓점은 6개이고 정팔면체의 각 모서리에 생기는 꼭짓점은 1개씩 겹쳐지므로 새로 만든 입체도형의 꼭짓점은 $4\times6-12=12$(개)입니다.

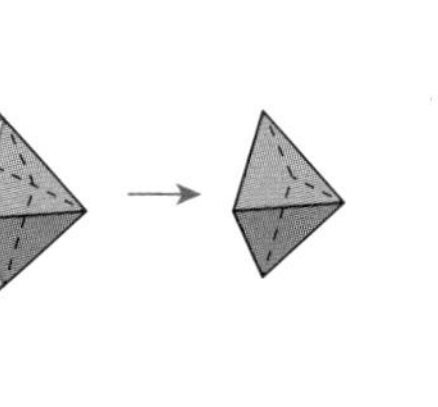

또 정팔면체의 면은 8개이고 각 꼭짓점에서 1개의 면이 새로 생기므로 새로 만든 입체도형의 면은 $8+6=14$(개)입니다.
정팔면체의 각 꼭짓점에서 모서리가 4개씩 생기므로 새로 만든 입체도형의 모서리는 $4\times6=24$(개)입니다.

보충 개념

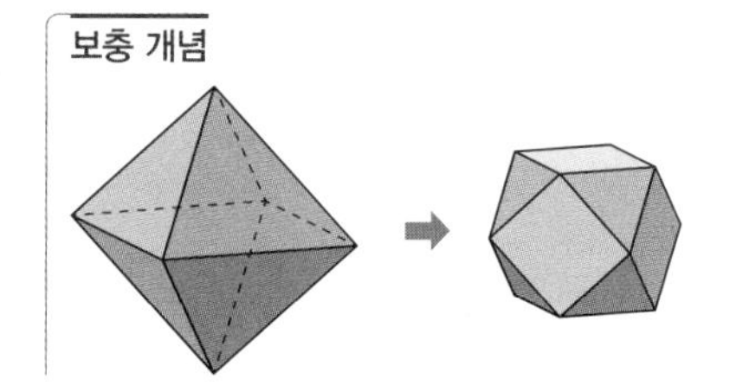

최상위 사고력

60~61쪽

1 정십이면체 이유 정십이면체의 한 꼭짓점에서의 외각의 크기는 36°이고 정이십면체의 한 꼭짓점에서의 외각의 크기는 60°이므로 한 꼭짓점에서의 외각의 크기가 더 작은 정십이면체가 더 잘 구를 것입니다.

2 , 정팔면체

3 면: 24개, 모서리: 36개, 꼭짓점: 14개

4 면: 32개, 모서리: 90개, 꼭짓점: 60개

1 정십이면체의 한 꼭짓점에는 정오각형 3개가 모이므로 한 외각의 크기는 $360° - 108° \times 3 = 36°$이고, 정이십면체의 한 꼭짓점에는 정삼각형 5개가 모이므로 한 외각의 크기는 $360° - 60° \times 5 = 60°$입니다.
따라서 축구공의 한 외각의 크기와 더 가까운 정십이면체가 더 잘 구를 것입니다.

> 해결 전략
> 한 꼭짓점에서의 외각의 크기를 이용합니다.

2 정사면체의 모서리의 가운데 점을 이으면 다음과 같이 8개의 정삼각형으로 둘러싸인 입체도형인 정팔면체가 만들어집니다.

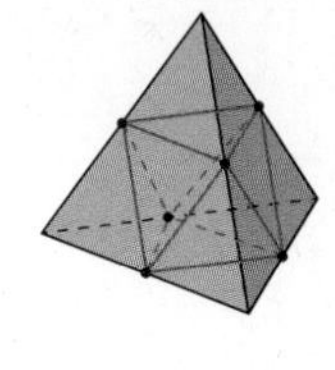

3 정육면체의 각 면에 사각뿔을 붙이면 각 면마다 면은 4개, 모서리는 4개, 꼭짓점은 1개씩 늘어납니다.
정육면체의 각 면이 4개의 면이 되므로 면은 $4 \times 6 = 24$(개)가 됩니다.
정육면체의 모서리는 12개이고, 각 면마다 모서리가 4개씩 더 생기므로 $12 + 4 \times 6 = 36$(개), 정육면체의 꼭짓점은 8개이고, 각 면마다 꼭짓점이 1개씩 더 생기므로 $8 + 6 = 14$(개)입니다.

> 해결 전략
> 사각뿔을 한 개 붙일 때마다 면, 모서리, 꼭짓점이 몇 개씩 늘어나는지 생각해 봅니다.

4 정이십면체는 면이 20개, 모서리가 30개, 꼭짓점이 12개입니다.
정이십면체의 면은 20개이고 각 꼭짓점에서 면이 1개씩 더 생기므로 새로 만든 입체도형의 면은 $20 + 12 = 32$(개)입니다.
정이십면체의 모서리는 30개이고 각 꼭짓점에서 모서리가 5개씩 더 생기므로 새로 만든 입체도형의 모서리는 $30 + 5 \times 12 = 90$(개)입니다.
정이십면체의 꼭짓점 1개를 잘라내면 자르기 전 정이십면체의 꼭짓점은 없어지고, 5개의 꼭짓점이 새로 생깁니다.
정이십면체의 꼭짓점은 12개이므로 새로 만든 입체도형의 꼭짓점은 $5 \times 12 = 60$(개)입니다.

> 해결 전략
> 먼저 정이십면체의 면, 모서리, 꼭짓점의 수를 알아보고 각 꼭짓점에는 몇 개의 모서리가 모이는지 생각해 봅니다.

1 2가지　　2 14

3

4 정육각형, 8개

5 60개　　6 9cm

1 정사면체의 전개도는 다음과 같이 2가지입니다.

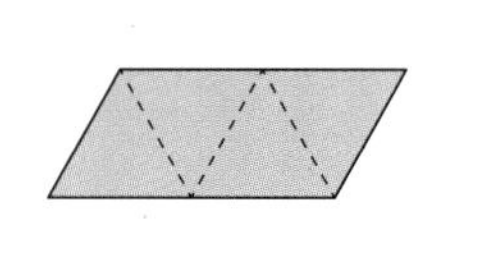
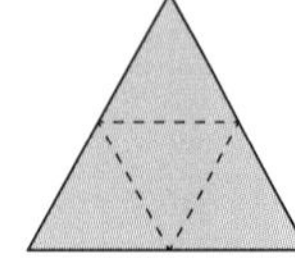

2 정육면체의 각 면의 한가운데에 점을 찍고 이웃하는 면에 있는 점들을 선으로 이었을 때 생기는 입체도형은 정육면체의 쌍대다면체입니다. 정육면체와 정육면체의 쌍대다면체는 면의 수와 꼭짓점의 수가 서로 바뀝니다.
정육면체의 면의 수가 6, 꼭짓점의 수가 8이므로 정육면체의 쌍대다면체의 면의 수는 8, 꼭짓점의 수는 6입니다.
따라서 그 합은 14입니다.

다른 풀이
정육면체의 각 면의 한가운데에 점을 연결하면 정팔면체가 생깁니다.
정팔면체의 면은 8개, 꼭짓점은 6개이므로 면의 수와 꼭짓점의 수의 합은 14입니다.

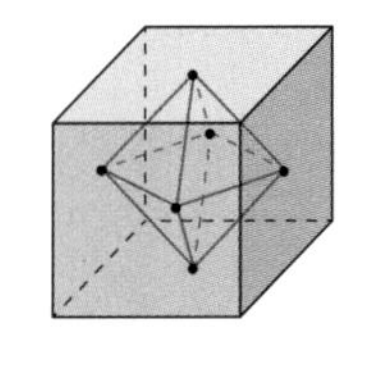

3 정팔면체에서 서로 마주 보는 면은 전개도에서 직선방향으로 3개의 모서리를 지나 3번째 면에 있습니다.

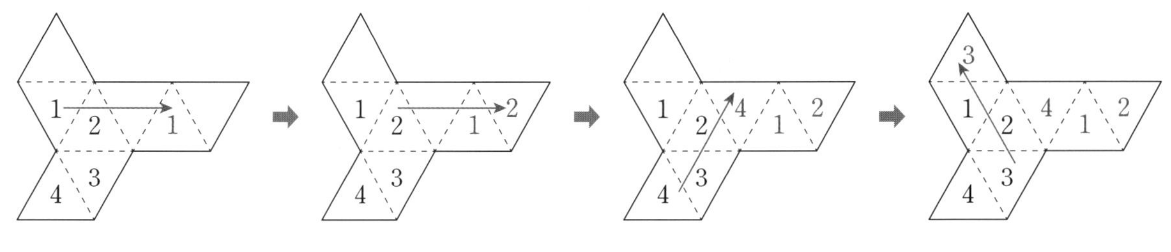

4 정이십면체의 각 모서리를 3등분하는 점을 지나도록 꼭짓점을 포함하여 자르면 꼭짓점 부분은 정오각형이 되고, 면은 정육각형이 됩니다. 정이십면체의 면은 20개, 꼭짓점은 12개이므로 축구공 모양의 도형에서 정육각형은 20개, 정오각형은 12개입니다.
따라서 정육각형이 $20-12=8$(개) 더 많습니다.

해결 전략
정이십면체의 어느 부분이 정육각형이 되고, 정오각형이 되는지 생각해 봅니다.

5 준정다면체는 각 꼭짓점에 모인 정다각형의 배열이 모두 같습니다. 주어진 준정다면체는 한 꼭짓점에 정삼각형 1개, 정사각형 2개, 정오각형 1개가 모이므로 한 외각의 크기는

$360° - (60° + 90° \times 2 + 108°) = 12°$입니다.

데카르트 정리에 따라 입체도형의 모든 꼭짓점의 외각의 크기의 합은 $720°$이므로 이 입체도형의 꼭짓점은 모두 $720° \div 12° = 60$(개)입니다.

해결 전략

입체도형의 모든 꼭짓점의 외각의 크기의 합이 720°임을 이용합니다.

6 정사각뿔의 전개도 위에 출발점 ㉠과 도착점 ㉡을 표시한 후 두 점을 잇는 가장 짧은 선분을 긋습니다.

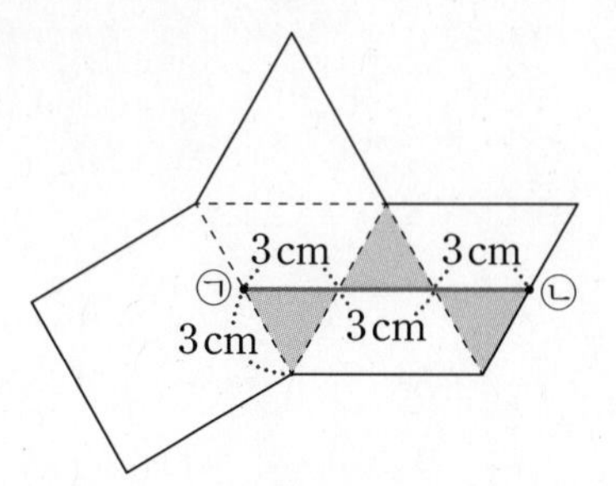

색칠한 삼각형은 모두 한 변의 길이가 3cm인 정삼각형이므로 점 ㉠과 점 ㉡을 잇는 선분의 길이는 $3+3+3=9$(cm)입니다.

따라서 그은 선의 길이가 가장 짧을 때의 길이는 9cm입니다.

해결 전략

입체도형의 전개도를 그린 후, 점 ㉠에서 정사각뿔의 3개의 면을 통과해서 점 ㉡으로 가는 가장 짧은 길을 그려 봅니다.

주의

이외에도 여러 가지 방법으로 전개도에 나타낼 수 있습니다.

III 규칙

이번 단원에서는 우리 생활과 밀접하게 관련되어 있는 주제에 대해 다룹니다.

7 거리와 속력(1)에서는 거리, 속력, 시간의 관계를 알고 관계식을 이용하여 두 사람이 만나거나 한 사람이 다른 사람을 따라 잡는 상황에서 거리, 속력, 시간을 구해 보고, **8** 거리와 속력(2)에서는 왕복하기, 강물을 거슬러 올라가거나 내려가기, 터널 통과하기 주제를 통해 심화 문제를 해결해 봅니다.

9 비와 비율(1), **10** 비와 비율(2)에서는 비와 비율에 관한 기초적인 개념을 알아보고, 물건의 할인율, 소금물의 농도, 타율과 승률, 일의 작업 능률, 뉴튼산까지 생활 속 상황을 포함해 여러 가지 상황 속에서의 비와 비율 문제를 해결해 봅니다.

이번 단원의 주제들은 한 번에 해결하기에 복잡해 보이는 문제가 많이 있지만, 구하려는 것이 무엇인지 문제를 꼼꼼히 읽고 모르는 조건을 □로 놓고 알맞은 식을 세운다면 간단히 해결할 수도 있습니다. 그러므로 충분한 시간을 가지고 학습하도록 합니다.

최상위 사고력 7 거리와 속력(1)

7-1. 거리, 속력, 시간 66~67쪽

1 민아, 나영, 정호 **2** 100km

최상위 사고력 A 5분 최상위 사고력 B 정후네 자동차

저자 톡! 이 단원에서는 (이동 거리)=(속력)×(시간)의 공식을 사용하여 문제를 해결해 봅니다. 속력은 일정한 시간 동안 이동한 거리를 비율로 나타낸 것입니다. 이때 속력의 기준량은 시간이고, 비교하는 양은 이동한 거리입니다. 단위(km, m, 시간, 분, 시속, 분속, 초속 등)가 무엇인지 확인하고 문제에 주어진 단위가 서로 다를 때에는 단위를 통일하여 문제를 해결합니다.

1 민아, 정호, 나영 세 사람이 1분에 몇 m를 걸었는지 속력의 단위를 통일하여 비교합니다.

민아: 6초에 8m를 가는 빠르기

➡ 1분은 60초이므로 1분에 10×8=80(m)를 걸었습니다.

정호: 2시간에 9km를 가는 빠르기

➡ 1시간은 60분이므로 1분에 9000÷2÷60=75(m)를 걸었습니다.

나영: 10분에 760m를 가는 빠르기

➡ 1분에 760÷10=76(m)를 걸었습니다.

따라서 1분 동안 민아는 80m, 정호는 75m, 나영이는 76m를 걸었으므로 가장 빠른 사람부터 차례로 이름을 쓰면 민아, 나영, 정호입니다.

해결 전략
속력을 비교하기 위해 1분에 몇 m를 달렸는지 단위를 통일하여 계산합니다.

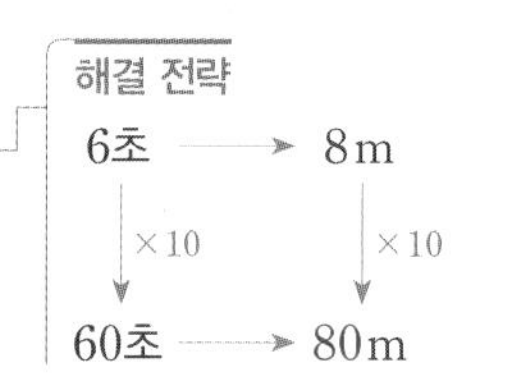

참고 속력의 단위에서 주로 m는 초, 분과 짝이 되고, km는 시와 짝이 됩니다. 따라서 거리와 시간의 단위가 서로 다르게 주어지면 짝이 맞도록 바꾸어 계산하는 것이 좋습니다.

- 일정한 시간 1초 동안 1 m를 이동한 경우
  초속 1 m라고 하고 1 m/s라고 씁니다. 1 m/s는 '일 미터 퍼 세컨드' 또는 '초속 일 미터'라고 읽습니다.
- 일정한 시간 1분 동안 1 m를 이동한 경우
  분속 1 m라고 하고 1 m/min라고 씁니다. 1 m/min은 '일 미터 퍼 미니트' 또는 '분속 일 미터'라고 읽습니다.
- 일정한 시간 1시간 동안 1 km를 이동한 경우
  시속 1 km라고 하고 1 km/h라고 씁니다. 1 km/h는 '일 킬로미터 퍼 아워' 또는 '시속 일 킬로미터'라고 읽습니다.

보충 개념
- 1 m/s (s: 초(second))
- 1 m/min (min: 분(minute))
- 1 km/h (h: 시간(hour))

2 300 km의 거리를 4시간 동안 가려고 했는데 절반을 갔을 때 자동차가 멈췄으므로 자동차는 멈추기 전까지 2시간 동안 150 km를 달렸습니다.
그러므로 자동차가 멈춘 곳에서 목적지까지 가는 데 남은 시간은 2시간이고 남은 거리는 150 km입니다.
하지만 자동차가 30분(=0.5시간) 동안 멈춰 있었으므로 도착 예정 시각에 도착하려면 남은 시간 $2-0.5=1.5$(시간) 동안 150 km를 달려야 합니다.
따라서 150 km를 1.5시간 동안 가야 하므로 1시간 동안
$150\div1.5=100$(km)를 가는 빠르기로 가야 합니다.

해결 전략
자동차가 고장난 곳에서 목적지까지 가는 데 남은 거리와 남은 시간을 각각 구한 후 (거리)÷(시간)=(속력)을 이용합니다.

최상위 사고력 A 소희가 집에서 학교까지 1분에 100 m를 가는 빠르기로 걸으면 30분이 걸리므로 집에서 학교까지의 거리는 $100\times30=3000$(m)입니다.
소희가 1분에 20 m를 더 가는 빠르기로 걸으면 1분에
$100+20=120$(m)를 가는 빠르기로 걷게 되므로 오늘 집에서 학교까지 가는 데 걸린 시간은 $3000\div120=25$(분)입니다.
따라서 소희는 어제보다 $30-25=5$(분) 더 일찍 도착했습니다.

해결 전략
(속력)×(시간)=(거리)를 이용하여 집에서 학교까지의 거리를 구한 후, (거리)÷(속력)=(시간)을 이용하여 집에서 학교까지 가는 데 걸리는 시간을 구합니다.

최상위 사고력 B
- 정후네 자동차
  3시간 동안 간 거리는 $80\times3=240$(km)이고 휘발유 10 L가 사용되었으므로 정후네 자동차의 연비는 $240\div10=24$(km/L)입니다.
- 진희네 자동차
  6시간 동안 간 거리는 $60\times6=360$(km)이고 휘발유 18 L가 사용되었으므로 진희네 자동차의 연비는 $360\div18=20$(km/L)입니다.

따라서 정후네 자동차의 연비가 더 높습니다.

참고 연비는 연료 1 L로 갈 수 있는 거리를 km로 나타낸 것입니다.
따라서 연비의 단위는 km/L라고 쓰고 '킬로미터 퍼 리터'라고 읽습니다.

해결 전략
(속력)×(시간)=(거리)를 이용하여 이동 거리를 먼저 구하고, (연비)=(이동 거리)÷(사용한 휘발유의 양)를 구하여 비교합니다.

해결 전략
1 L로 24 km를 간다는 뜻입니다.

7-2. 만나기

1 (1) 880 m (2) 5시간 **2** 57초 최상위 사고력 24분

저자 톡! 이 단원에서는 일정한 거리만큼 떨어져 있는 두 사람이 마주 보고 서로를 향해 움직일 때 만나는 상황에 관한 문제를 학습합니다. 두 사람 사이의 거리, 두 사람이 만날 때까지 걸리는 시간 등을 거리, 시간, 속력의 관계를 이용하여 구해 봅니다. 특히 두 사람이 서로 마주 보고 움직이므로 두 사람이 단위 시간당 가까워지는 거리는 두 사람의 '속력의 합'임을 이용하여 문제를 해결합니다.

1 (1) 민지와 송이는 1분에 $60+50=110$(m)씩 가까워집니다. 두 사람이 각자의 집에서 동시에 출발하여 서로를 향해 마주 보고 걸어서 8분 후에 만났으므로 민지네 집과 송이네 집 사이의 거리는 $110\times8=880$(m)입니다.

(2) 정호와 민주는 1시간에 $24+46=70$(km)씩 가까워집니다. 두 사람이 처음 위치에서 동시에 출발하여 서로를 향해 마주 보고 간다면 두 사람은 $350\div70=5$(시간) 후에 만나게 됩니다.

해결 전략
(거리)÷(속력)=(시간)

다른 풀이
(1) 민지와 송이는 동시에 각자의 집에서 출발하여 8분 후에 만나므로 8분 동안 둘이 걸은 거리의 합이 민지의 집과 송이의 집 사이의 거리입니다. 민지는 1분에 60 m를 걸으므로 8분 동안 $60\times8=480$(m)를 걷고, 송이는 1분에 50 m를 걸으므로 8분 동안 $50\times8=400$(m)를 걷습니다. 따라서 민지네 집과 송이네 집 사이의 거리는 $480+400=880$(m)입니다.
(2) 정호는 시속 24 km로, 민주는 시속 46 km로 서로를 향해 마주 보고 모두 350 km를 이동합니다. 두 사람이 만나기까지 걸린 시간을 □시간이라 하면 $24\times□+46\times□=350$(km), $70\times□=350$(km), □=5(시간)이므로 두 사람은 5시간 후에 만납니다.

보충 개념
(거리)=(속력)×(시간)

2 • 동호와 희선이가 만나는 데 걸리는 시간 구하기
동호는 1초에 $6\div3=2$(m)를 가고, 희선이는 1초에 4 m를 가므로 동호와 희선이는 1초에 $2+4=6$(m)씩 가까워집니다.
희선이와 동호는 420 m 떨어져 있으므로 둘은 $420\div6=70$(초) 후에 만납니다.
• 동호와 민정이가 만나는 데 걸리는 시간 구하기
동호는 1초에 2 m를 가고, 민정이는 1초에 3 m를 가므로 동호와 민정이는 1초에 $2+3=5$(m)씩 가까워집니다.
민정이와 동호는 $215+420=635$(m) 떨어져 있으므로 둘은 $635\div5=127$(초) 후에 만납니다.
따라서 동호는 희선이를 만나고 $127-70=57$(초) 후에 민정이를 만나게 됩니다.

최상위 사고력 목화는 분속 150 m, 수진이는 분속 100 m로 걸으므로 목화가 학교에서 출발하여 도서관에 도착한 뒤 다시 학교로 돌아가는 길에 수진이를 만나게 됩니다.

따라서 다음과 같이 그림을 그려 생각하면 6 km의 거리를 서로 마주 보고 달려서 만날 때까지 걸린 시간을 구하는 것과 같습니다.

만나는 지점
학교 도서관
목화
수진
3 km

학교 도서관
목화
수진
만나는 지점
$3\times2=6$(km)

목화와 수진이가 만날 때까지 달린 거리의 합이 6 km이고 두 사람은 1분에 $150+100=250$(m)씩 가까워지므로 목화와 수진이는 출발한 지 $6000\div250=24$(분) 후에 처음으로 만나게 됩니다.

7-3. 따라잡기

70~71쪽

1 (1) 3분 (2) 13분 20초 **2** 10분

최상위 사고력 60분

저자 톡! 이 단원에서는 속력이 서로 다른 두 사람이 같은 방향으로 움직일 때 만나는 상황에 관한 문제를 학습합니다. 두 사람이 서로 같은 방향으로 움직이므로 두 사람이 단위 시간당 가까워지는 거리는 두 사람의 '속력의 차'임을 이용하여 문제를 해결합니다.

1 (1) 효주는 분속 200 m, 재호는 분속 180 m로 달리므로 효주와 재호는 1분에 $200-180=20$(m)씩 가까워집니다. 효주가 재호보다 60 m 뒤에서 출발했으므로 두 사람은 $60\div20=3$(분) 후에 만나게 됩니다.

(2) 승훈이는 초속 3 m, 정수는 초속 2.5 m로 달리므로 승훈이는 1초에 $3-2.5=0.5$(m)씩 정수를 앞서게 됩니다.
따라서 두 사람이 처음으로 다시 만날 때까지 걸리는 시간은 $400\div0.5=800$(초), 즉 13분 20초입니다.

해결 전략
효주와 재호는 1분에 몇 m씩 가까워지는지 알아봅니다.

해결 전략
두 사람이 같은 방향으로 돌고 있으므로 승훈이가 정수보다 운동장을 1바퀴 더 돌았을 때 만납니다.

2 대희는 1분에 80 m를 가고 민수는 1분에 240 m를 가므로 대희와 민수는 1분에 $240-80=160$(m)씩 가까워집니다. 민수가 대희네 집에서 출발했을 때 이미 대희는 20분 동안 걸었으므로 대희는 민수보다 $80\times20=1600$(m)만큼 앞서 있습니다.
따라서 민수가 대희를 따라잡는 것은 집에서 출발한 지 $1600\div160=10$(분) 후입니다.

해결 전략
민수가 대희네 집에서 출발했을 때 대희는 이미 분속 80 m로 20분 동안 걸었으므로 민수와 대희 사이의 거리는 $80\times20=1600$(m)입니다.

최상위 사고력 민주와 아빠가 반대 방향으로 가는 상황에서 호수의 둘레를 구할 수 있습니다.

① 호수의 둘레 구하기

민주와 아빠가 1분 동안 걷는 거리의 합은 $50+100=150$(m)이므로 20분 동안 걸은 거리의 합은 $150 \times 20=3000$(m)입니다. 따라서 호수의 둘레는 3000 m입니다.

② 두 사람이 같은 방향으로 돌 때 처음으로 다시 만나는 시간 구하기

두 사람이 같은 방향으로 돌 때 처음으로 다시 만나는 때는 아빠가 민주보다 호수를 한 바퀴 더 돌았을 때입니다.

즉 민주와 아빠가 처음으로 다시 만나려면 아빠는 민주보다 호수 둘레인 3000 m를 더 걸어야 합니다.

따라서 아빠는 민주보다 1분에 $100-50=50$(m)를 더 걸으므로 $3000 \div 50=60$(분) 후에 처음으로 다시 만납니다.

해결 전략

민주
아빠
분속 50 m
분속 100 m
만나는 곳

최상위 사고력

72~73쪽

1 340 m	2 150 m
3 2250 m	4 2000 m

1 천둥 소리는 6초 동안 2040 m를 이동하므로 1초 동안 $2040 \div 6=340$(m)를 이동합니다. 따라서 천둥 소리의 속력은 초속 340 m입니다.

해결 전략
(거리)÷(시간)=(속력)을 이용합니다.

보충 개념
공기 중에서 소리의 속력은 약 초속 340 m이고, 빛의 속력은 약 초속 3억 m로 빛의 속력이 소리의 속력보다 약 90만 배 빠릅니다. 만일 번개가 치고 2초 뒤에 천둥 소리가 들렸다면 빛은 번개가 치는 것과 거의 동시에 내 눈에 도착하므로 내가 있는 곳에서 벼락이 친 곳까지의 거리는 $340 \times 2=680$(m)임을 알 수 있습니다.

2 형은 5초에 15 m를 가므로 1초에 $15 \div 5=3$(m)를 가고, 동생은 10초에 50 m를 가므로 1초에 $50 \div 10=5$(m)를 갑니다. 즉 동생이 형보다 1초에 $5-3=2$(m)씩 더 갑니다.

형이 동생보다 20초 먼저 출발하였으므로 두 사람이 만나려면 동생이 $3 \times 20=60$(m)를 따라잡아야 합니다. 동생이 형보다 1초에 2 m씩 더 가므로 동생이 형을 따라잡는 것은 형이 출발한 지 $60 \div 2=30$(초) 후입니다. 따라서 두 사람이 만나는 곳은 집에서 $5 \times 30=150$(m) 떨어진 곳입니다.

해결 전략
동생이 형을 1초에 몇 m씩 따라잡는지 구합니다.

3 ① 지영이는 분속 250 m로, 민희는 분속 200 m로 서로의 집을 향해 가는 것을 그림으로 나타내면 다음과 같습니다.

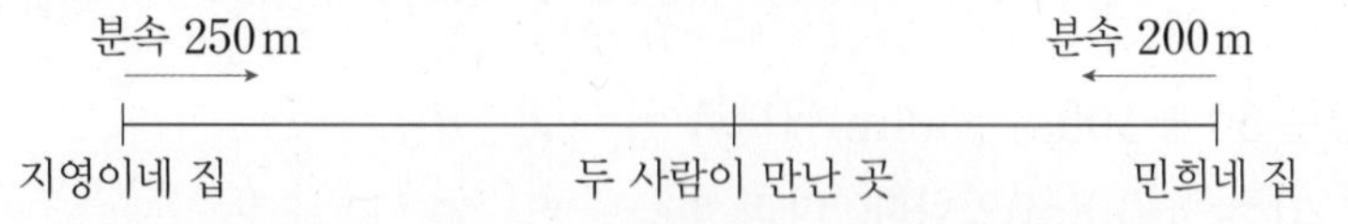

② 두 사람이 만난 뒤 지영이가 4분 후에 민희네 집에 도착하였으므로 두 사람이 만난 곳부터 민희네 집까지의 거리는
$250 \times 4 = 1000$(m)입니다.

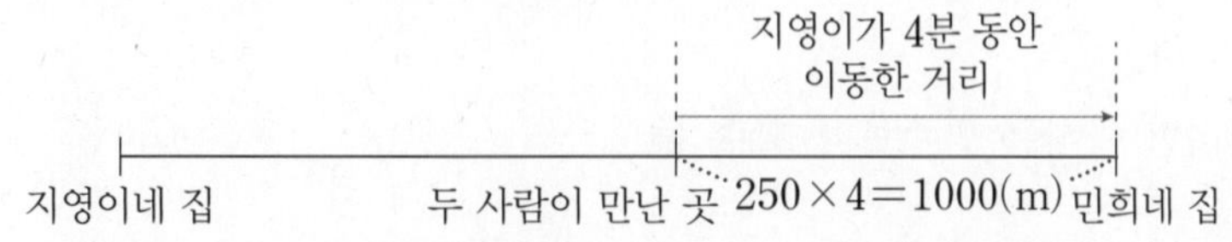

두 사람이 만난 곳부터 민희네 집까지의 거리는 민희가 지영이를 만나기 전까지 이동한 거리이므로 각자의 집에서 출발하여 두 사람이 만날 때까지 걸린 시간은 $1000 \div 200 = 5$(분)입니다.

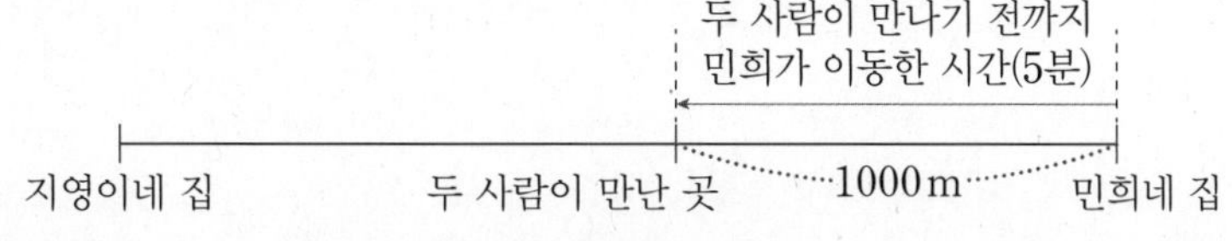

③ 지영이도 두 사람이 만날 때까지 5분 동안 이동하였으므로 지영이네 집에서 두 사람이 만난 곳까지의 거리는 $250 \times 5 = 1250$(m)입니다.

따라서 지영이네 집과 민희네 집 사이의 거리는
$1250 + 1000 = 2250$(m)입니다.

해결 전략
지영이가 민희와 만난 뒤 4분 동안 지영이가 이동한 거리는 민희가 지영이를 만나기 전까지 이동한 거리와 같습니다.

4 수미는 1분에 40 m를 가는 빠르기, 정우는 1분에 60 m를 가는 빠르기로 걸으므로 두 사람은 1분에 $40 + 60 = 100$(m)씩 가까워집니다. 두 사람 사이의 거리는 1 km이므로 두 사람은
$1000 \div 100 = 10$(분) 후에 만납니다.
수미, 정우, 수미의 강아지가 이동하는 시간은 모두 같으므로 수미와 정우가 만날 때까지 10분 동안 강아지가 달린 거리는 모두
$200 \times 10 = 2000$(m)입니다.

해결 전략
수미, 정우, 수미의 강아지가 이동하는 시간은 모두 같으므로 먼저 수미와 정우가 몇 분 후에 만나는지 구해 봅니다.

최상위 사고력 8 거리와 속력(2)

8-1. 왕복하기 74~75쪽

1 (1) 6시간 (2) 24 km **2** 시속 48 km **최상위 사고력** 시속 150 km

저자 톡! 이 단원에서는 같은 길을 왕복할 때의 거리, 시간, 속력을 구하는 내용을 알아봅니다. 왕복하는 거리의 길이가 주어지지 않았을 때에는 거리를 □로 놓고 식을 세워 봅니다. 또 서로 다른 속력으로 왕복할 때의 평균 속력은 속력의 평균이 아니므로 이에 주의하여 문제를 해결해야 합니다. 속력이 다를 때의 평균 속력은 먼저 갈 때와 올 때 걸린 시간을 구한 후 (전체 이동 거리)÷(걸린 시간)으로 구합니다.

1 (1) 갈 때 걸린 시간: $20 \div 5 = 4$(시간)

올 때 걸린 시간: $20 \div 10 = 2$(시간)

따라서 왕복하는 데 걸린 시간은 $4+2=6$(시간)입니다.

(2) 등산로의 길이를 □km라 하면

올라갈 때 걸린 시간: $\frac{\square}{3}$, 내려갈 때 걸린 시간: $\frac{\square}{6}$

산을 올라갔다 내려오는 데 모두 12시간이 걸렸으므로

$\frac{\square}{3}+\frac{\square}{6}=\frac{\square \times 2}{6}+\frac{\square}{6}=\frac{\square \times 3}{6}=12$(시간),

$\square \times 3 = 72$, $\square = 24$

따라서 등산로의 길이는 24km입니다.

> **해결 전략**
> (거리)÷(속력)=(시간)을 이용합니다.

> **해결 전략**
> 등산로의 길이를 □km라 하여 시간에 관한 덧셈식을 세웁니다.

2 학교에서 박물관 사이의 거리를 □km라 하면 전체 이동 거리는 (□×2)km입니다.

갈 때 걸린 시간: $\frac{\square}{40}$, 올 때 걸린 시간: $\frac{\square}{60}$이므로

(왕복하는 데 걸린 시간)$=\frac{\square}{40}+\frac{\square}{60}=\frac{\square \times 3}{120}+\frac{\square \times 2}{120}=\frac{\square \times 5}{120}$

$=\frac{\square}{24}$(시간)입니다.

따라서 (전체 이동 거리)÷(걸린 시간)=(평균 속력)이므로

평균 속력은 $(\square \times 2) \div \frac{\square}{24} = \overset{1}{\not\square} \times 2 \times \frac{24}{\underset{1}{\not\square}} = 48$(km/h),

따라서 평균 속력은 시속 48km입니다.

> **해결 전략**
> 학교에서 박물관 사이의 거리를 □km라 하여 시간에 관한 덧셈식을 세웁니다.

> **주의**
> 평균 속력을 구할 때 단순히 두 속력의 평균을 구하여 $(40+60) \div 2 = 50$(km/h)라고 답하지 않도록 주의합니다.

최상위 사고력 시속 30km로 ㉮에서 ㉯로 갈 때 걸린 시간을 □시간이라 하면

(㉮와 ㉯ 사이의 거리)=(갈 때의 속력)×(갈 때 걸린 시간)$=30 \times \square$(km)

(전체 이동 거리)=(㉮와 ㉯ 사이의 거리)$\times 2 = 30 \times \square \times 2 = \square \times 60$(km)

(전체 걸린 시간)=(전체 이동 거리)÷(평균 속력)

$=(\square \times 60) \div 50$

$=\square \times \overset{6}{\not{60}} \times \frac{1}{\underset{5}{\not{50}}} = \square \times \frac{6}{5} = \square \times 1\frac{1}{5}$(시간)

(올 때 걸린 시간)=(전체 걸린 시간)−(갈 때 걸린 시간)

$=\square \times 1\frac{1}{5} - \square = \square \times \frac{1}{5}$(시간)

따라서 (올 때의 속력)=(㉮와 ㉯ 사이의 거리)÷(올 때 걸린 시간)

$=(\square \times 30) \div \left(\square \times \frac{1}{5}\right)$

$=\square \times 30 \div \frac{\square}{5} = \overset{1}{\not\square} \times 30 \times \frac{5}{\underset{1}{\not\square}} = 150$(km/h)

➡ 시속 150km입니다.

8-2. 강물을 거슬러 올라가거나 내려가기 76~77쪽

1 (1) 5시간 (2) 15시간 **2** 시속 5km **최상위 사고력** 시속 7km, 시속 2km

저자 톡! 이 단원에서는 흐르는 강물에서 배가 강물이 흐르는 방향으로 움직일 때와 강물이 흐르는 반대 방향으로 강을 거슬러 올라갈 때의 상황에서 문제를 해결합니다. 강물이 흐르는 방향으로 배가 움직일 때의 배의 속력은 강물의 속력을 더한만큼 빨라지고, 강을 거슬러 올라갈 때의 배의 속력은 강물의 속력을 뺀만큼 느려집니다. 이 점에 유의하여 강을 왕복할 때 걸리는 시간을 알아보고 강물의 속력 및 배의 속력 등을 구합니다.

1 (1) (강물이 흐르는 방향으로 갈 때의 배의 속력)$=10+4=14$(km/h)

➡ (70km를 강물이 흐르는 방향으로 가는 데 걸리는 시간)

$=$(이동 거리)$\div$(강물이 흐르는 방향으로 갈 때의 속력)

$=70\div14=5$(시간)

(2) (강을 거슬러 올라갈 때의 배의 속력)$=10-4=6$(km/h)

➡ (90km를 강물이 흐르는 반대 방향으로 가는 데 걸리는 시간)

$=$(이동 거리)$\div$(강물이 흐르는 반대 방향으로 갈 때의 속력)

$=90\div6=15$(시간)

> 해결 전략
> 배의 속력은 강물이 흐르는 방향으로 갈 때에는 강물의 속력만큼 빨라지고 강물이 흐르는 반대 방향으로 갈 때에는 강물의 속력만큼 느려집니다.

2 강물을 거슬러 올라갈 때의 배의 속력은 흐르지 않는 물에서의 배의 속력에서 강물의 속력을 뺀 것만큼 느려집니다.

(강물을 거슬러 올라갈 때의 배의 속력)

$=$(이동 거리)$\div$(이동 시간)$=6\div2=3$(km/h)

(강물을 거슬러 올라갈 때의 배의 속력)

$=$(흐르지 않는 물에서의 배의 속력)$-$(강물의 속력)이므로

$3=8-$(강물의 속력), (강물의 속력)$=5$km/h

따라서 강물은 시속 5km로 흐릅니다.

> 해결 전략
> (강물을 거슬러 올라가는 배의 속력)
> $=$(흐르지 않는 물에서의 배의 속력)
> $-$(강물의 속력)

최상위 사고력 흐르지 않는 물에서의 배의 속력을 시속 ㉠km, 강물의 속력을 시속 ㉡km라 하면

(강물이 흐르는 방향으로 내려갈 때의 배의 속력)$=36\div4=9$(km/h)

(강물이 흐르는 방향으로 내려갈 때의 배의 속력)

$=$(흐르지 않는 물에서의 배의 속력)$+$(강물의 속력)이므로

㉠$+$㉡$=9$km/h입니다.

또 (강물을 거슬러 올라갈 때의 배의 속력)$=25\div5=5$(km/h)

(강물을 거슬러 올라갈 때의 배의 속력)

$=$(흐르지 않는 물에서의 배의 속력)$-$(강물의 속력)이므로

㉠$-$㉡$=5$km/h입니다.

즉 ㉠$+$㉡$=9$, ㉠$-$㉡$=5$이므로 ㉠$=7$, ㉡$=2$입니다.

따라서 흐르지 않는 물에서의 배의 속력은 시속 7km이고 강물의 속력은 시속 2km입니다.

> 해결 전략
> 합이 ■, 차가 ▲인 두 수 구하기
> ➡ (두 수 중 큰 수)$=\frac{■+▲}{2}$
> (두 수 중 작은 수)$=\frac{■-▲}{2}$

8-3. 터널 통과하기

78~79쪽

1 24초　　**2** 1410m　　**최상위 사고력** 100m

저자 톡! 이 단원에서는 기차가 터널을 완전히 통과할 때까지 이동해야 하는 거리를 구하거나 걸리는 시간을 구해 봅니다. 기차가 터널을 완전히 통과하기 위해서는 터널의 길이뿐만 아니라 기차의 길이도 더해 계산해야 합니다. 한번에 이해가 되지 않는 경우에는 그림을 그려 문제를 풀면 좀 더 쉽게 해결할 수 있습니다.

1 1초에 15m를 달리는 길이가 60m인 기차가 길이가 300m인 터널을 완전히 통과하기 위해서는
(터널의 길이)+(기차의 길이)$=300+60=360$(m)만큼 가야 합니다.
따라서 기차가 터널을 완전히 통과하는 데 걸리는 시간은
$360\div15=24$(초)입니다.

해결 전략
기차가 터널을 완전히 통과하기 위해 달린 거리는 (터널의 길이)+(기차의 길이)입니다.

주의
기차가 터널의 길이인 300m만 통과한다고 생각하여 $300\div15=20$(초)라고 답하지 않도록 주의합니다.

2 1초에 20m를 달리는 기차가 1분 15초(=75초) 동안
터널을 완전히 통과하는 데 달린 거리는 $20\times75=1500$(m)입니다.
따라서 (터널의 길이)=(기차가 달린 거리)−(기차의 길이)
$=1500-90=1410$(m)입니다.

해결 전략
기차가 터널을 완전히 통과하기 위해 달린 거리는 (터널의 길이)+(기차의 길이)입니다.

최상위 사고력

4.9km
기차의 길이
8분 동안 달린 거리

기차가 8분 동안 달린 거리는 $600\times8=4800$(m)입니다.
터널의 길이가 4.9km=4900m이므로 기차의 길이는
$4900-4800=100$(m)입니다.

해결 전략
기차가 터널 안으로 들어가서 전혀 보이지 않는 동안 달린 거리는
(터널의 길이)−(기차의 길이)입니다.

최상위 사고력

80~81쪽

1 시속 75km　　**2** 240m
3 시속 8km　　**4** 16.5초

1 (왕복한 거리)$=60\times2=120$(km)
갈 때는 시속 100km로 가고, 올 때는 시속 60km로 왔으므로
(갈 때 걸린 시간)$=60\div100=0.6$(시간)
(올 때 걸린 시간)$=60\div60=1$(시간)
➡ (왕복하는 데 걸린 시간)$=0.6+1=1.6$(시간)
따라서 (평균 속력)$=120\div1.6=75$(km/h), 즉 시속 75km입니다.

해결 전략
(평균 속력)
=(왕복한 거리)÷(왕복하는데 걸린 시간)

2 (기차가 4개의 터널을 완전히 통과하는 데 이동한 거리)
=(4개의 터널의 길이의 합)+(터널과 터널 사이의 거리의 합)+(기차의 길이)

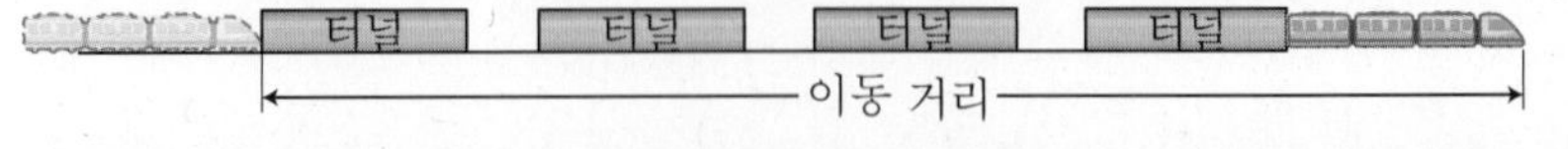

기차가 1시간에 180 km=180000 m를 달리므로 1초에 180000÷3600=50(m)를 달립니다.
기차가 4개의 터널을 완전히 통과하는 데 70초가 걸렸으므로 이동한 거리는 70×50=3500(m)입니다.
즉 (4개의 터널의 길이의 합)+(터널과 터널 사이의 거리의 합)+(기차의 길이)=3500(m)입니다.
800×4+(터널과 터널 사이의 거리의 합)+60=3500(m),
(터널과 터널 사이의 거리의 합)+3260=3500,
(터널과 터널 사이의 거리의 합)=3500−3260=240(m)
따라서 터널과 터널 사이의 거리의 합은 240 m입니다.

3 강물을 거슬러 올라간 거리를 □km라 하면
(강물을 거슬러 올라갈 때의 배의 속력)=9−3=6(km/h)
➡ (올라갈 때 걸린 시간)=$\frac{\square}{6}$시간
(강물을 따라 내려갈 때의 배의 속력)=9+3=12(km/h)
➡ (내려갈 때 걸린 시간)=$\frac{\square}{12}$시간
강물을 거슬러 올라갔다가 내려온 전체 이동 거리는 (□×2)km이고
강물을 거슬러 올라갔다가 내려온 전체 이동 시간은
$\frac{\square}{6}+\frac{\square}{12}=\frac{\square}{4}$(시간)이므로
배의 평균 속력은 $(\square\times2)\div\frac{\square}{4}=\not\square^{1}\times2\times\frac{4}{\not\square_{1}}=8$(km/h)
➡ 시속 8 km입니다.

보충 개념
$\frac{\square}{6}+\frac{\square}{12}$
$=\frac{\square\times2}{12}+\frac{\square}{12}$
$=\frac{\square\times\not3^{1}}{\not12_{4}}=\frac{\square}{4}$

4 1분 55초=115초이므로 지하철이 초속 13 m로 한강 다리를 완전히 통과하는 데 달린 거리는 115×13=1495(m)입니다.
한강 다리의 길이는 1280 m이므로 지하철의 길이는
1495−1280=215(m)입니다.
지하철 두 대의 길이는 215×2=430(m)이고 두 지하철이 서로를 향해 마주 보고 달리면 1초에 13+13=26(m)씩 가까워집니다.
한 지하철이 다른 지하철과 완전히 지나치는 데 이동하는 거리는 두 지하철의 길이의 합과 같습니다.

지나치는 데 이동한 거리
(지하철 두 대의 길이의 합)

따라서 지하철 한 대가 초속 26 m로 430 m를 이동하려면
430÷26=16.538……(초)가 걸립니다.
따라서 두 지하철이 완전히 지나치는 데 걸리는 시간을 반올림하여 소수 첫째 자리까지 나타내면 16.5초입니다.

해결 전략
지하철 두 대가 지나친다는 것은 지하철 한 대가 터널을 통과하듯이 다른 지하철을 완전히 통과하는 것을 의미합니다. 먼저 지하철의 길이를 구해 보고, 지하철끼리 1초에 몇 m씩 가까워지는지 알아봅니다.

최상위 사고력 **9** **비와 비율(1)**

9-1. 비와 비율 82~83쪽

1 60명 **2** 255명 최상위 사고력 5kg

저자 톡! 이 단원에서는 (비교하는 양의 비율)=(비교하는 양)÷(기준량)을 이용하여 해결할 수 있는 문제들을 다룹니다. (기준량)=(비교하는 양)÷(비교하는 양의 비율)로 식을 변형하여 기준이 되는 양이 얼마인지 구하는 문제를 해결합니다.

1 아직 공책을 받지 않은 학생은 6학년 학생 수의 $100-60=40(\%)$입니다.

(6학년 학생 수)×(공책을 받지 않은 학생 수의 비율)

=(공책을 받지 않은 학생 수)이므로

(6학년 학생 수)

=(공책을 받지 않은 학생 수)÷(공책을 받지 않은 학생 수의 비율)

$=24\div0.4=60$(명)입니다.

해결 전략
(비교하는 양)÷(비교하는 양의 비율)
=(기준량)

2 남학생 수가 전체 학생 수의 $\frac{7}{17}$이므로 여학생 수는 전체 학생 수의 $\frac{10}{17}$입니다.

남학생이 여학생보다 45명 더 적고,

남학생과 여학생의 전체 학생 수의 차는 $\frac{10}{17}-\frac{7}{17}=\frac{3}{17}$입니다.

따라서 (전체 학생 수)$\times\frac{3}{17}=45$, (전체 학생 수)$=45\div\frac{3}{17}=\overset{15}{\cancel{45}}\times\frac{17}{\underset{1}{\cancel{3}}}=255$(명)입니다.

최상위 사고력 처음 수박 무게의 92%가 수분이었으므로 8%가 수분을 제외한 부분입니다. 무게가 10kg인 수박의 수분을 제외한 부분의 무게는 0.8kg이고, 수분이 증발하여도 수분을 제외한 부분의 무게는 변하지 않으므로 16%의 무게도 0.8kg입니다.

$\frac{0.8}{\text{무게}}=\frac{16}{100}$

(수분이 증발하고 난 후 수박의 무게)$=0.8\div0.16=5$(kg)입니다.

해결 전략
수박의 수분이 아닌 부분은 수분이 증발하여도 무게가 변하지 않습니다.
- $10\times\frac{8}{10}=0.8$(kg)
- 수분을 증발하여 수분의 무게 비율이 84%이므로 수분을 제외한 무게 비율은 $100-84=16(\%)$입니다.

1 라면　　2 5000원

최상위 사고력 A 30000원　　최상위 사고력 B ㉮ 문구점

저자 톡! 이 단원에서는 생활과 밀접한 비율의 예를 다룹니다. 우리는 생활 속에서 '20 % 할인', '1+1 행사 상품' 등의 문구를 자주 접하게 됩니다. 할인은 물건 값을 일정한 비율로 낮추어 파는 것을 말하므로 20 % 할인이라는 것은 1000원짜리 물건을 800원에 판매한다는 의미입니다. 따라서 20 % 할인은 정가의 80 % 가격에 물건을 판매한다는 것과 같습니다.

1 라면은 $1000-800=200$(원), 우유는 $2400-2000=400$(원)이 올랐습니다.

라면과 우유의 오른 가격과 원래 가격을 비교하면

(라면의 가격 상승률)$=\frac{(\text{오른 가격})}{(\text{원래 가격})}\times 100=\frac{200}{800}\times 100=25(\%)$

(우유의 가격 상승률)$=\frac{(\text{오른 가격})}{(\text{원래 가격})}\times 100=\frac{400}{2000}\times 100=20(\%)$

$25\,\% > 20\,\%$이므로 라면의 가격이 더 많이 올랐습니다.

> 해결 전략
> (가격 상승률)(%)$=\frac{(\text{오른 가격})}{(\text{원래 가격})}\times 100$

2 원가를 □원이라 하면 처음에 정한 판매 가격은 $1.2\times\square$원입니다.

그런데 처음에 정한 판매 가격에서 15 %를 할인하여 물건을 팔았으므로

(할인하여 판매한 가격)$=\square\times 1.2\times 0.85=\square\times 1.02$(원)입니다.

100원의 이익이 생겼으므로 $\square\times 1.02-\square=\square\times 0.02=100$,

$\square=5000$입니다.

따라서 물건의 원가는 5000원입니다.

> 해결 전략
> (이익금)=(판매 가격)−(원가)

최상위 사고력 A 원가를 □원이라 하면 처음에 정한 판매 가격은 $1.4\times\square$원입니다.

그런데 곰인형이 팔리지 않아 처음에 정한 판매 가격에서 30 %를 할인하여 팔았으므로

(할인하여 판매한 가격)$=\square\times 1.4\times 0.7=\square\times 0.98$(원)입니다.

곰인형 한 개당 600원의 손해를 보았으므로

$\square-\square\times 0.98=600$, $\square\times 0.02=600$, $\square=30000$입니다.

따라서 곰인형 한 개의 원가는 30000원입니다.

> 보충 개념
> 원가를 □원이라 하면 판매 가격은 $\square+\square\times 0.4=\square\times 1.4$(원)입니다.

최상위 사고력 B 연필 10자루를 살 때 연필 한 자루당 가격은

㉮ 문구점: $1800\div 10=180$(원)

㉯ 문구점: $2000\div 11=181.8\cdots\cdots$ ➡ 약 182원

따라서 ㉮ 문구점에서 사는 것이 더 싸게 사는 것입니다.

다른 풀이

㉮ 문구점: 연필 10자루의 가격은 2000원인데 1800원에 팔고 있으므로 200원 할인해서 팔고 있습니다. $\frac{200}{2000}\times100=10(\%)$ 할인한 것입니다.

㉯ 문구점: 연필 11자루의 가격은 2200원인데 2000원에 팔고 있으므로 11자루에 200원 할인하는 것과 같습니다.

➡ $\frac{200}{2200}\times100=9.09\cdots\cdots$ ➡ 약 9 % 할인한 것입니다.

따라서 할인을 더 많이 해주는 ㉮ 문구점에서 사는 것이 더 싸게 사는 것입니다.

9-3. 농도

86~87쪽

1 (1) 20 % (2) 30 g (3) 50 g　**2** 5 %　최상위 사고력 50 g

저자 톡! 이 단원에서는 소금, 물, 소금물, 농도를 구해 봅니다. 농도는 용액의 진하기로 (소금물의 농도)$=\frac{(\text{소금의 양})}{(\text{소금물의 양})}\times100$을 이용합니다. 또한 일정한 양만큼 소금, 물, 소금물을 덜어내고, 섞고, 증발시키는 여러 상황을 통해 소금의 양, 소금물의 양, 농도의 변화를 구합니다.

1 (1) (소금물의 농도)$=\frac{(\text{소금의 양})}{(\text{소금물의 양})}\times100=\frac{25}{125}\times100=20(\%)$

(2) (소금의 양)$=$(소금물의 양)$\times\frac{(\text{소금물의 농도})}{100}$

$=200\times\frac{15}{100}=30(g)$

(3) (소금물의 양)$=\frac{(\text{소금의 양})}{(\text{소금물의 농도})}\times100$

$=\frac{5}{10}\times100=50(g)$

해결 전략

(소금물의 농도)(%)

$=\frac{(\text{소금의 양})}{(\text{소금물의 양})}\times100$

다른 풀이

(2) 소금 □g이 녹아 있다고 하면 $\frac{\square}{200}\times100=15$, $\frac{\square}{2}=15$, $\square=15\times2=30(g)$

(3) 소금물의 무게를 g이라 하면 $\frac{5}{\square}\times100=10$, $\frac{500}{\square}=10$, $\square=500\div10=50(g)$

2 농도가 15 %인 소금물 100 g에서 50 g을 따라내고 남은 소금물 50 g의 농도도 15 %이므로 소금물 50 g에 들어 있는 소금의 양은 $50\times\frac{15}{100}=7.5(g)$입니다. 따라서 소금물 50 g에 물 100 g을 넣으면

(소금물의 농도)$=\frac{(\text{소금의 양})}{(\text{소금물의 양})}\times100$

$=\frac{7.5}{(100+50)}\times100=5(\%)$가 됩니다.

(15 %의 소금물 200 g에 들어 있는 소금의 양) $=200\times\frac{15}{100}=30$(g)

(15 %의 소금물 200 g에 들어 있는 물의 양) $=200-30=170$(g)

(5 %의 소금물 300 g에 들어 있는 소금의 양) $=300\times\frac{5}{100}=15$(g)

(5 %의 소금물 300 g에 들어 있는 물의 양) $=300-15=285$(g)

증발된 물의 양을 □g이라 하면

	소금의 양	물의 양	소금물의 양
15 %의 소금물 200 g	30 g	170 g (−□g)	200 g
물이 □g 증발한 후	30 g (+15 g)	(170−□) g (+285 g)	(200−□) g
5 %의 소금물 300 g을 섞은 후	45 g	(455−□) g	(500−□) g

5 %의 소금물 300 g을 섞은 후의 농도는 10 %이므로

$\frac{45}{(500-\square)}\times 100=10$, $\frac{45}{(500-\square)}=\frac{1}{10}$,

$500-\square=450$, $\square=50$

따라서 증발된 물은 50 g입니다.

최상위 사고력

88~89쪽

1 135 cm **2** 25 %

3 ㉯ 가게 **4** 5.5 %, 9.25 %

1 3번째로 튀어 오르는 공의 높이는 40 cm이고 처음 공을 떨어뜨린 높이에 대한 3번째로 튀어 오르는 공의 높이의 비율은 $\frac{2}{3}\times\frac{2}{3}\times\frac{2}{3}$입니다.

(3번째로 튀어 오르는 공의 높이) ÷ (3번째로 튀어 오르는 공의 높이의 비율) = (처음 공을 떨어뜨린 높이)이므로

(처음 공을 떨어뜨린 높이) $=40\div\left(\frac{2}{3}\times\frac{2}{3}\times\frac{2}{3}\right)$

$=40\div\frac{8}{27}=135$(cm)입니다.

해결 전략
(비교하는 양) ÷ (비교하는 양의 비율) = (기준량)

다른 풀이
처음 공을 떨어뜨린 높이를 □cm라 하면
$\square\times\frac{2}{3}\times\frac{2}{3}\times\frac{2}{3}=40$, $\square\times\frac{8}{27}=40$, $\square=40\div\frac{8}{27}=135$(cm)

2 (오늘 판매 가격)$=15000\times0.8=12000$(원)입니다.
내일은 오늘보다 3000원을 더 비싸게 판매하므로

(내일의 가격 상승률)$=\dfrac{(\text{오른 가격})}{(\text{오늘 판매 가격})}\times100=\dfrac{3000}{12000}\times100=25(\%)$

더 비싼 가격으로 사게 됩니다.

3 • ㉮ 가게에서 사는 경우
옷을 구입한 가격은 정가의 8%를 할인 받으므로 정가의 92%인
$10000\times0.92=9200$(원)입니다.
또한 옷값으로 낸 금액의 10%인
$9200\times0.1=920$(원)을 상품권으로 받을 수 있습니다.
따라서 옷을 $9200-920=8280$(원)에 산 것과 같습니다.

• ㉯ 가게에서 사는 경우
정가가 10000원이므로 10000원짜리 상품권을 구입하면 정가의 10%인 1000원을 상품권으로 받을 수 있습니다.
또한 정가의 8%를 할인 받은 옷값은 9200원입니다.
따라서 옷을 $9200-1000=8200$(원)에 산 것과 같습니다.

따라서 ㉯ 가게에서 사는 것이 더 싸게 사는 것입니다.

4 처음에 ㉮ 컵과 ㉯ 컵에 들어 있던 소금의 양을 구하면

㉮: $100\times\dfrac{4}{100}=4$(g), ㉯: $200\times\dfrac{10}{100}=20$(g)입니다.

㉮ 컵과 ㉯ 컵에서 따라낸 소금물에 들어 있던 소금의 양을 구하면

㉮: $4\times\dfrac{50}{100}=2$(g), ㉯: $20\times\dfrac{50}{200}=5$(g)입니다.

각 컵에서 따라낸 소금물을 섞으면 섞은 소금물에 들어 있는 소금의 양은 $2+5=7$(g)이므로 각 컵에는 소금 $7\div2=3.5$(g)이 들어 있는 소금물 50g이 넣어지게 됩니다.

	㉮ 컵		㉯ 컵	
	소금의 양	소금물의 양	소금의 양	소금물의 양
처음	4g	100g	20g	200g
소금물을 50g씩 따라낸 후	2g (+3.5g)	50g	15g (+3.5g)	150g
섞은 소금물을 50g씩 다시 넣은 후	5.5g	100g	18.5g	200g

㉮: $\dfrac{5.5}{100}\times100=5.5(\%)$, ㉯: $\dfrac{18.5}{200}\times100=9.25(\%)$입니다.

해결 전략
소금물을 따라내고, 섞고, 다시 담는 과정 중에 옮겨지는 소금과 소금물의 양을 알아보며 소금물의 농도를 구합니다.

보충 개념
따라낸 소금물을 섞어 각 컵에 50g씩 넣으면 각 컵에 들어 있는 소금물의 양은 변하지 않고 소금의 양만 변합니다.

10-1. 타율과 승률

90~91쪽

1 (1) (위에서부터) 0.316, 11, 35 (2) 0.292 (3) 김병욱, 박규민

최상위 사고력 A 가 야구팀

최상위 사고력 B 96타수 36안타

저자 톡! 이 단원에서는 비와 비율을 이용하는 대표적인 예로 타율과 승률을 알아봅니다. 타율과 승률은 스포츠에서 많이 사용되는 것으로 특히 야구 경기에서 선수나 팀의 실력을 평가할 때 사용됩니다.

1 (1) (김병욱 선수의 타율)=(안타 수)÷(타수)

$=12\div38=0.3157\cdots\cdots$ ➡ 0.316

(박규민 선수의 안타 수)=(타수)×(타율)$=44\times0.25=11$

(손하성 선수의 타수)=(안타 수)÷(타율)$=14\div0.4=35$

(2) 4타수 3안타를 치면 (타수)$=44+4=48$,

(안타 수)$=11+3=14$이므로

(타율)=(안타 수)÷(타수)$=14\div48=0.2916\cdots\cdots$ ➡ 0.292

(3) 어제까지의 타율이 $1\div3=0.333\cdots\cdots$보다 낮은 사람은 오늘 경기에서 3타수 1안타를 치면 타율이 높아지므로 타율이 높아지는 선수는 타율이 0.316인 김병욱 선수와 타율이 0.25인 박규민 선수입니다.

해결 전략
(타율)=(안타 수)÷(타수)

다른 풀이
오늘 경기에서 3타수 1안타를 기록할 때의 성적을 표로 만들어 봅니다.

선수	타수	안타 수	타율
김병욱	41	13	0.317
박규민	47	12	0.255
손하성	38	15	0.395

따라서 타율이 높아지는 선수는 김병욱, 박규민 선수입니다.

최상위 사고력 A

(가 야구팀의 승률)$=\frac{26}{26+14}=\frac{26}{40}=\frac{13}{20}=0.65$

(나 야구팀의 승률)$=\frac{24}{24+18}=\frac{24}{42}=\frac{4}{7}=0.57\cdots\cdots$

따라서 승률이 더 높은 팀은 가 야구팀입니다.

최상위 사고력 B

송병호 선수의 어제까지의 타율인 3할 7푼 5리를 소수로 나타내면 0.375이고 분수로 나타내면 $\frac{375}{1000}=\frac{3}{8}$입니다.

앞으로 4타수 2안타를 더 기록했을 때의 타율인 3할 8푼을 소수로 나타내면 0.38이고 분수로 나타내면 $\frac{38}{100}$입니다.

해결 전략
타율을 분수로 나타내어 계산합니다.

$\frac{3}{8}$과 크기가 같은 분수는 $\frac{3\times\square}{8\times\square}$로 나타낼 수 있고

앞으로 4타수 2안타를 더 기록했을 때의 타율을 분수로 나타내면

$\frac{3\times\square+2}{8\times\square+4}$입니다.

따라서 $\frac{3\times\square+2}{8\times\square+4}=\frac{38}{100}$,

$3\times\square+2=38$, $3\times\square=36$, $\square=12$

(또는 $8\times\square+4=100$, $8\times\square=96$, $\square=12$)

어제까지의 송병호 선수의 타율은 $\frac{3\times12}{8\times12}=\frac{36}{96}$이고

$(\text{타율})=\frac{(\text{안타 수})}{(\text{타수})}$이므로 송병호 선수의 기록은 96타수 36안타입니다.

10-2. 작업 능률

92~93쪽

1 24분 **2** 12일

최상위 사고력 A 2일 최상위 사고력 B 6일

저자 톡! 이 단원에서는 작업 능률에 관한 문제를 해결해 봅니다. 전체 일의 양이 주어지지 않기 때문에 처음에 문제를 접하면 어려워 보이지만 전체 일의 양을 1로 놓고 한 사람이 하루 동안 하는 일의 양을 분수로 나타내어 풀면 간단히 해결할 수 있습니다.

1 하영이는 1분에 종이배 $240\div60=4$(개)를 접습니다.
승민이는 1분에 종이배 $240\div40=6$(개)를 접습니다.
하영이와 승민이가 함께 종이배를 접으면 1분에 $4+6=10$(개)를 접으므로 두 사람이 종이배 240개를 접는 데 걸리는 시간은
$240\div10=24$(분)입니다.

해결 전략
하영이와 승민이가 1분에 접는 종이배의 개수를 먼저 구합니다.

2 전체 일의 양을 1이라 하면
(진수가 하루 동안 하는 일의 양)$=\frac{1}{20}$,
(경미가 하루 동안 하는 일의 양)$=\frac{1}{30}$입니다.
(두 사람이 함께 하루 동안 하는 일의 양)
$=\frac{1}{20}+\frac{1}{30}=\frac{5}{60}=\frac{1}{12}$이므로 $1\div\frac{1}{12}=12$(일)만에 끝낼 수 있습니다.

해결 전략
전체 일의 양을 1이라 하고 진수와 경미가 하루 동안 하는 일의 양을 분수로 나타냅니다.

최상위 사고력 A 전체 일의 양을 1이라 하면

(형이 하루 동안 하는 일의 양)$=\frac{1}{6}$,

(동생이 하루 동안 하는 일의 양)$=\frac{1}{9}$입니다.

(동생이 6일 동안 하는 일의 양)$=\frac{1}{9}\times6=\frac{2}{3}$이므로

동생이 하고 남은 일의 양은 $1-\frac{2}{3}=\frac{1}{3}$입니다.

따라서 형이 혼자서 일한 날은 $\frac{1}{3}\div\frac{1}{6}=2$(일)입니다.

> 해결 전략
> 전체 일의 양을 1이라 하고 형이 하루 동안 하는 일의 양과 동생이 하루 동안 하는 일의 양을 분수로 나타냅니다.

> 다른 풀이
> 형이 혼자서 일한 날을 □일이라 하면
> $\frac{1}{9}\times6+\frac{1}{6}\times\square=1$, $\frac{2}{3}+\frac{\square}{6}=1$, $\frac{4+\square}{6}=1$, $\square=2$

최상위 사고력 B 전체 일의 양을 1이라 하면 ㉮ 기계와 ㉯ 기계가 각각 하루 동안 할 수 있는 일의 양은 ㉮ 기계는 $\frac{1}{5}$, ㉯ 기계는 $\frac{1}{6}$입니다.

㉮ 기계 6대로 8일만에 끝낼 수 있는 일의 양은 $\frac{1}{5}\times6\times8=\frac{48}{5}$이고,

㉮ 기계 3대와 ㉯ 기계 6대로 하루에 할 수 있는 일의 양은

$\frac{1}{5}\times3+\frac{1}{6}\times6=\frac{8}{5}$입니다.

따라서 $\frac{48}{5}\div\frac{8}{5}=48\div8=6$(일)만에 끝낼 수 있습니다.

10-3. 뉴튼산

94~95쪽

1 (1)

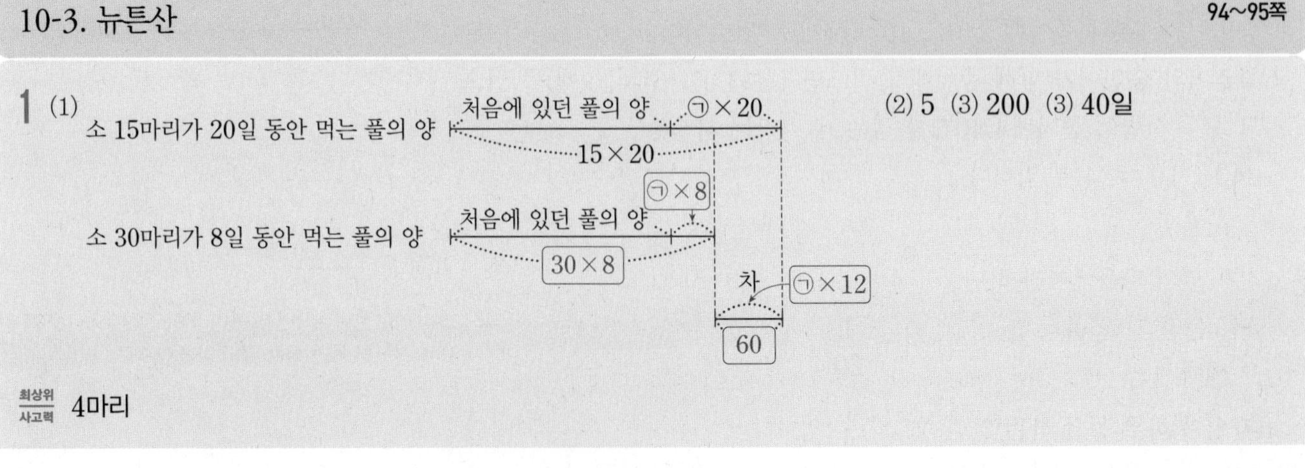

(2) 5 (3) 200 (3) 40일

최상위 사고력 4마리

저자 톡! 뉴튼산은 유명한 과학자 뉴튼이 그의 저서 '보편산수'에서 소개한 문제입니다. 뉴튼은 우연히 길을 가다가 목장에서 소가 풀을 먹는 것을 보고 '소들이 목장의 풀을 모두 먹는 데 얼마의 시간이 걸릴까?'라는 궁금증이 생겼는데 이것이 뉴튼산의 시초입니다.
뉴튼산은 2개의 일정한 비율로 변하는 양이 있을 때, 그 합이나 차에 의해 생기는 실제의 변화량과 시간과의 관계를 생각하여 해결하는 문제입니다. 앞에서 학습한 작업 능률과 비슷해 보이지만 다른 점은 목장의 풀이 계속 일정하게 자라고 있다는 것입니다. 일정하게 변하는 것이 무엇인지 문제에서 정확히 파악하여 문제를 해결해 봅니다.

1 (2) ㉠$\times$12=60, ㉠=5

(3) (소 15마리가 20일 동안 먹는 풀의 양)

=(처음에 있던 풀의 양)+(20일 동안 자라는 풀의 양)이므로

(처음에 있던 풀의 양)+5$\times$20=15$\times$20,

(처음에 있던 풀의 양)=300−100=200

(4) 소 10마리가 목장의 풀을 모두 먹는 데 걸리는 날수를 □라 하면

(소 10마리가 □일 동안 먹는 풀의 양)

=(처음에 있던 풀의 양)+(□일 동안 자라는 풀의 양),

10$\times$□=200+5$\times$□, 5$\times$□=200, □=40

지도 가이드

뉴튼산 문제를 풀 때는 다음과 같은 순서로 문제를 해결합니다.

① 소 한 마리가 하루에 먹는 풀의 양을 1이라 합니다.
② 주어진 조건을 이용하여 하루에 자라는 풀의 양을 구합니다.
③ 처음에 있던 풀의 양을 구합니다.
④ 조건에 맞게 구하려고 하는 것을 구합니다.

보충 개념

뉴튼산의 대표적인 문제 유형을 소개하면 다음과 같습니다.

(1) 위에서 해결한 1번 문제와 같이 매일 일정하게 풀이 자라는 목장에서 소 □마리가 풀을 모두 먹을 때까지 걸리는 시간을 구하는 문제
(2) 2개의 수도를 동시에 틀고 배수구를 열어 놓을 때 욕조에 물이 가득 차는 데 걸리는 시간을 구하는 문제
(3) 놀이 공원의 입장 시작 전부터 기다리는 사람들과 입장 시간이 지난 뒤에도 꾸준히 늘어나는 사람들이 두 개의 매표소에 줄을 서서 입장할 때 모든 사람들이 기다리지 않고 바로 입장하는 시간을 구하는 문제

최상위 사고력 목장의 풀이 없어지지 않고 항상 같은 양만큼 유지되려면 매일 자라는 풀의 양만큼 풀을 먹는 양이 있으면 됩니다.

양 한 마리가 하루 동안 먹는 풀의 양을 1이라 하고 하루에 자라는 풀의 양을 □라 하여 그림을 그려 보면 다음과 같습니다.

해결 전략

4일 동안 자라는 풀의 양을 구합니다.

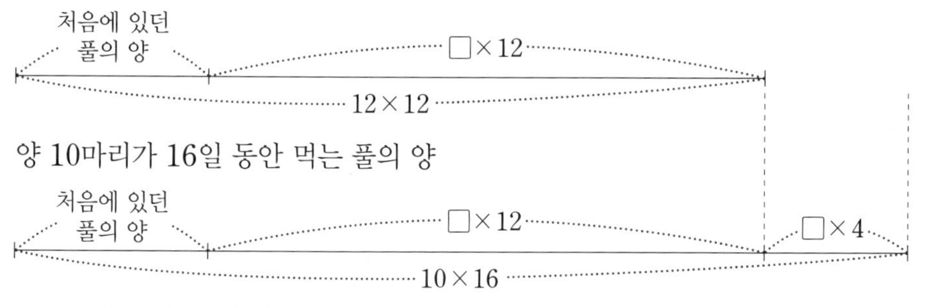

4일 동안 자란 풀의 양이 10$\times$16−12$\times$12=160−144=16이므로 □$\times$4=16, □=4입니다. 따라서 하루에 자라는 풀의 양이 4이므로 이 목장에 넣어야 하는 양의 수는 최대 4마리입니다.

최상위 사고력

96~97쪽

1 81　　2 120분
3 60분　　4 6분

1 김효상 선수는 이번 주에 12타수 5안타를 기록하였으므로 이번 주까지의 타수는 $273+12=285$(타수)입니다.
이번 주까지의 타율이 3할 이상이 되려면 안타 수는
$285\times0.3=85.5$ 이상이어야 하므로 □ 안에 들어갈 수 있는 수 중에 가장 작은 수는 $86-5=81$입니다.

> 해결 전략
> (타수)×(타율)=(안타 수)

2 수조가 가득 찰 때의 물의 양을 1이라 하고
수도꼭지에서 1분 동안 나오는 물의 양을 $\frac{1}{60}$,
1분 동안 빠지는 물의 양을 $\frac{1}{40}$이라 하면
(1분 동안 줄어드는 물의 양)
=(1분 동안 빠지는 물의 양)−(수도꼭지에서 1분 동안 나오는 물의 양)
$=\frac{1}{40}-\frac{1}{60}=\frac{1}{120}$입니다.
따라서 수조의 물이 완전히 빠지는 데 120분이 걸립니다.

3 전체 일의 양을 1이라 하고
건창, 원태, 정음이가 하루 동안 하는 일의 양을 차례로 ㉠, ㉡, ㉢이라 하면
㉠+㉡$=\frac{1}{12}$, ㉡+㉢$=\frac{1}{15}$, ㉠+㉢$=\frac{1}{20}$입니다.
위의 세 식을 모두 더하면
㉠+㉡+㉡+㉢+㉠+㉢
=(㉠+㉡+㉢)$\times2=\frac{1}{12}+\frac{1}{15}+\frac{1}{20}=\frac{1}{5}$,
㉠+㉡+㉢$=\frac{1}{10}$입니다.
정음이가 하루 동안 하는 일의 양은
(㉠+㉡+㉢)−(㉠+㉡)$=\frac{1}{10}-\frac{1}{12}=\frac{1}{60}$입니다.
따라서 이 일을 처음부터 정음이가 혼자서 하면 $1\div\frac{1}{60}=60$(분)만에 끝낼 수 있습니다.

4 1분 동안 줄을 서는 사람의 수를 ㉠, 1분 동안 매표소 1곳에서 표를 사는 사람의 수를 ㉡이라고 하고 수직선에 그림을 그려 나타내면

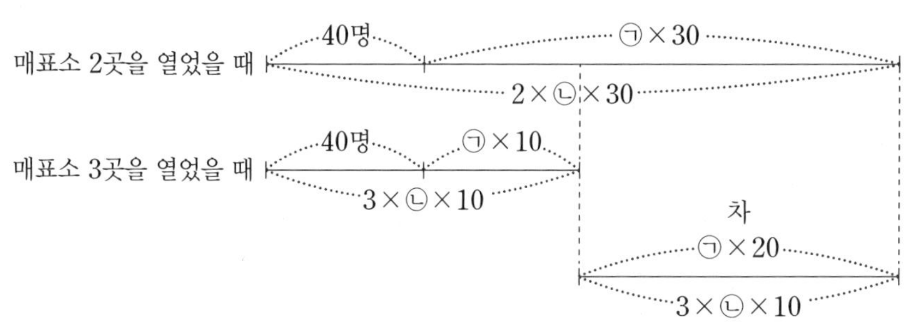

㉠×20=3×㉡×10이므로 ㉠=1.5×㉡입니다.
매표소 2곳을 열었을 때 40+㉠×30=2×㉡×30이므로
㉠ 대신 1.5×㉡을 넣으면 40+1.5×㉡×30=60×㉡,
40+45×㉡=60×㉡, 40=15×㉡, ㉡=$2\frac{2}{3}$, ㉠=1.5×$2\frac{2}{3}$=4입니다.
매표소 4곳을 열었을 때 표를 사기 위해 기다리는 사람이 모두 없어지는 데 걸리는 시간을 □라 하고 그림을 그려 나타내면

매표소 4곳을 열었을 때: 40명, 4×□, 4×$2\frac{2}{3}$×□

40+4×□=$10\frac{2}{3}$×□, 40=$10\frac{2}{3}$×□−4×□,
40=$\left(10\frac{2}{3}-4\right)$×□, 40=$6\frac{2}{3}$×□, □=40÷$6\frac{2}{3}$=6
따라서 매표소 4곳을 동시에 열면 6분만에 줄이 없어집니다.

Review III 규칙

98~100쪽

1 오후 4시 45분	**2** 30000원	**3** 540m
4 300m	**5** 13.6%	**6** 30일

1 민정이가 동대문에서 창의문까지 걸은 시간은
7200÷60=120(분) ➡ 2시간입니다.
중간에 쉰 시간은 모두 15×3=45(분)이므로 민정이가 창의문에 도착한 시각은 오후 2시에서 2시간 45분 후인 오후 4시 45분입니다.

2 가방의 정가를 □원이라 하면
(㉮ 가게의 가방 판매 가격)=(0.7×□)원,
(㉯ 가게의 가방 판매 가격)=(0.75×□)원입니다.
㉯ 가게의 판매가격이 1500원 더 비싸므로
0.75×□−0.7×□=1500, 0.05×□=1500, □=30000
따라서 가방의 정가는 30000원입니다.

해결 전략
가방의 정가를 □원이라 하여 ㉮ 가게와 ㉯ 가게의 판매 가격을 □를 이용하여 나타냅니다.

보충 개념
0.75×□−0.7×□
=(0.75−0.7)×□
=0.05×□

3 갈 때의 속력은 분속 60 m입니다.
올 때의 속력은 초속 3 m이므로 분속 $3\times60=180$(m)입니다.
집에서 도서관까지의 거리를 □m라 하면
(갈 때 걸린 시간)$=\dfrac{□}{60}$(분), (올 때 걸린 시간)$=\dfrac{□}{180}$(분)입니다.
(갈 때 걸린 시간)−(올 때 걸린 시간)=6분이므로
$\dfrac{□}{60}-\dfrac{□}{180}=6$, $\dfrac{□\times2}{180}=6$, $\dfrac{□}{90}=6$, $□=6\times90$, $□=540$(m)
입니다.
따라서 집에서 도서관까지의 거리는 540 m입니다.

> **해결 전략**
> 집에서 도서관까지의 거리를 □m라 하고
> (거리)÷(속력)=(시간)을 이용합니다.

4 터널과 터널 사이도 터널이라고 생각하여 식을 세워 봅니다.
(터널의 길이)$=550+1100+550=2200$(m)입니다.
기차는 1시간에 360 km를 달리므로 1분에 $360000\div60=6000$(m),
1초에 $6000\div60=100$(m)를 달립니다.
(25초 동안 이동한 거리)$=100\times25=2500$(m)이므로
(열차의 길이)=(이동한 거리)−(터널의 길이)
$=2500-2200=300$(m)입니다.

> **해결 전략**
> 기차가 터널을 완전히 통과하므로
> (열차의 길이)=(이동한 거리)−(터널의 길이)입니다.

5 처음 소금물의 소금의 양을 □g라 하고 소금물 500 g에 소금을 40 g 더 넣으면 소금물의 양은 540(g), 소금의 양은 (□+40)g이 됩니다.
농도가 20 %인 소금물이므로
$\dfrac{□+40}{540}\times100=20$, $\dfrac{(□+40)\times100}{540}=20$,
$(□+40)\times100=10800$, $□+40=108$, $□=68$입니다.
따라서 처음 소금물의 농도는 $\dfrac{68}{500}\times100=13.6$(%)입니다.

> **해결 전략**
> 처음 소금물 500 g에 들어 있는 소금의 양을 먼저 구합니다.

6 전체 일의 양을 1이라 하면 진우와 동호가 함께 3일 동안 한 일의 양은 $\dfrac{2}{5}$이므로 두 사람이 함께 하루 동안 하는 일의 양은 $\dfrac{2}{5}\div3=\dfrac{2}{15}$입니다.
동호 혼자서 6일 동안 하는 일의 양은 전체의 $\dfrac{3}{5}$이므로 동호가 혼자서 하루 동안 하는 일의 양은 $\dfrac{3}{5}\div6=\dfrac{1}{10}$입니다.
따라서 진우 혼자서 하루 동안 하는 일의 양은 $\dfrac{2}{15}-\dfrac{1}{10}=\dfrac{1}{30}$이므로
진우가 혼자서 일을 하면 $1\div\dfrac{1}{30}=30$(일) 만에 끝낼 수 있습니다.

> **해결 전략**
> 전체 일의 양을 1이라 하고 진우와 동호가 하루 동안 하는 일의 양을 구합니다.

Ⅳ 측정

이번 단원에서는 각기둥, 각뿔과 같이 모양이 단순한 입체도형에서부터 안으로 들어간 부분이 있거나 구멍이 뚫린 복잡한 입체도형까지 다양한 모양의 입체도형의 부피와 겉넓이를 구해 봅니다.

11 입체도형의 부피에서는 우리가 이미 알고 있는 밑면이 직사각형인 사각기둥을 기본으로 하여 삼각기둥과 사각뿔 등 여러 가지 모양의 각기둥과 각뿔의 부피를 구해 봅니다. 또 각기둥과 각뿔의 부피에 대한 심화 내용으로 사각기둥 모양의 그릇 안에 들어 있는 물의 부피, 물이 담긴 그릇의 밑면의 넓이, 물의 담긴 그릇의 높이를 구하는 문제를 학습합니다.

12 입체도형의 겉넓이와 부피에서는 복잡한 입체도형의 겉넓이를 간단히 구하는 방법을 알아보고 이어서 쌓기나무로 만든 다양한 모양의 입체도형을 색칠한 뒤 색칠된 면이 1개, 2개, 3개……인 쌓기나무의 개수에 대해 알아봅니다. 마지막으로 쌓기나무로 쌓아 만든 입체도형을 이용하여 부피가 일정할 때 겉넓이가 최대인 경우와 최소인 경우를 구하는 문제를 해결합니다.

최상위 사고력 11 입체도형의 부피

11-1. 각기둥과 각뿔의 부피 102~103쪽

1 (1) 2, 2, 2, 2, 밑면의 넓이(또는 밑넓이) (2) 6, 6, 2, 3, 3 최상위 사고력 A 2 최상위 사고력 B 5배

저자 톡! 우리는 밑면이 직사각형인 사각기둥의 부피를 (밑면의 넓이)×(높이)로 구할 수 있습니다. 삼각기둥과 사각뿔의 부피는 어떻게 구할 수 있을까요? 이 단원에서는 사각기둥의 부피를 이용하여 각기둥과 각뿔의 부피를 구하는 방법에 대해 알아봅니다. 각기둥과 각뿔의 부피는 복잡한 도형의 부피를 구하는 기초가 되므로 능숙해질 때까지 충분히 연습해야 합니다.

1 (1) 사각기둥의 부피는 (밑면의 넓이)×(높이)로 구할 수 있습니다.
밑면이 삼각형인 삼각기둥의 부피도 사각기둥을 반으로 나누어 (밑면의 넓이)×(높이)로 구할 수 있습니다.
따라서 모든 각기둥의 부피는 밑면을 삼각형으로 잘라 생긴 삼각기둥의 부피를 모두 더하여 구할 수 있습니다.

(2) 정육면체에 대각선을 그으면 대각선들은 한 점에서 만납니다. 이 점과 정육면체의 각 면의 꼭짓점을 이으면 6개의 합동인 사각뿔이 만들어집니다.

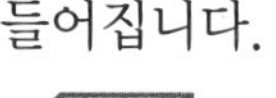
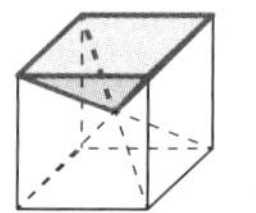
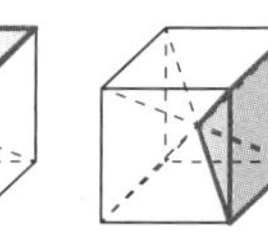
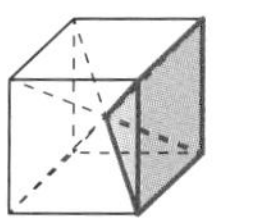
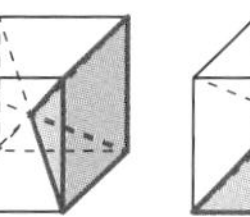
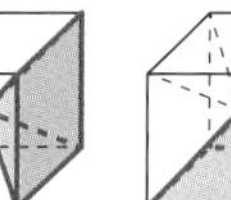
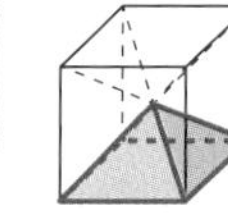
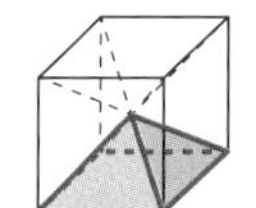
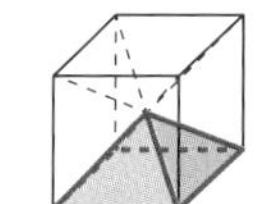

따라서 사각뿔 한 개의 부피는 정육면체의 부피를 6으로 나눈 것 중 하나가 되므로 (사각뿔의 부피)=(정육면체의 부피)$\times\frac{1}{6}$입니다.

보충 개념

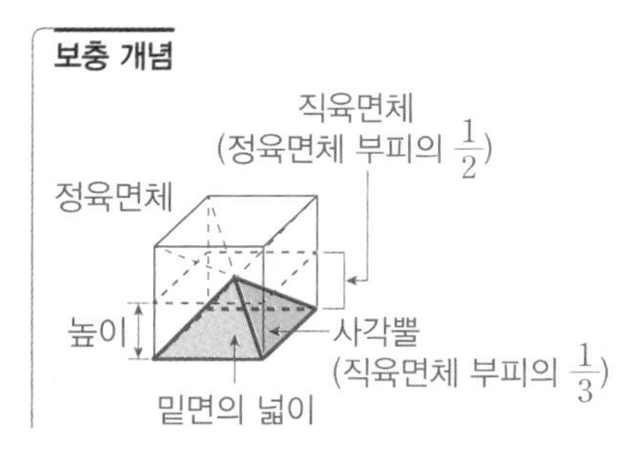

이 사각뿔과 밑면과 높이가 같은 사각기둥을 그려 보면 그 부피는 정육면체의 부피의 절반입니다.

따라서 사각뿔의 부피는 밑면과 높이가 같은 사각기둥의 부피의 $\frac{1}{3}$입니다.

해결 전략

(사각뿔의 부피)=(정육면체의 부피)$\times\frac{1}{6}$…㉠

(①의 부피)=(정육면체의 부피)$\times\frac{1}{2}$ → (정육면체의 부피)=(①의 부피)$\times 2$…㉡

㉡의 식을 ㉠의 식에 넣으면

(사각뿔의 부피)=(①의 부피)$\times 2\times\frac{1}{6}$=(①의 부피)$\times\frac{1}{3}$

최상위 사고력 A (가에 들어 있는 물의 부피)$=6\times4\div2\times3\times\frac{1}{3}=12(cm^3)$

가와 나에 들어 있는 물의 부피는 서로 같으므로

(나에 들어 있는 물의 부피)$=4\times$㉠$\div2\times3=12(cm^3)$입니다.

따라서 $4\times$㉠$\div2=4$, $4\times$㉠$=8$, ㉠$=2$입니다.

해결 전략

가에 들어 있는 물의 부피는 각뿔의 부피를 이용하여 구하고, 나에 들어 있는 물의 부피는 각기둥의 부피를 이용하여 구합니다.

최상위 사고력 B 정육면체의 한 모서리의 길이를 ㉠이라 하면

밑면의 넓이

높이

(정육면체의 부피)=㉠$\times$㉠$\times$㉠

(잘라낸 삼각뿔의 부피)

=(밑면의 넓이)$\times$(높이)$\times\frac{1}{3}$

=(㉠$\times$㉠$\times\frac{1}{2}$)$\times$㉠$\times\frac{1}{3}$=㉠$\times$㉠$\times$㉠$\times\frac{1}{6}$

(잘라내고 남은 부분의 부피)

=㉠$\times$㉠$\times$㉠$-$㉠$\times$㉠$\times$㉠$\times\frac{1}{6}$=㉠$\times$㉠$\times$㉠$\times\frac{5}{6}$

따라서 (잘라내고 남은 부분의 부피) : (잘라낸 삼각뿔의 부피)는

$\frac{5}{6}:\frac{1}{6}$이므로 잘라내고 남은 부분의 부피는 잘라낸 삼각뿔의 부피의

5배입니다.

해결 전략

정육면체의 한 모서리의 길이를 ㉠이라 하고 정육면체와 삼각뿔의 부피를 ㉠을 이용하여 나타냅니다.

보충 개념

㉠$\times$㉠$\times$㉠=■라 하면

㉠$\times$㉠$\times$㉠$-$㉠$\times$㉠$\times$㉠$\times\frac{1}{6}$

=■$-$■$\times\frac{1}{6}$=■$\times1-$■$\times\frac{1}{6}$

=■$\times(1-\frac{1}{6})$=■$\times\frac{5}{6}$

11-2. 복잡한 입체도형의 부피

104~105쪽

1 (1) $200cm^3$ (2) $60cm^3$ **2** $540cm^3$ **최상위 사고력** $144cm^3$

저자 톡! 앞에서 단순한 입체도형의 부피를 구했다면, 이 단원에서는 안으로 들어간 부분이 있거나 구멍이 뚫린 입체도형 등 복잡한 입체도형의 부피를 구하는 방법에 대해 학습합니다. 복잡한 평면도형의 넓이를 구할 때 여러 부분으로 나누어 넓이를 구했던 것과 마찬가지로 복잡한 입체도형의 부피를 구할 때에도 각기둥이나 각뿔로 나누어 부피를 구할 수 있습니다.

1 (1) (입체도형의 부피)

=(큰 사각기둥의 부피)

−(작은 사각기둥의 부피)

$=8\times5\times7-4\times5\times4=200(cm^3)$

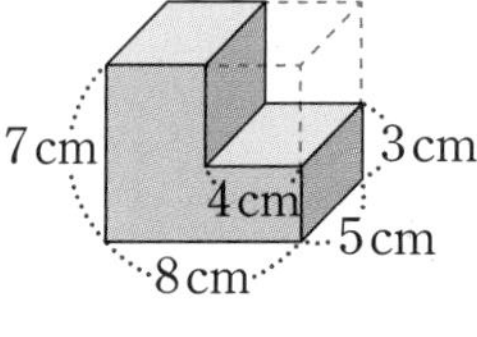

(2) (입체도형의 부피)

=(위쪽 삼각기둥의 부피)

+(아래쪽 사각기둥의 부피)

$=(4\times2\div2)\times5+4\times5\times2$

$=20+40=60(cm^3)$

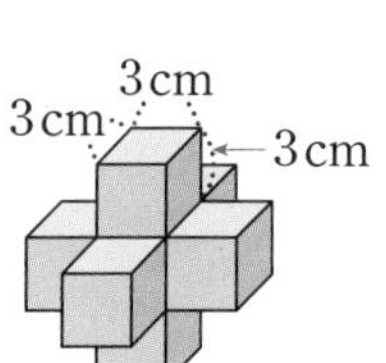

해결 전략

(1) 안으로 들어간 부분이 모두 차 있는 것으로 생각하여 부피의 차를 이용합니다.

(2) 사각기둥과 삼각기둥으로 나누어 부피의 합을 이용합니다.

2 정육면체에서 구멍이 뚫린 부분은 오른쪽과 같이 한 모서리의 길이가 3cm인 정육면체 7개를 붙여 놓은 것과 같습니다.

(입체도형의 부피)

=(한 모서리의 길이가 9cm인 정육면체의 부피)

−(한 모서리의 길이가 3cm인 정육면체의 부피)×7

$=9\times9\times9-3\times3\times3\times7$

$=729-189=540(cm^3)$

해결 전략

비어 있는 안쪽 부분이 어떻게 생겼는지 생각해 봅니다.

최상위 사고력 구멍을 뚫기 전의 직육면체의 부피에서 위와 아래를 관통하는 직육면체(㉠)의 부피를 빼고 앞과 뒤의 직육면체(㉡, ㉡′)와 왼쪽과 오른쪽의 직육면체(㉢, ㉢′)의 부피를 뺍니다.

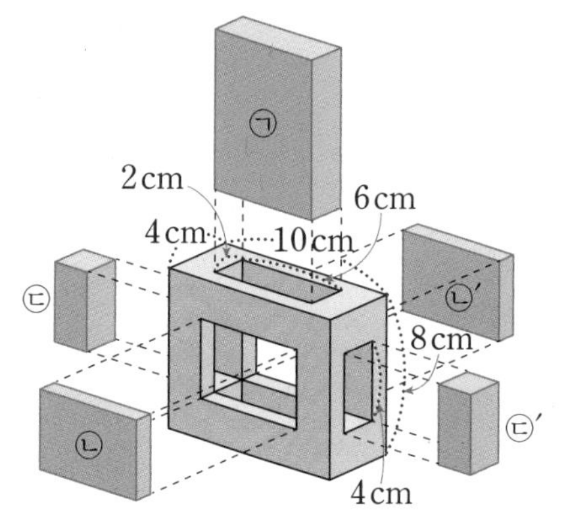

(입체도형의 부피)

=(구멍을 뚫기 전의 직육면체의 부피)−(㉠+(㉡+㉡′)+(㉢+㉢′))

$=10\times4\times8-(6\times2\times8+6\times2\times4+4\times2\times4)$

$=320-(96+48+32)$

$=320-176=144(cm^3)$

보충 개념

(㉡+㉡′의 부피)

$=6\times(4-2)\times4$

$=48(cm^3)$

(㉢+㉢′의 부피)

$=(10-6)\times2\times4$

$=32(cm^3)$

11-3. 물의 높이

1 7 : 3 **2** 9cm 최상위 사고력 2cm

저자 톡! 밑넓이가 서로 다른 사각기둥 모양의 그릇에 똑같은 양의 물을 부으면 그릇에 담긴 물의 높이는 서로 다릅니다. 이 단원에서는 밑넓이가 다른 2개의 각기둥 모양의 그릇에서 서로 물을 옮기거나, 물이 담긴 그릇에 직육면체 모양의 막대를 집어넣었을 때 그릇에 담긴 물의 높이의 변화를 통해 그릇에 들어 있는 물의 높이를 구해 봅니다.

1 • 가 그릇에 물을 담는 경우

$3\times2\times$(물의 높이)$=$(물의 부피),

$6\times$(물의 높이)$=42$,

(물의 높이)$=7$cm

• 나 그릇에 물을 담는 경우

$7\times4\div2\times$(물의 높이)$=$(물의 부피),

$14\times$(물의 높이)$=42$,

(물의 높이)$=3$cm

따라서 가 그릇과 나 그릇에 담기게 되는 물의 높이의 비는

가 그릇 : 나 그릇$=7:3$입니다.

해결 전략
사각기둥과 삼각기둥의 부피를 구하는 공식을 이용합니다.

보충 개념
가 그릇의 밑넓이$=6$cm^2
나 그릇의 밑넓이$=14$cm^2
가 그릇과 나 그릇의 밑넓이의 비는
$6:14$ ➡ $3:7$이므로 가 그릇과 나 그릇에 담기게 되는 물의 높이의 비는 $7:3$입니다.

2 1번에서 같은 양의 물을 가 그릇과 나 그릇에 부으면 다음과 같은 비의 관계가 성립합니다.

(가 그릇의 물의 높이) : (나 그릇의 물의 높이)

$=$(나 그릇의 밑넓이) : (가 그릇의 밑넓이)

$=12:4$ ➡ $3:1$

그런데 나 그릇에 물을 가득 담은 후 담은 물의 일부를 가 그릇에 부어 물의 높이가 같아졌으므로

(가 그릇에 담긴 물의 높이) : (나 그릇의 물이 담기지 않은 부분의 높이)

$=3:1$이 됩니다.

따라서 같아진 물의 높이는

(가 그릇에 담긴 물의 높이)$=12\times\frac{3}{4}=9$(cm)입니다.

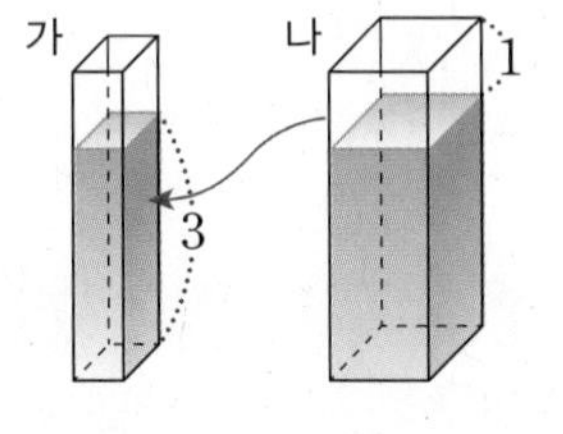

해결 전략
같은 양의 물을 부을 때 가 그릇과 나 그릇의 물의 높이의 비는 가 그릇과 나 그릇의 밑면의 넓이의 비와 같습니다.

보충 개념
나 그릇의 물의 일부를 가 그릇에 부으면 나 그릇에서 물이 담기지 않은 부분의 부피는 가 그릇에 담긴 물의 부피와 같습니다.

다른 풀이
나 그릇에 물을 가득 담으면 (물의 부피)$=12\times12=144$(cm^3)입니다.
나 그릇의 물의 일부를 가 그릇에 부었을 때
(가 그릇의 물의 부피)$+$(나 그릇의 물의 부피)$=144$(cm^3)이고,
같아진 물의 높이를 □cm라 하면
$4\times□+12\times□=144$, $16\times□=144$, $□=9$
따라서 가 그릇에 담긴 물의 높이는 9cm입니다.

보충 개념
나 그릇의 물의 일부를 가 그릇에 부었을 때 두 그릇에 담긴 물의 부피의 합은 나 그릇에 가득 담은 물의 부피와 같습니다.

(막대를 넣기 전의 밑넓이)$=4\times6=24(cm^2)$

(막대를 넣은 후의 밑넓이)$=4\times6-4\times3=12(cm^2)$

(막대를 넣은 후의 물의 높이) : (막대를 넣기 전의 물의 높이)

=(막대를 넣기 전의 밑넓이) : (막대를 넣은 후의 밑넓이)

$=24:12$ ➡ $2:1$입니다.

즉 막대를 넣은 후의 물의 높이는 막대를 넣기 전의 물의 높이의 2배이고 막대를 넣기 전의 물의 높이는 1 cm이므로 막대를 넣은 후의 물의 높이는 2 cm가 됩니다.

> 해결 전략
> 막대를 넣기 전의 그릇의 밑넓이와 막대를 넣은 후의 그릇의 밑넓이의 비를 이용합니다.

최상위 사고력

108~109쪽

1 $320 cm^3$

2 $180 cm^3$

3 4 cm

4 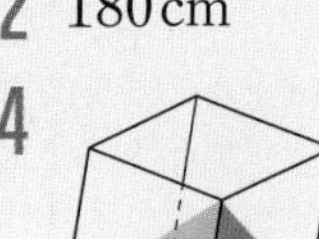 왼쪽과 같이 물을 담는 방법을 생각합니다.

1 물통에 물이 가득 찼을 때의 부피는 그릇의 부피와 같고 흘러넘친 물의 부피는 기울인 그릇에서 물이 들어 있지 않은 빈 부분의 부피와 같습니다.

(남은 물의 부피)

=(그릇의 부피)−(빈 부분의 부피)

$=10\times8\times5-10\times2\div2\times8=400-80=320(cm^3)$

> 해결 전략
> 흘러넘친 물의 부피가 물통의 어느 부분의 부피와 같은지 생각해 봅니다.

> 다른 풀이
> 가, 나 두 부분으로 나누어 부피를 구합니다.
> (가의 부피)$=10\times8\times(5-2)=240(cm^3)$
> (나의 부피)$=(10\times2\div2)\times8=80(cm^3)$
> 따라서 남은 물의 부피는 $240+80=320(cm^3)$입니다.

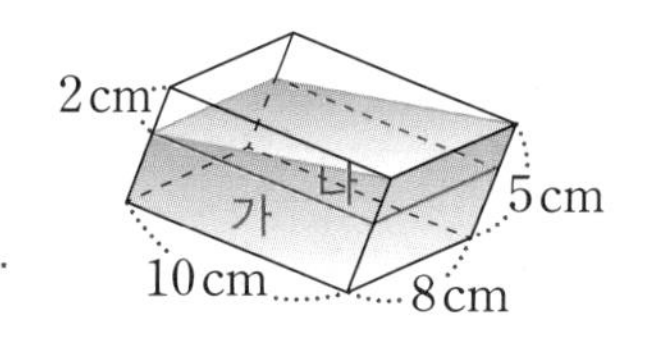

2 주어진 전개도를 접으면 한 모서리의 길이가 6 cm인 정육면체에서 색칠한 삼각뿔을 잘라낸 입체도형이 됩니다.

따라서 전개도를 접었을 때 만들어지는 입체도형의 부피는

$6\times6\times6-(6\times6\div2)\times6\times\frac{1}{3}=216-36=180(cm^3)$입니다.

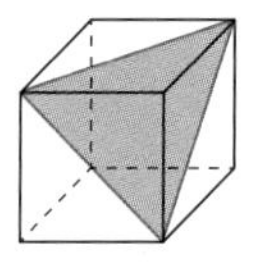

3 주스의 부피는 밑면이 옆에서 본 모양인 사다리꼴이고 높이가 5 cm인 각기둥의 부피와 같습니다.

(주스의 부피)$=((2+6)\times5\div2)\times5=100(cm^3)$입니다.

컵을 기울여도 주스의 부피는 변하지 않으므로 컵을 밑면이 바닥과 맞닿게 세웠을 때의 주스의 높이를 □cm라 하면 컵에 들은 주스의 부피는

$5\times5\times\square=100$, $25\times\square=100$, $\square=4$입니다.

따라서 컵을 밑면이 바닥과 맞닿게 세우면 주스의 높이는 4 cm가 됩니다.

> 해결 전략
> 기울인 컵과 밑면이 바닥과 맞닿게 세운 컵에 들어 있는 주스의 부피는 같음을 이용합니다.

4 그릇에 물을 가득 담은 후 오른쪽과 같이 기울이면 그릇에 남게 되는 물의 부피는 주어진 그릇의 부피와 비교하여 밑면의 넓이가 $\frac{1}{2}$인 뿔 모양의 부피가 됩니다.

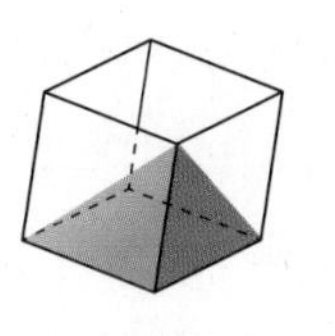

그릇의 들이는 600 mL이고 뿔 모양의 부피는 그릇의 부피의 $\frac{1}{2}\times\frac{1}{3}=\frac{1}{6}$이 되므로 100 mL의 물을 잴 수 있습니다.

해결 전략
어떤 모양이 되도록 물을 담아야 물이 100 mL인지 생각해 봅니다.

다른 풀이

정육면체 모양의 그릇에 가득 담은 물을 삼각기둥 모양만큼 남기면 남은 물의 부피는 정육면체의 부피의 $\frac{1}{2}$, 삼각기둥 모양만큼의 물을 밑면이 같은 삼각뿔 모양만큼 남기면 남은 물의 부피는 삼각기둥의 부피의 $\frac{1}{3}$이 되어 정육면체 모양의 그릇에 가득 담은 물의 양의 $\frac{1}{6}$이 됩니다.

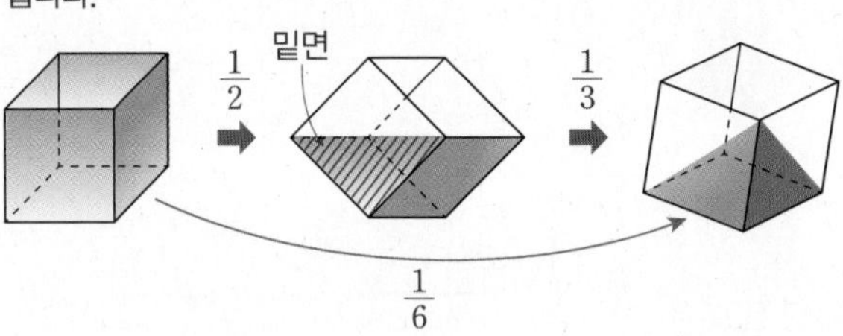

최상위 사고력 **12** 입체도형의 겉넓이와 부피

12-1. 복잡한 입체도형의 겉넓이

110~111쪽

1 (1) $58\,cm^2$ (2) $314\,cm^2$ **2** $27\,cm^3$ 최상위 사고력 $114\,cm^2$

저자 톡! 이 단원에서는 복잡한 입체도형의 겉넓이를 구하는 방법에 대해 학습합니다. ┌┘, └┘ 등과 같은 복잡한 평면도형의 둘레는 안으로 들어간 부분의 변을 이동하여 직사각형 모양으로 바꾼 뒤 구할 수 있습니다. 복잡한 입체도형의 겉넓이도 같은 방법으로 면을 이동하여 직육면체 모양으로 바꾼 뒤 구할 수 있습니다. 이때 면을 이동하면서 중복되거나 남는 면이 없도록 주의하여 모양을 변형합니다.

1 (1) ((㉠+㉡)의 넓이)$=9\,cm^2$,
(한 모서리의 길이가 3 cm인 정육면체 다섯 면의 넓이의 합)$=9\times5=45(cm^2)$,
(한 모서리의 길이가 1 cm인 정육면체의 네 면의 넓이의 합)
$=1\times4=4(cm^2)$입니다.
따라서 입체도형의 겉넓이는 $9+45+4=58(cm^2)$입니다.

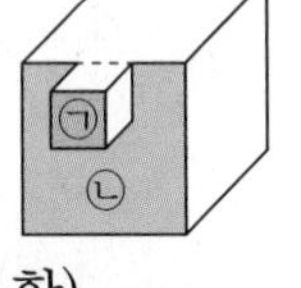

(2) 안쪽으로 들어간 세 면을 평행하게 앞, 옆, 위로 이동시키면 밑면의 가로가 9 cm, 세로가 5 cm, 높이가 8 cm인 오른쪽과 같은 직육면체를 만들 수 있습니다.

해결 전략
겉넓이를 구하기 복잡한 도형은 겉넓이를 알기 쉬운 간단한 도형으로 바꾸어 구해 봅니다.

이 직육면체와 주어진 입체도형의 겉넓이는 같으므로 주어진 입체도형의 겉넓이는

$(9\times5+9\times8+5\times8)\times2=157\times2=314(cm^2)$입니다.

2 • 위와 아래에서 본 모양 • 앞과 뒤에서 본 모양 • 오른쪽 옆과 왼쪽 옆에서 본 모양 • 보이지 않는 면

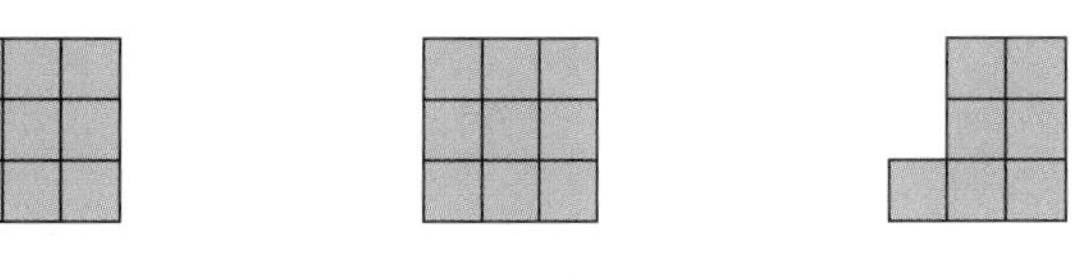

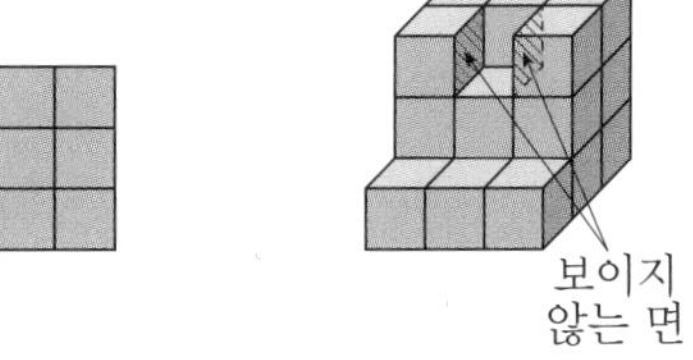

위와 아래, 앞과 뒤, 오른쪽 옆과 왼쪽 옆에서 보이는 정육면체 면은 $(9+7+9)\times2=50$(개)입니다.

모양을 둘러싼 면 중에서 위와 아래, 앞과 뒤, 오른쪽 옆과 왼쪽 옆 어느 방향에서도 보이지 않는 면은 2개이므로 모양을 둘러싼 정육면체 면은 모두 52개입니다.

입체도형의 겉넓이가 $468cm^2$이므로 정육면체 모양의 상자 한 면의 넓이는 $468\div52=9(cm^2)$이고 한 모서리의 길이는 3 cm입니다.

따라서 정육면체 모양의 상자 1개의 부피는 $3\times3\times3=27(cm^3)$입니다.

> 해결 전략
> 겉넓이는 위와 아래, 앞과 뒤, 오른쪽 옆과 왼쪽 옆에서 보이는 모양의 면의 넓이와 어느 방향에서도 보이지 않는 면의 넓이를 더하여 구합니다.

최상위 사고력 쌓기나무 8개를 빼내기 전의 겉넓이는 $4\times4\times6=96(cm^2)$입니다. 이 중에서 파란색 쌓기나무 8개를 빼내면 겉넓이는 다음과 같이 변합니다.

> 해결 전략
> 쌓기나무를 빼낼 때 겉넓이가 변하지 않는 것과 변하는 것으로 나누어 생각합니다.

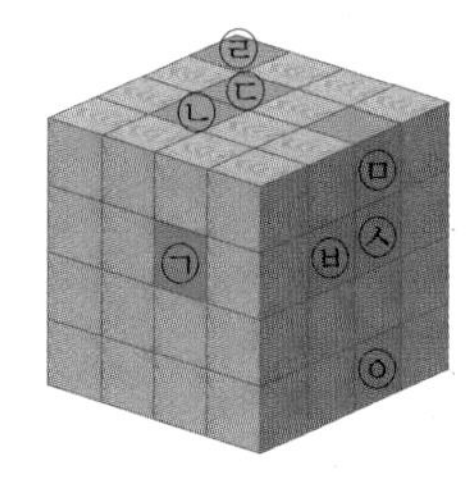

㉠을 빼내면 $4cm^2$가 커집니다.

㉡과 ㉢을 빼내면 $6cm^2$가 커집니다.

㉣을 빼내면 겉넓이는 변하지 않습니다.

㉤, ㉥, ㉦을 빼내면 $6cm^2$가 커집니다.

㉧을 빼내면 $2cm^2$가 커집니다.

따라서 파란색 쌓기나무 8개를 모두 빼내면 겉넓이가 $4+6+6+2=18(cm^2)$ 커지므로 남는 모양의 겉넓이는 $96+18=114(cm^2)$입니다.

12-2. 색칠된 쌓기나무의 개수

112~113쪽

1 7개 **2** 72개 **최상위 사고력** 210개

저자 톡! 이 단원에서는 쌓기나무로 쌓은 입체도형을 색칠하였을 때 색칠된 쌓기나무의 면의 개수가 위치에 따라 어떻게 다른지 알아봅니다. 입체도형의 꼭짓점과 모서리에 주목하여 색칠된 면이 0개, 1개, 2개, 3개……인 쌓기나무의 개수가 몇 개인지 구해 봅니다.

1 바닥 면을 제외한 모든 면에 빨간색을 칠하면 세 면이 칠해지는 쌓기나무는 오른쪽과 같이 7개입니다.

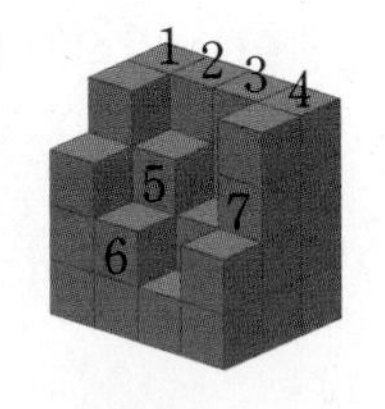

2 위와 아래, 앞과 뒤, 오른쪽 옆과 왼쪽 옆에서 보이는 면의 수는 모두
$(8+8+8)\times 2=48$(개)입니다.

위 앞 옆

옆

앞

어느 방향에서도 보이지 않는 면에도 페인트가 묻고 보이지 않는 면의 수는 모두 $4\times 6=24$(개)입니다.

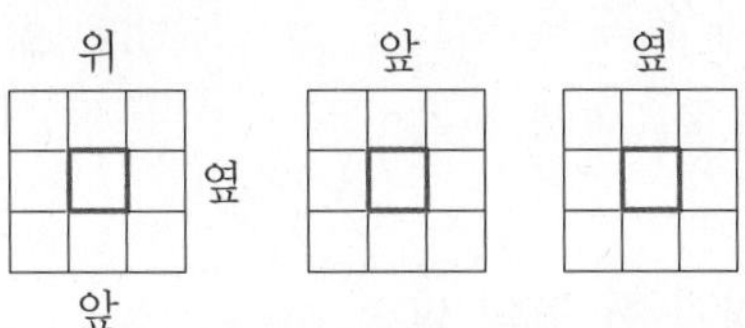

따라서 페인트가 묻은 면의 수는 모두 $48+24=72$(개)입니다.

최상위 사고력 한 면도 색칠되지 않은 쌓기나무가 125개이고 $5\times 5\times 5=125$이므로 각 모서리에 쌓은 쌓기나무의 개수를 □개라 하면
$(□-2)\times(□-2)\times(□-2)=5\times 5\times 5$이므로 각 모서리에 쌓은 쌓기나무는 7개입니다. 따라서 쌓은 정육면체는 쌓기나무가 각 모서리에 7개씩 모두 $7\times 7\times 7=343$(개)로 쌓은 정육면체입니다. 이 정육면체를 색칠하였을 때 세 면이 색칠된 쌓기나무는 꼭짓점에 있는 8개입니다.
따라서 한 면 또는 두 면이 색칠된 쌓기나무는
$343-125-8=210$(개)입니다.

다른 풀이
각 모서리에 쌓은 쌓기나무가 7개일 때 각 면에서 모서리 부분에 있는 쌓기나무를 제외한 가운데 부분은 한 면이 색칠되므로 한 면이 색칠된 쌓기나무의 개수는 모두 $5\times 5\times 6=150$(개)입니다. (6: 정육면체 면의 개수) 꼭짓점을 제외한 모서리에 있는 쌓기나무는 두 면이 색칠되므로 두 면이 색칠된 쌓기나무의 개수는 모두 $5\times 12=60$(개)입니다. (12: 정육면체 모서리의 개수)
따라서 한 면 또는 두 면이 색칠된 쌓기나무는 $150+60=210$(개)입니다.

해결 전략
(한 면 또는 두 면이 색칠된 쌓기나무 개수)
=(전체 쌓기나무 개수)−(한 면도 색칠되지 않은 쌓기나무 개수)−(세 면이 색칠된 쌓기나무 개수)

보충 개념
한 모서리에 쌓은 쌓기나무가 3개일 때:
한 면도 색칠되지 않은 쌓기나무 개수
➡ $(3-2)\times(3-2)\times(3-2)$
한 모서리에 쌓은 쌓기나무가 4개일 때:
한 면도 색칠되지 않은 쌓기나무 개수
➡ $(4-2)\times(4-2)\times(4-2)$
⋮
한 모서리에 쌓은 쌓기나무가 □개일 때:
한 면도 색칠되지 않은 쌓기나무 개수
➡ $(□-2)\times(□-2)\times(□-2)$

12-3. 겉넓이의 최대·최소

114~115쪽

1 마에 ○표 **2** $50 cm^2$, $32 cm^2$ **최상위 사고력** $128 cm^2$

저자 톡! 이 단원에서는 쌓기나무로 쌓은 모양의 겉넓이가 최대일 때와 최소일 때를 알아봅니다. 같은 개수의 쌓기나무로 여러 가지 모양의 입체도형을 만들면 입체도형의 부피는 모두 같지만 겉넓이는 모두 다를 수 있습니다. 부피가 같은 입체도형 중에서 겉넓이가 최소인 도형은 '구'라는 사실을 기억하고 문제를 해결하면 부피가 일정한 입체도형의 서로 다른 겉넓이를 구하는데 도움이 됩니다.

1 쌓기나무의 두 면이 맞닿아 있는 부분이 가, 나, 다, 라, 바는 3곳, 마는 4곳입니다. 쌓기나무 1개의 겉넓이는 $6\,cm^2$이므로 겉넓이를 구하면

(가, 나, 다, 라, 바의 겉넓이)$=6\times4-\underbrace{1\times2\times3}_{\text{맞닿은 면의 넓이의 합}}=18(cm^2)$

(마의 겉넓이)$=6\times4-1\times2\times4=16(cm^2)$

따라서 겉넓이가 다른 것은 마입니다.

해결 전략
(쌓기나무 4개로 만든 모양의 겉넓이)
=(쌓기나무 4개의 겉넓이의 합)
−(붙어 있는 면의 넓이)

2 정육면체 12개로 직육면체를 쌓을 수 있는 경우는 다음과 같이 모두 4가지입니다.

가로(개)	세로(개)	높이(개)	겉넓이(cm^2)
1	1	12	$(1\times1+1\times12+1\times12)\times2=50$
1	2	6	$(1\times2+1\times6+2\times6)\times2=40$
1	3	4	$(1\times3+1\times4+3\times4)\times2=38$
2	2	3	$(2\times2+2\times3+2\times3)\times2=32$

따라서 겉넓이가 최대일 때는 $50\,cm^2$이고, 최소일 때는 $32\,cm^2$입니다.

보충 개념
정육면체로 쌓은 모양의 겉넓이를 크게 하려면 두 면이 맞닿은 면의 수를 최소로 하고, 겉넓이를 작게 하려면 두 면이 맞닿은 면의 수를 최대로 해야 합니다.
따라서 정육면체를 길게 이어 붙이면 겉넓이는 커지고, 정육면체 모양에 가까워지면 겉넓이는 작아집니다.

최상위 사고력 4개의 모양을 면끼리 붙여서 겉넓이가 가장 작은 입체도형을 만들려면 정육면체 모양에 가깝게 만들어야 합니다.

한 변의 길이가 $2\,cm$인 정사각형의 넓이는 $4\,cm^2$이므로 위와 같은 모양의 입체도형의 겉넓이는

$(6\times4+6\times4+4\times4)\times2=64\times2=128(cm^2)$입니다.

해결 전략
4개의 조각을 붙여 정육면체 모양에 가깝게 만들어 봅니다.

최상위 사고력

116~117쪽

1 $270\,cm^2$ 2 $128\,cm^2$
3 $168\,cm^3$ 4 $54\,cm^2$

1 입체도형을 위, 앞, 옆에서 본 모양의 넓이가 모두 같으므로 한 쪽에서 보이는 면의 넓이의 규칙을 구하면 다음과 같습니다.

순서	1번째	2번째	3번째	……	8번째	9번째
한 쪽에서 보이는 면의 넓이(cm^2)	1	1+2	1+2+3	……	1+2+3+……+8	1+2+3+……+9

따라서 9번째 입체도형의 겉넓이는

$(1+2+3+\cdots\cdots+9)\times6=45\times6=270(cm^2)$입니다.

해결 전략
위, 앞, 옆에서 본 모양의 넓이를 이용합니다.

2 정육면체를 다음과 같이 합동인 삼각기둥 4개로 자르면 삼각기둥 1개의 부피와 나머지 부분의 부피의 비는 1 : 3이 됩니다.

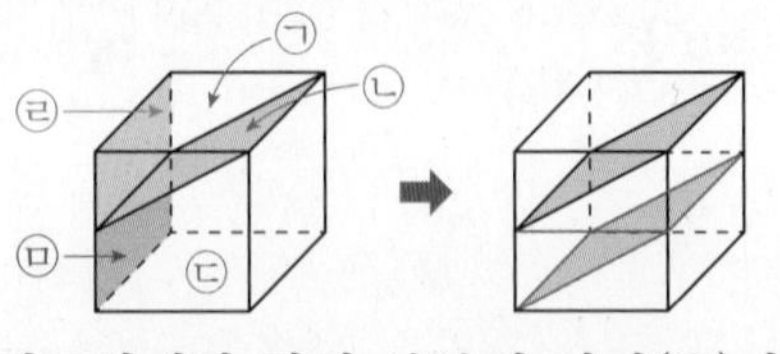

왼쪽의 잘린 두 입체도형에서 잘린 부분의 넓이(㉡)가 같고, 윗면(㉠)과 아랫면(㉢)의 넓이도 서로 같습니다.
또 면 ㉣과 면 ㉤의 넓이도 서로 같으므로 두 입체도형의 겉넓이의 차는 ㉠, ㉡, ㉢, ㉣, ㉤ 이외의 나머지 부분의 겉넓이의 차와 같습니다.
왼쪽의 잘린 두 입체도형을 보면
(위쪽 입체도형에서 ㉠, ㉡, ㉣을 제외한 나머지 부분의 넓이)
$=(8\times4\div2)\times2=32(cm^2)$ — 직각을 낀 두 변의 길이가 각각 8 cm, 4 cm인 직각삼각형 2개의 넓이
(아래쪽 입체도형에서 ㉡, ㉢, ㉤을 제외한 나머지 부분의 넓이)
$=((4+8)\times8\div2)\times2+8\times8=160(cm^2)$ — 윗변의 길이가 4 cm, 아랫변의 길이가 8 cm, 높이가 8 cm인 사다리꼴 2개의 넓이와 한 변의 길이가 8 cm인 정사각형의 넓이의 합
따라서 두 입체도형의 겉넓이의 차는 $160-32=128(cm^2)$입니다.

해결 전략
부피의 비가 1 : 3이 되기 위해 정육면체를 어떻게 잘라야 하는지 먼저 생각해 봅니다.

3 직육면체의 전개도에서 색칠한 면을 직육면체의 한 밑면이라 할 때 전개도를 접어 만들어지는 직육면체의 밑면의 짧은 변의 길이를 ■cm라 하면

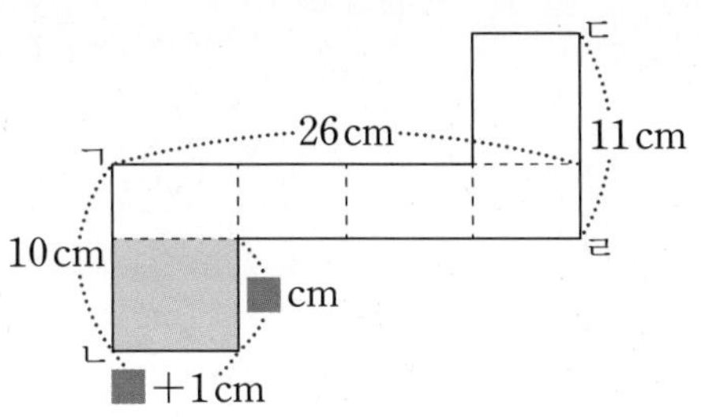

밑면의 둘레는 26 cm이므로 (■+(■+1))×2=26,
■+(■+1)=13, ■+■=12, ■=6입니다.
따라서 밑면은 두 변의 길이가 6 cm, 7 cm인 직사각형입니다.
또 직육면체의 높이는 $10-6=4(cm)$이므로 만들어지는 입체도형의 부피는 $7\times6\times4=168(cm^3)$입니다.

해결 전략
선분 ㄱㄴ, 선분 ㄷㄹ의 길이가 10 cm, 11 cm이므로 직육면체의 밑면의 짧은 변의 길이를 ■cm라 하면 밑면의 나머지 한 변의 길이는 (■+1) cm입니다.

다른 풀이
전개도에서 길이가 같은 곳에 ●, ▲, ■를 각각 표시합니다.

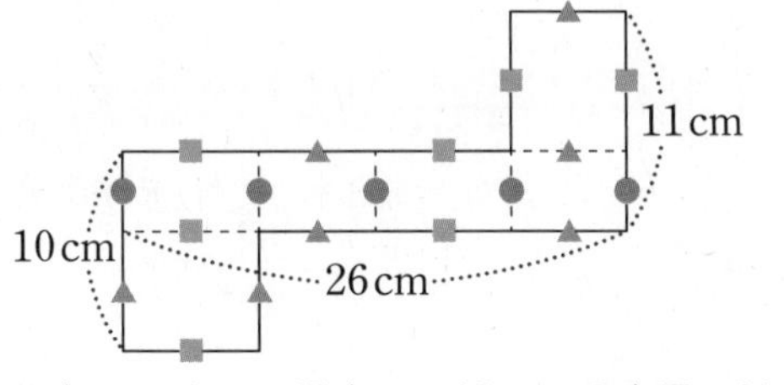

●+▲=10 cm, ■+▲=13 cm, ●+■=11 cm
2×(●+▲+■)=34 cm, ●+▲+■=17 cm이므로
●=4 cm, ▲=6 cm, ■=7 cm입니다.
따라서 입체도형의 부피는 $7\times6\times4=168(cm^3)$입니다.

4 겉넓이가 최소가 되려면 두 면이 맞닿아 있는 부분의 수를 최대로 하여 정육면체 모양을 만들어야 합니다.
쌓기나무 27개로 쌓은 정육면체에서 겉넓이가 늘어나지 않도록 쌓기나무 2개를 뺄 수 있습니다.

> 해결 전략
> 겉넓이가 늘어나지 않도록 하려면 정육면체의 어느 위치에서 쌓기나무를 빼야 하는지 생각합니다.

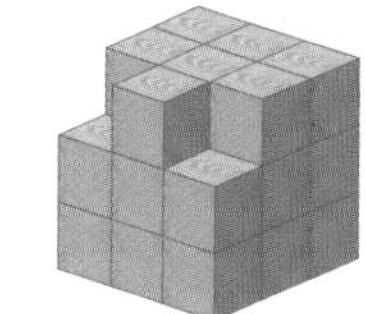

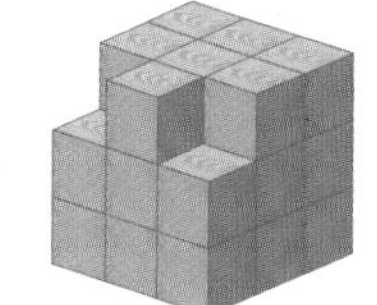

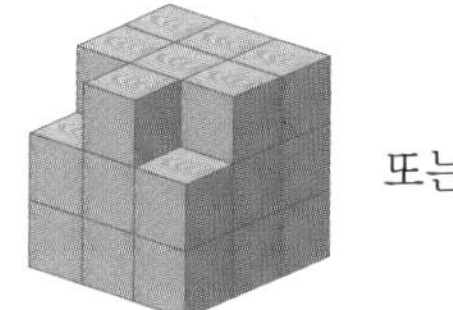
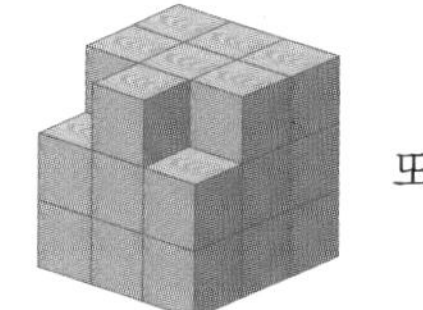
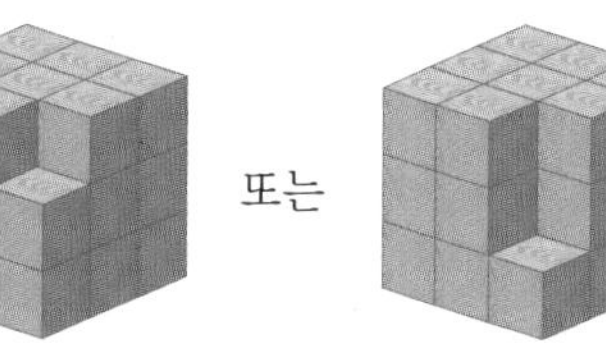

각 꼭짓점에서 쌓기나무를 1개씩 2개를 빼거나 모서리에 붙어 있는 쌓기나무 2개를 뺍니다.
따라서 쌓기나무 27개로 쌓은 정육면체의 겉넓이와 같으므로 쌓기나무 25개를 겉넓이가 최소가 되도록 쌓은 쌓기나무의 겉넓이는
$9\times6=54(cm^2)$입니다.

Review Ⅳ 측정

118~120쪽

1 $72cm^2$	**2** $504cm^2$	**3** $216cm^2$
4 $64cm^3$	**5** $6cm$	**6** $36cm^3$

1 • 위와 아래에서 본 모양 • 앞과 뒤에서 본 모양 • 오른쪽 옆, 왼쪽 옆에서 본 모양

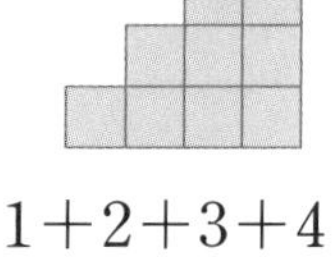

$4\times4=16$(개) $1+2+3+4=10$(개) $1+2+3+4=10$(개)

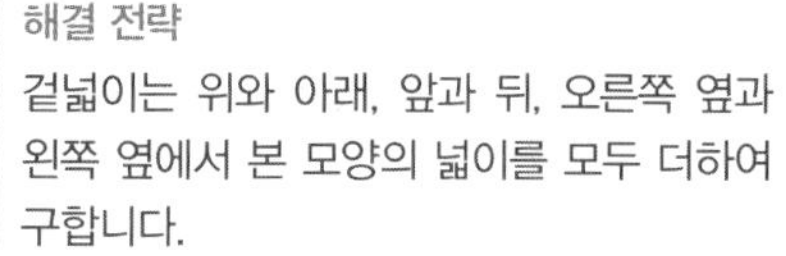

> 해결 전략
> 겉넓이는 위와 아래, 앞과 뒤, 오른쪽 옆과 왼쪽 옆에서 본 모양의 넓이를 모두 더하여 구합니다.

쌓기나무 한 면의 넓이가 $1cm^2$이므로 입체도형의 겉넓이는
$(16+10+10)\times2=36\times2=72(cm^2)$입니다.

2 직육면체를 다음과 같이 모양과 크기가 같은 직육면체 12개로 잘랐을 때 잘라진 직육면체 1개의 모양은 다음과 같습니다.

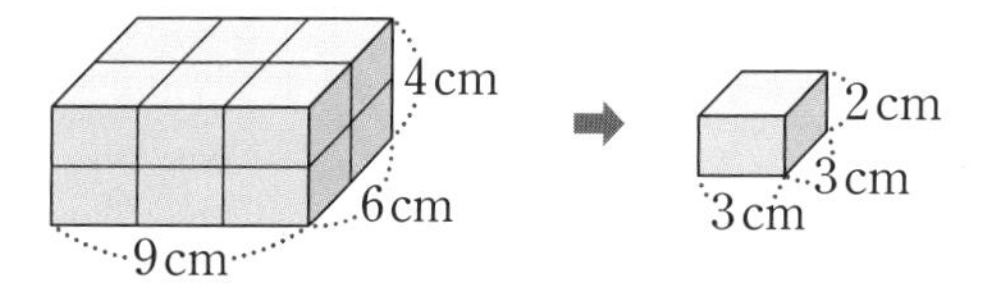

잘라진 직육면체 1개의 겉넓이는
$(3\times3+3\times2+2\times3)\times2=42(cm^2)$이므로
잘라진 직육면체 12개의 겉넓이의 합은 $42\times12=504(cm^2)$입니다.

3 입체도형의 꼭짓점에 있는 쌓기나무는 세 면에 페인트가 묻고, 꼭짓점을 제외한 모서리에 있는 쌓기나무는 네 면에 페인트가 묻습니다.
꼭짓점은 8개이므로 페인트가 묻은 면의 넓이는 $3\times8=24(\text{cm}^2)$이고,
꼭짓점을 제외한 모서리에는 쌓기나무가
$3\times4+4\times4+5\times4=48$(개) 있으므로 페인트가 묻은 면의 넓이는
$48\times4=192(\text{cm}^2)$입니다.
따라서 페인트가 묻은 면의 넓이는 $24+192=216(\text{cm}^2)$입니다.

4 직육면체를 직육면체의 꼭짓점을 포함하여 잘라내었으므로 입체도형의 겉넓이는 바뀌지 않습니다.
주어진 입체도형의 높이를 □cm라 하여 겉넓이를 구하는 식을 세우면
$(3\times4+3\times\square+4\times\square)\times2=108$, $12+7\times\square=54$,
$7\times\square=42$, $\square=6$이므로 주어진 입체도형의 높이는 6cm입니다.
따라서 입체도형의 부피는 $3\times4\times6-8=64(\text{cm}^3)$입니다.

5 같은 양의 물을 가 컵과 나 컵에 부으면 다음과 같은 비의 관계가 성립합니다.
(가 컵의 물의 높이) : (나 컵의 물의 높이)
=(나 컵의 밑면의 넓이) : (가 컵의 밑면의 넓이)=6 : 12 ➡ 1 : 2
그런데 가 컵에 물을 가득 담은 후 일부를 나 컵에 부어 물의 높이가 같아졌으므로
(가 컵에서 물이 담기지 않은 부분의 높이) : (나 컵에 담긴 물의 높이)
=1 : 2가 됩니다.
따라서 같아진 물의 높이는
(나 컵에 담긴 물의 높이)$=9\times\frac{2}{3}=6$(cm)입니다.

해결 전략
같은 양의 물을 부을 때 가 컵과 나 컵의 물의 높이의 비는 가 컵과 나 컵의 밑넓이의 비와 같습니다.

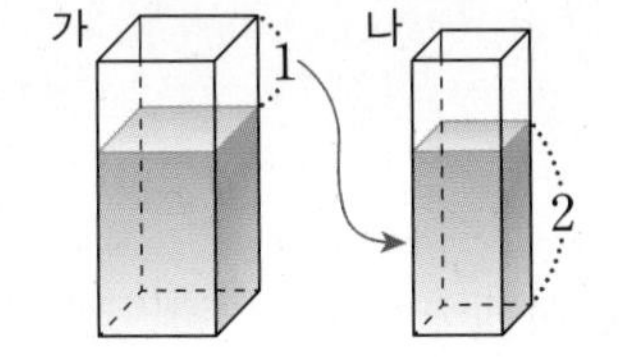

6 정육면체의 쌍대다면체는 밑면이 대각선의 길이가 6cm인 정사각형이고 높이가 3cm인 사각뿔 2개를 합쳐 놓은 정팔면체입니다.
정사각뿔의 밑면의 넓이는 $6\times6\div2=18(\text{cm}^2)$입니다.

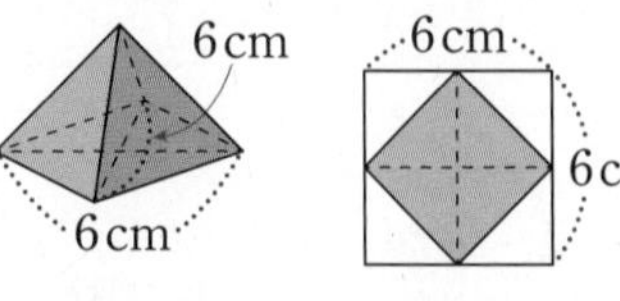

(정사각뿔의 부피)=(밑면의 넓이)×(높이)$\times\frac{1}{3}$
$=(6\times6\div2)\times3\times\frac{1}{3}=18(\text{cm}^3)$이므로
(정팔면체의 부피)=(정사각뿔의 부피)$\times2=36(\text{cm}^3)$입니다.

V 확률과 통계

주어진 정보를 읽고 해석하여 올바른 판단을 하는 능력은 수학에서뿐만 아니라 우리가 살아가는 데 있어서 필요한 능력 중의 하나입니다. 이번 단원에서는 여러 조건을 읽고 조건을 해석하는 연습과 주어진 조건으로부터 알 수 있는 새로운 사실을 이끌어내는 훈련을 해 봅니다.

13 연역적 논리(1)에서는 복잡하게 주어진 조건을 표나 그림으로 간단하게 바꾼 뒤 문제를 해결하는 방법을 배웁니다.

14 연역적 논리(2)에서는 조건에 맞게 배치하는 문제와 조건이 있는 강 건너기 문제를 다룹니다.

15 참과 거짓에서는 '가정하여 풀기' 방법을 사용하여 참말과 거짓말, 정오표를 이용한 문제를 해결합니다.

가정하여 풀기는 어떤 주장을 참 또는 거짓이라고 가정하고 논리적으로 모순이 있는지 알아보는 방법으로, 생활 속에서도 이와 같은 방법으로 문제를 해결하는 경우가 많이 있습니다.

일상 생활에서도 논리력과 추리력을 요구하는 문제 상황이 자주 생기므로 이번 기회를 통해 자신만의 문제 해결 방법을 세워 보도록 합니다.

최상위 사고력 13 연역적 논리(1)

13-1. 조건 분석(1) 122~123쪽

1 (1) 따라서 나비는 곤충입니다. (2) 해바라기는 식물입니다. **2** 비가 옵니다.

최상위 사고력 6번

저자 톡! 이 단원에서는 하나 또는 둘 이상의 명제를 전제로 하여 새로운 명제를 결론으로 이끌어 내는 추리 방법인 '연역법'에 대해 알아봅니다. 연역법의 대표적인 방법이 '삼단논법'인데, 주어진 명제(조건이나 사실)가 맞는지 틀리는지는 중요하지 않고, 논리적으로 오류가 있는지 없는지만 중요합니다. 문제를 해결하는 과정에서 주어진 조건이 많아 복잡할 때는 표를 그리면 문제의 구조가 한눈에 보이므로 문제 해결에 도움이 됩니다.

1 '모든 사람은 죽습니다.'와 '소크라테스는 사람입니다.'라는 2개의 전제에서 '따라서 소크라테스는 죽습니다.'라는 결론을 이끌어 낼 수 있습니다. 이와 같이 2개의 전제에서 하나의 결론을 이끌어내는 것을 삼단논법이라고 합니다.
이때 주어진 사실이나 조건이 맞는지 틀리는지는 중요하지 않고 논리적으로 오류가 있는지 없는지만 중요합니다.

2 정우, 희수, 비, 승태에 대한 조건을 표로 나타내면 다음과 같습니다.

사실	정우는 서점에 갑니다.	희수는 여기에 있습니다.	비가 옵니다.	승태는 집에 옵니다.
①	○	×	○	○
②	×	○	×	×
③	×	×	×	○
④	○	○	○	×

따라서 정우가 서점에 가는 것과 동시에 일어나는 조건은 비가 오는 것입니다.

해결 전략
주어진 사실을 표로 나타낸 후 조건을 분석해 봅니다.

최상위 사고력 ④에서 수요일에 전화를 한 횟수는 9번, 목요일에 전화를 한 횟수는 8번입니다.

①에서 목요일부터 토요일까지 전화를 한 횟수는 모두 15번이고, ④에서 목요일에 전화를 한 횟수가 8번이므로 금요일과 토요일에 전화를 한 횟수는 모두 $15-8=7$(번)입니다.

또 ③에서 화요일에 전화를 한 횟수는 금요일에 전화를 한 횟수의 $\frac{1}{2}$이므로 가능한 경우를 표로 나타내면 다음과 같이 3가지입니다.

요일	월	화	수	목	금	토
전화를 한 횟수 (번)		1	9	8	2	5
		2			4	3
		3			6	1

현선이는 월요일부터 토요일까지 전화를 모두 31번 하였으므로 월요일에 통화를 한 횟수를 구하여 다시 표로 나타내면 다음과 같습니다.

요일	월	화	수	목	금	토	합계	
전화를 한 횟수 (번)	⑥	1	9	8	2	⑤	31	← $6+5>10$
	5	2			4	3	31	← $5+3<10$
	4	3			6	1	31	← $4+1<10$

②에서 월요일과 토요일에 전화를 한 횟수를 더하면 10번이 넘으므로 월요일에 전화를 한 횟수는 모두 6번입니다.

13-2. 조건 분석(2)

124~125쪽

1 4개　　2 2판　　최상위 사고력 C팀

저자 톡! 이 단원에서는 주어진 조건이 많아 복잡할 때 문제를 해결하기 위해 사용할 수 있는 또 다른 방법인 '그림 그리기'에 대해 알아봅니다. 그림을 그리는 방법은 정해진 것이 없으며 주어진 조건을 점, 선, 간단한 도형 등으로 알기 쉽게 표현해 봅니다.

1 B 물고기는 C와 D 물고기를 잡아먹고, C 물고기는 D 물고기를 잡아먹으므로 B, C, D 물고기를 각각 3개의 다른 어항에 나누어 키워야 합니다.

B　C　D

또 D 물고기는 E와 A 물고기를 잡아 먹고, E 물고기는 A 물고기를 잡아먹으므로 E와 A 물고기를 어항에 나누어 키울 수 있는 경우는 다음과 같이 2가지입니다.

B, E　C, A　D　또는　B, A　C, E　D

그런데 A 물고기는 B와 C 물고기를 잡아먹으므로 A 물고기는 다음과 같이 B와 C 물고기와 다른 어항에 넣어야 합니다.

따라서 물고기가 서로 잡아 먹히지 않게 하려면 최소 4개의 어항이 필요합니다.

2 사람을 점으로 표시하고 이미 바둑을 둔 경우는 실선, 아직 바둑을 두지 않은 경우는 점선으로 표시합니다.

조건에 따라 그림으로 차례로 나타내면 다음과 같습니다.

① A는 4판을 두었습니다. ② D는 1판만 두었습니다. ③ B는 3판을 두었습니다. ④ C는 2판을 두었습니다.

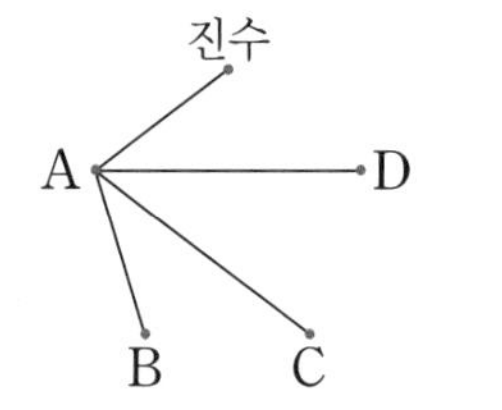

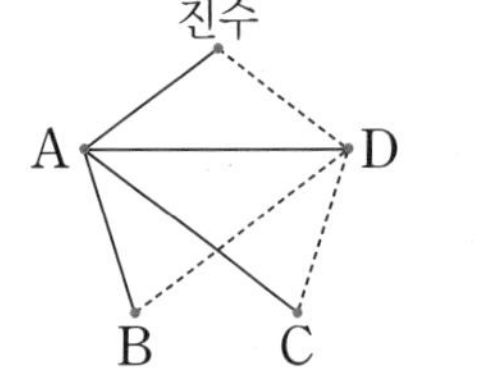

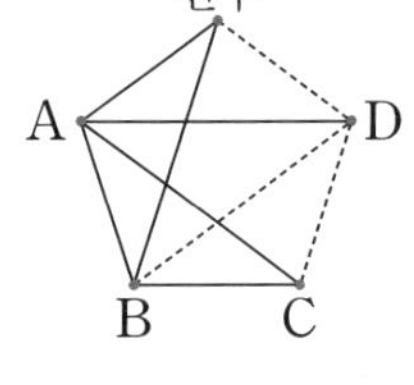

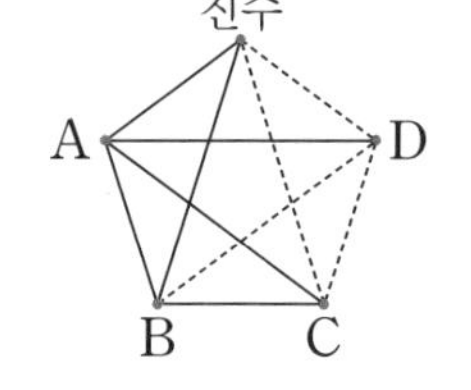

따라서 진수와 연결된 실선은 2개이므로 진수는 지금까지 바둑을 2판 두었습니다.

최상위 사고력 민정이는 A팀, C팀, D팀이 1차전에서 승리할 것이라고 예상했으므로 A팀, C팀, D팀은 1차전에서 서로 경기를 하지 않습니다.

> 해결 전략
> 민정, 승후, 동혁이가 각각 1차전에서 승리할 것이라고 예상한 세 팀은 1차전에서 서로 만나지 않는 팀입니다.

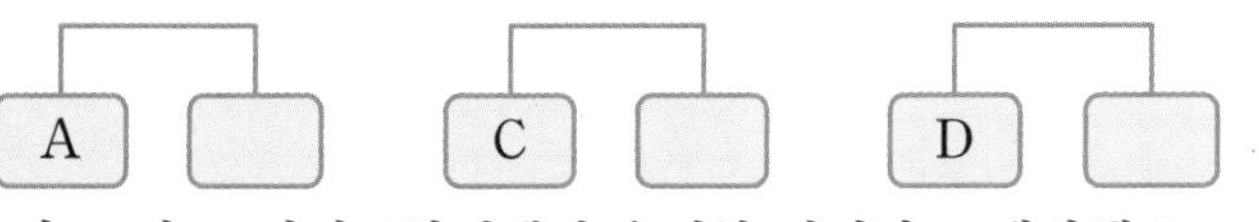

승우는 B팀, C팀, E팀이 1차전에서 승리할 것이라고 예상했으므로 B팀, C팀, E팀은 1차전에서 서로 경기를 하지 않습니다.

따라서 다음과 같이 2가지 경우로 예상할 수 있습니다.

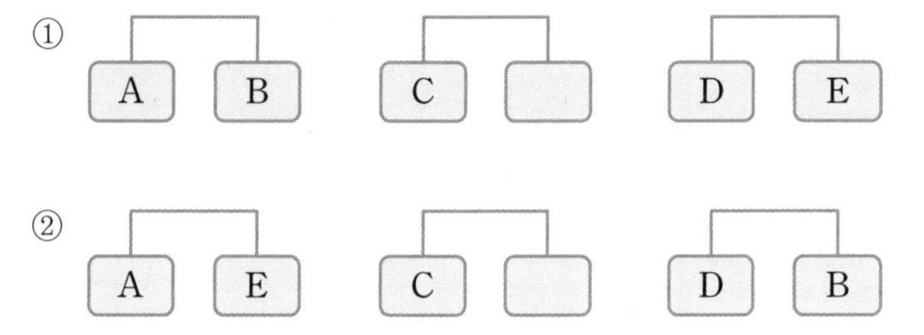

동혁이는 B팀, D팀, F팀이 1차전에서 승리할 것이라고 예상했으므로 B팀, D팀, F팀은 1차전에서 서로 경기를 하지 않습니다.

①의 경우

남은 F팀을 빈칸에 넣으면 B팀, D팀, F팀은 1차전에서 경기를 하지 않게 되므로 조건에 맞습니다.

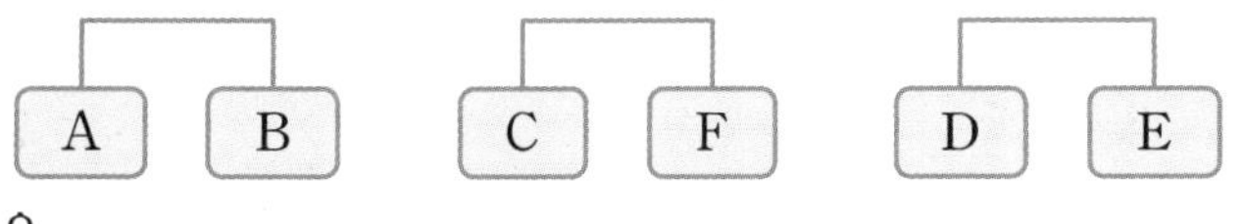

②의 경우

B팀과 D팀이 1차전에서 경기를 하게 되므로 조건에 맞지 않습니다.

따라서 1차전에서 F팀과 경기를 하게 되는 팀은 C팀입니다.

13-3. 연역표

126~127쪽

1 대헌, 재환 **2** 박, 13살

최상위 사고력 A: 교사, 승무원 B: 회계사, 화가 C: 작가, 의사

저자 톡! 이 단원에서는 논리력과 추리력을 요구하는 문제의 대표적인 유형인 '짝 맞추기'에 대해 알아봅니다. '짝 맞추기' 유형의 문제는 복잡한 조건을 그대로 이용하지 않고 표를 이용하여 간단하게 해결할 수 있습니다. 조건 분석(1)에서 학습한 것과 같이 표를 그린 후 조건에 맞게 ○표 또는 ×표를 하여 표를 완성합니다. 이때 확실한 조건부터 따져 표를 완성해 나가야 하며 주어진 조건으로부터 알 수 있는 새로운 사실도 살펴 보아야 합니다.

1 표를 그려 생각해 봅니다.

효정

	연필	공책	지우개
정민			
승호			×
미영	×		

대헌

	연필	공책	지우개
정민	×	×	○
승호	○	×	×
미영	×	○	×

창호

	연필	공책	지우개
정민	×	×	○
승호			×
미영			×

재환

	연필	공책	지우개
정민	○	×	×
승호	×	○	×
미영	×	×	○

하나

	연필	공책	지우개
정민	×		
승호		×	
미영			×

따라서 잃어버린 물건의 주인을 모두 알 수 있도록 설명한 사람은 대헌, 재환입니다.

2 ① 이름과 성, 이름과 나이의 관계를 2개의 표로 나타냅니다.

이름 \ 성	김	이	박
진호			
현선			
성목			

이름 \ 나이	11살	12살	13살
진호			
현선			
성목			

② 세 번째 조건에서 진호는 현선이와 이씨 성을 가진 학생보다 어립니다.

➡ 진호와 현선이는 이씨가 아닙니다.

➡ 진호가 가장 나이가 어립니다.

이름 \ 성	김	이	박
진호		×	
현선		×	
성목	×	○	×

이름 \ 나이	11살	12살	13살
진호	○	×	×
현선	×		
성목	×		

③ 네 번째 조건에서 박씨 성을 가진 학생은 이씨 성을 가진 학생보다 나이가 많습니다.

➡ 박씨가 이씨보다 나이가 많습니다.

➡ 진호는 나이가 가장 어리므로 박씨가 아닙니다.

➡ 진호는 김씨입니다.

이름 \ 성	김	이	박
진호	○	×	×
현선	×	×	○
성목	×	○	×

이름 \ 나이	11살	12살	13살
진호	○	×	×
현선	×	×	○
성목	×	○	×

따라서 현선이는 박씨이고, 나이가 가장 많으므로 13살입니다.

최상위 사고력 ①에 의해 B는 작가가 아닙니다.

	회계사	화가	작가	의사	교사	승무원
A						
B			×			
C						

③에 의해 화가와 작가는 같은 사람의 직업이 아니고, A의 직업도 아닙니다. 따라서 C의 직업은 작가이고, B의 직업은 화가입니다.

	회계사	화가	작가	의사	교사	승무원
A		×	×			
B		○	×			
C		×	○			

⑥에 의해 C와 B의 직업은 승무원이 아닙니다.
따라서 A의 직업은 승무원입니다.

	회계사	화가	작가	의사	교사	승무원
A		×	×			○
B		○	×			×
C		×	○			×

②와 ④에 의해 직업이 승무원인 사람은 의사도, 회계사도 아닙니다.
따라서 A의 직업은 교사와 승무원입니다.
⑤에 의해 화가와 의사는 같은 사람의 직업이 아니므로 B는 의사가 아닙니다.
따라서 B의 직업은 회계사와 화가이고, C의 직업은 작가와 의사입니다.

	회계사	화가	작가	의사	교사	승무원
A	×	×	×	×	○	○
B	○	○	×	×	×	×
C	×	×	○	○	×	×

해결 전략
표를 그린 후 조건에 맞게 ○표 또는 ×표를 하여 세 사람의 직업을 찾습니다.

최상위 사고력

128~129쪽

1 ②, ④
2 A: 5등, B: 1등, C: 4등, D: 3등, E: 2등
3 A
4 E

1 ① 어떤 한국인이 서울에 산다고 했으므로 모든 한국인이 서울에 사는 것은 아닙니다. 민수는 서울에 살지 않을 수도 있습니다.

② 모든 개는 포유동물이고 모든 포유동물은 척추동물이므로 모든 개는 척추동물입니다.

③ 변이 5개보다 많다고 해서 반드시 육각형인 것은 아닙니다. 따라서 정호가 그린 도형은 육각형이 아닐 수도 있습니다.

④ '양서류인 개는 없습니다.'는 '개는 양서류가 아닙니다.'와 같은 말입니다. 몰티즈는 개이고 개는 양서류가 아니므로 몰티즈는 양서류가 아닙니다.

⑤ 남자가 아니라서 축구를 좋아하지 않는다는 것은 논리적으로 연결시키기 어렵습니다.

따라서 논리적으로 맞는 말은 ②, ④입니다.

해결 전략

척추동물
포유동물
개

2 5명의 이야기를 보고 알 수 있는 사실을 정리해 봅니다.

A: 나는 1등으로 달리다 넘어져서 다시 일어나지 못했어.

➡ 처음에는 1등으로 달렸지만 마지막에는 5등이 되었습니다.

	1	2	3	4	5
처음 등수	A				
마지막 등수					A

B: E는 3명을 제쳤지만 1등은 아니야.

➡ E는 처음에는 5등이었지만 3명을 제치고 마지막에는 2등이 되었습니다.

	1	2	3	4	5
처음 등수	A				E
마지막 등수		E			A

D: 나는 한 번 추월한 후 다시 한 번 추월당했어.

➡ D는 한 번 추월했지만 다시 한 번 추월당했으므로 마지막에는 1등이 아니고, 처음 등수와 마지막 등수가 같습니다.

C가 D보다 앞서서 달린 적이 없다고 했으므로 D의 처음 등수와 마지막 등수는 3등이고 C의 처음 등수와 마지막 등수는 4등입니다.

	1	2	3	4	5
처음 등수	A	B	D	C	E
마지막 등수	B	E	D	C	A

따라서 달리기 시합이 끝난 후 5명의 등수는 A: 5등, B: 1등, C: 4등, D: 3등, E: 2등입니다.

다른 풀이

5명의 이야기를 보고 연역표를 그려 다음과 같이 해결할 수도 있습니다.

A: 나는 1등으로 달리다 넘어져서 다시 일어나지 못했어.
➡ A는 다시 일어나지 못했으므로 5등입니다.

	1	2	3	4	5
A	×	×	×	×	○
B					×
C					×
D					×
E					×

B: E는 3명을 제쳤지만 1등은 아니야.
➡ E는 2등입니다.

	1	2	3	4	5
A	×	×	×	×	○
B		×			×
C		×			×
D		×			×
E	×	○	×	×	×

C: 나는 D보다 앞서 달린 적이 없어.
D: 나는 한 번 추월한 후 다시 한 번 추월당했어.
➡ D는 한 번 추월한 후 다시 한 번 추월당했으므로 마지막에는 1등이 아닙니다. 따라서 C는 4등, D는 3등, B는 1등입니다.

	1	2	3	4	5
A	×	×	×	×	○
B	○	×	×	×	×
C	×	×	×	○	×
D	×	×	○	×	×
E	×	○	×	×	×

3 ①에서 A는 고양이를 기르지 않습니다.

	개	고양이	금붕어	토끼	햄스터
A		×			
B					
C					
D					
E					

해결 전략

표를 그린 후 확실한 조건부터 표에 ○표 또는 ×표를 합니다.

②에서 A와 B는 개를 기르지 않습니다.

	개	고양이	금붕어	토끼	햄스터
A	×	×			
B	×				
C					
D					
E					

③에서 D는 금붕어를 기릅니다.

	개	고양이	금붕어	토끼	햄스터
A	×	×	×		
B	×		×		
C			×		
D	×	×	○	×	×
E			×		

④에서 E는 고양이 또는 토끼를 기르고, ⑤에 의해 B는 고양이와 토끼를 기르지 않습니다.

	개	고양이	금붕어	토끼	햄스터
A	×	×	×	○	×
B	×	×	×	×	○
C	○	×	×	×	×
D	×	×	○	×	×
E	×	○	×	×	×

따라서 토끼를 기르는 사람은 A입니다.

4 A, B, C, D, E, F를 원 위에 점으로 표시합니다.

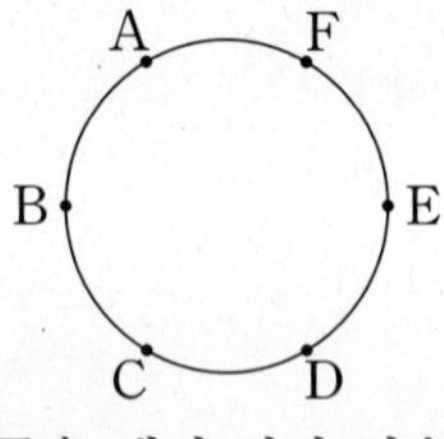

해결 전략
모든 사람들은 각각 5번의 경기를 하게 되므로 주어진 조건에서 가장 먼저 알 수 있는 것부터 그림에 표현해 봅니다.

문제의 조건에 따라 팔씨름을 해서 이긴 경우는 이긴 사람에서 진 사람 쪽으로 화살표가 있는 선분을 그려 나타내고, 무승부인 경우는 화살표가 없는 선분을 그려 나타냅니다.

• 세 번째 조건: C는 5번 모두 이겼습니다.

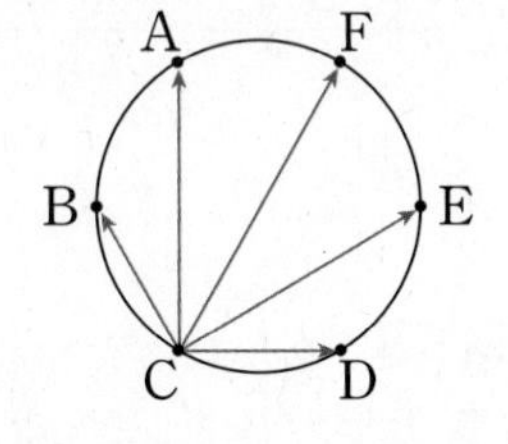

• 다섯 번째 조건: F는 4번 이기고 1번 졌습니다.

• 첫 번째 조건: A는 3번 이기고 2번 졌습니다.

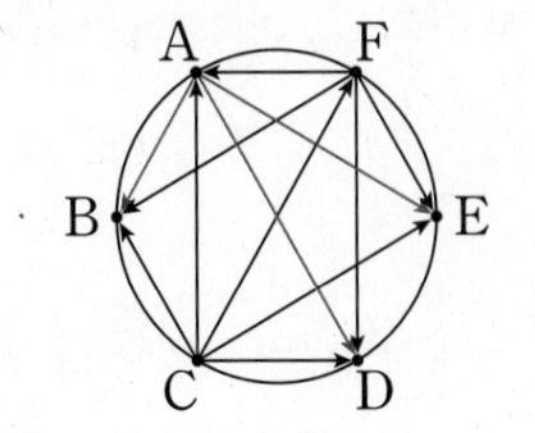

• 위 그림에서 B는 A, F, C에게 졌고 두 번째 조건에서 3번만 졌으므로 B는 D, E에게는 지지 않았습니다. 또한 D는 1번만 이기고 무승부는 없다고 했으므로 그림으로 나타내면 다음과 같습니다.

➡ 따라서 D가 이긴 사람은 E입니다.

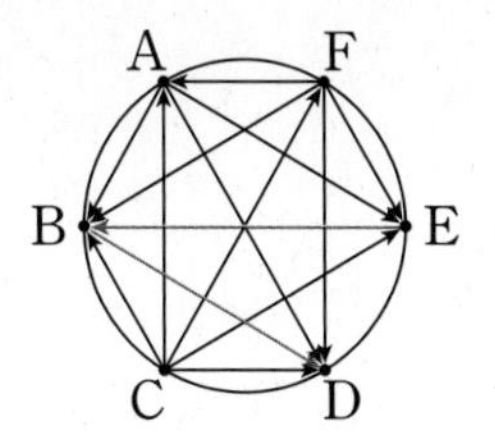

보충 개념
B는 D에게 지지 않았으므로 D는 B에게 이기지 않았습니다. D의 팔씨름 결과 무승부는 없으므로 D는 B에게 졌습니다.

최상위 사고력 14 연역적 논리(2)

14-1. 조건에 맞게 배치하기 130~131쪽

1

2 흰색

최상위 사고력 농구

저자 톡! 이 단원에서는 주어진 조건을 이용하여 정해진 인원의 자리를 찾는 내용을 다룹니다. 자리를 배치하는 문제이므로 먼저 전체적인 자리의 모양을 그림으로 나타내어 간단하게 문제를 해결할 수 있습니다. 문제에서 주어진 조건이 많을 때에는 조건을 순서대로 이용하는 것보다는 확실히 알 수 있는 조건부터 찾아 이용합니다.

1 첫 번째 조건: A와 D는 이웃하여 앉아 있지 않습니다.

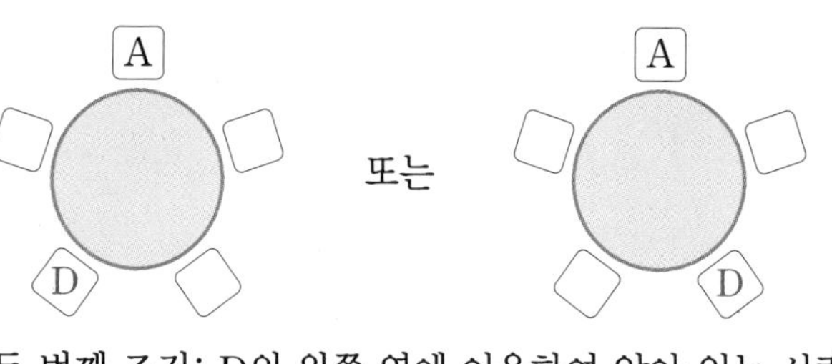

해결 전략
A의 자리를 기준으로 생각해 봅니다.

두 번째 조건: D의 왼쪽 옆에 이웃하여 앉아 있는 사람은 E입니다.

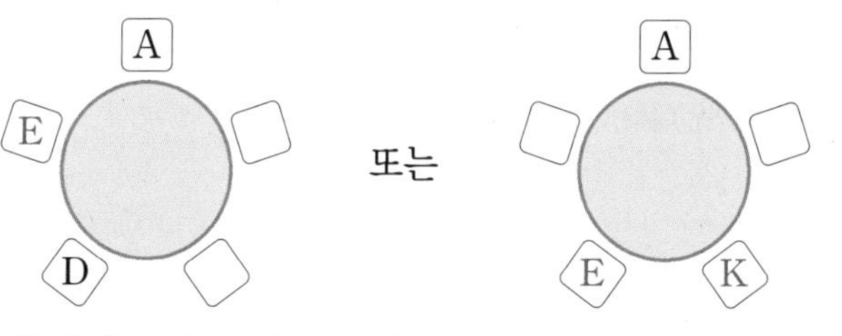

세 번째 조건: B와 C는 이웃하여 앉아 있지 않습니다.
네 번째 조건: C의 오른쪽 옆에 앉아 있는 사람은 A가 아닙니다.

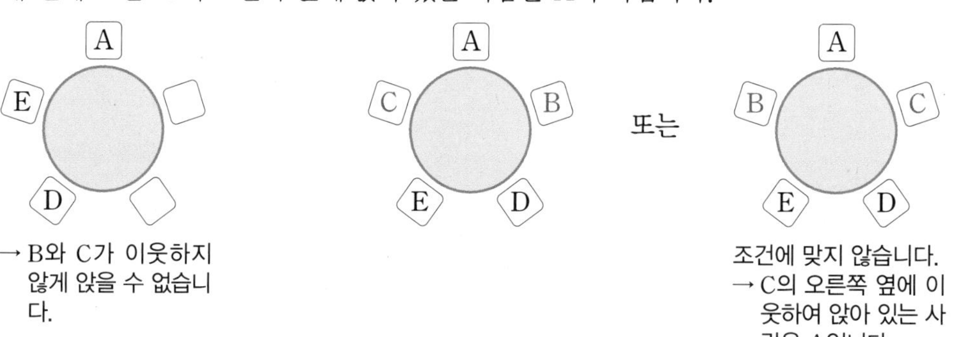

→ B와 C가 이웃하지 않게 앉을 수 없습니다.

조건에 맞지 않습니다.
→ C의 오른쪽 옆에 이웃하여 앉아 있는 사람은 A입니다.

따라서 A, B, C, D, E가 앉은 자리는 다음과 같습니다.

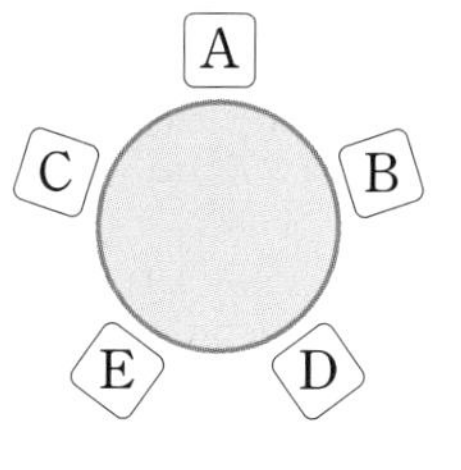

2 먼저 네 사람의 자리를 찾은 후 A의 모자 색깔을 알아봅니다.
먼저 네 사람이 한줄로 서 있으므로 다음과 같이 4칸을 그립니다.

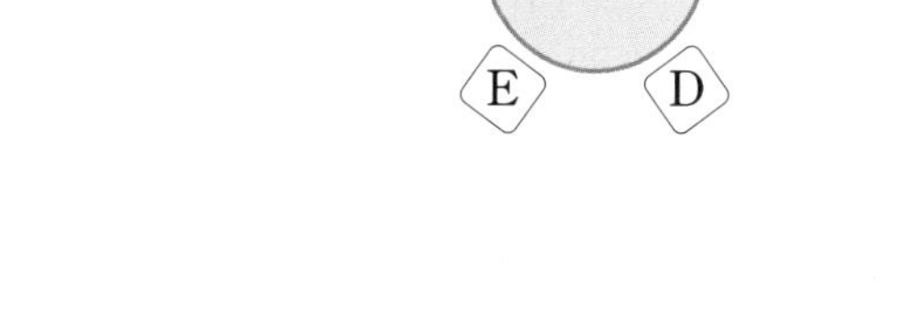

(앞) ① ② ③ ④ (뒤)

B는 흰색 모자도 보이고 검은색 모자도 보이므로 B의 앞에는 적어도 두 명이 서 있습니다. 따라서 B는 ③ 또는 ④의 위치에 서 있습니다.

(앞) ① ② B ④ (뒤) 또는 (앞) ① ② ③ B (뒤)

D의 바로 뒤에 C가 서 있고, A, B, C는 모두 모자가 보이므로 D가 가장 앞에 서 있습니다. 그러므로 (D, C)의 위치는 (①, ②)입니다.

> 주의
> 가장 앞에 서 있는 사람은 모자를 볼 수 없습니다.

(앞) | D | C | B | ④ | (뒤)   또는   (앞) | D | C | ③ | B | (뒤)

⬇

(앞) | D | C | B | A | (뒤)

A는 검은색 모자만 보인다고 하였으므로 이 경우는 답이 아닙니다. B는 흰색 모자와 검은색 모자를 볼 수 있으므로 A도 흰색 모자와 검은색 모자를 볼 수 있습니다.

(앞) | D | C | A | B | (뒤)

A는 검은색 모자만 보인다고 하였으므로 D와 C는 검은색 모자를 쓰고 있고, B는 흰색 모자도 보이고 검은색 모자도 보인다고 하였으므로 A의 모자 색깔은 흰색입니다.

따라서 A의 모자 색깔은 흰색입니다.

최상위 사고력 네 사람이 책상에 둘러앉아 있는 모양을 그림으로 그려서 조건에 맞게 학생들의 자리를 찾아봅니다.

첫 번째 조건: 민수와 지희는 바로 옆에 앉아 있으므로 아래와 같이 2가지 경우가 있습니다.

① 민수 / 지희 / 책상

② 민수 / 책상 / 지희

두 번째 조건: 야구를 좋아하는 학생이 정아의 왼쪽에 앉아 있습니다.

세 번째 조건: 탁구를 좋아하는 학생은 상민이와 마주 보고 앉아 있습니다.

에 의해 다음과 같이 4가지 경우가 나옵니다.

민수(탁구) / 지희 / 책상 / 정아 / 상민(야구)

상민이가 야구를 좋아하는 학생이고, 민수가 탁구를 좋아하는 학생입니다.

민수 / 지희(야구)(탁구) / 책상 / 상민 / 정아

지희가 야구를 좋아하는 학생이고, 탁구도 좋아하는 학생입니다. → 불가능

민수 / 상민(야구) / 책상 / 지희(탁구) / 정아

상민이가 야구를 좋아하는 학생이고, 지희가 탁구를 좋아하는 학생입니다.

민수(야구)(탁구) / 정아 / 책상 / 지희 / 상민

민수가 야구를 좋아하는 학생이고, 탁구도 좋아하는 학생입니다. → 불가능

네 번째 조건: 축구를 좋아하는 학생의 왼쪽에 여학생이 앉아 있습니다.

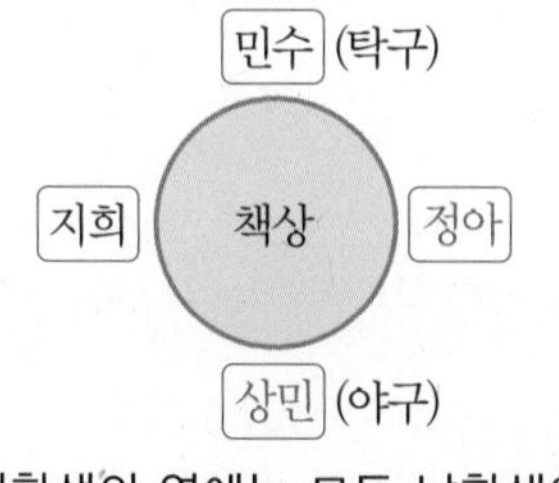

여학생의 옆에는 모두 남학생이 앉아 있습니다. 따라서 축구를 좋아하는 사람은 남학생입니다. 그런데 상민이는 야구를 좋아하고, 민수는 탁구를 좋아하므로 불가능합니다.

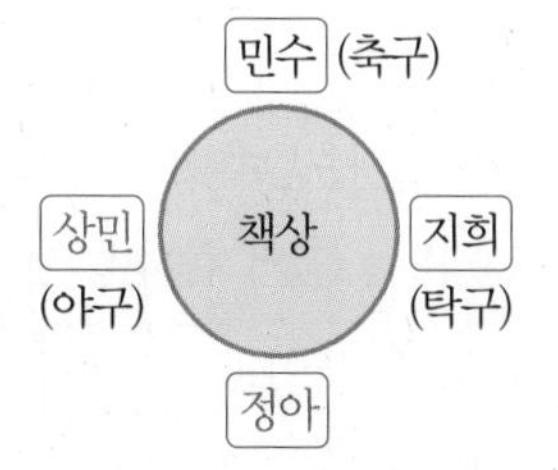

축구를 좋아하는 사람은 민수 또는 정아입니다. 민수의 왼쪽에는 지희(여학생)가 앉아 있고, 정아의 왼쪽에는 상민이(남학생)가 앉아 있으므로 축구를 좋아하는 사람은 민수입니다.

따라서 정아는 농구를 좋아합니다.

14-2. 가정이 있는 조건

132~133쪽

1 상민, 경호, 준하　**2** 형준, 진하　최상위 사고력 ㉢, ㉣

저자 톡! 이 단원에서는 논리 추리 문제를 해결할 때 자주 사용하는 방법인 '가정하여 풀기'에 대해 알아봅니다. '가정하여 풀기'란 어떤 상황을 가정하고 논리적으로 맞지 않거나 조건에 맞지 않는 경우에 그 가정이 틀렸다는 것을 이용하여 문제를 해결하는 방법입니다. 이때 확실한 조건부터 먼저 사용해야 문제를 쉽게 해결할 수 있습니다.

1 첫 번째 조건에서 준하의 키가 가장 크거나 가장 작다고 했으므로 준하의 키가 가장 큰 경우와 가장 작은 경우로 나누어 구해 봅니다.

① 준하의 키가 가장 큰 경우

준하 > □ > □

두 번째 조건에서 준하의 키가 상민이의 키보다 크다면, 경호의 키가 가장 크다고 했으므로 모순입니다.

② 준하의 키가 가장 작은 경우

□ > □ > 준하

세 번째 조건에서 경호의 키가 준하의 키보다 크다면, 상민이의 키가 가장 크다고 했으므로 키가 가장 큰 사람부터 이름을 차례로 쓰면 상민, 경호, 준하입니다.

2 네 사람이 말한 조건에서 도서관에 반드시 가는 경우를 화살표를 사용하여 간단하게 나타내어 봅니다.

명수 → 경미, 경미 → 형준, 형준 → 진하

① 경미가 도서관에 간다면 경미 → 형준, 형준 → 진하이므로 세 사람이 도서관에 가게 됩니다.

② 명수가 도서관에 간다면 명수 → 경미, 경미 → 형준, 형준 → 진하이므로 네 사람이 모두 도서관에 가게 됩니다.

③ 형준이가 도서관에 간다면 형준 → 진하이므로 형준이와 진하 두 사람이 도서관에 가게 됩니다.

④ 진하가 도서관에 가는 경우는 다른 조건이 없어 알 수 없습니다.

4명 중 2명이 오늘 도서관에 갔으므로 도서관에 간 사람은 형준, 진하입니다.

해결 전략

4명이 각각 도서관에 가는 경우를 가정하여 문제를 해결해 봅니다.

최상위 사고력 제일 먼저 ㉠, ㉡, ㉢, ㉣, ㉤의 일을 각각 선택하는 방법에 따라 나누어 구해 봅니다.

해결 전략
복잡한 조건을 간단하게 나타내고, 모든 경우를 따져서 해결합니다.

- ㉠을 하는 경우

  ㉠ → ㉡ → ㉣ → ㉢ (셋째 조건에 모순)
  ㉠ → ㉡ → ㉤ → ㉣ → ㉢ (셋째 조건에 모순)

- ㉡을 하는 경우

  ㉡ → ㉣ → ㉢ (셋째 조건에 모순)
  ㉡ → ㉤ → ㉠, ㉣ → ㉢ (셋째 조건에 모순)

- ㉢을 하는 경우

  ㉢ → ㉣ (조건에 맞습니다.) (◯)
  ㉢ → ㉤ → ㉠, ㉣ → ㉡ (셋째 조건에 모순)

- ㉣을 하는 경우

  ㉣ → ㉢ (조건에 맞습니다.) (◯)

- ㉤을 하는 경우

  ㉠, ㉡, ㉢, ㉣, ㉤ 모두 해야 합니다. (셋째 조건에 모순)

따라서 가장 일을 적게 하려면 ㉢과 ㉣을 선택해야 합니다.

14-3. 강 건너기

134~135쪽

1 15번 **2** 7번 최상위 사고력 11번

저자 톡! 이 단원에서 다루게 될 '강 건너기'는 논리 추리 문제의 대표적인 유형입니다. 이 유형은 문제 해결 과정이 복잡하므로 조건에 맞게 계획을 세우고, 계획대로 하나하나 강을 건너는 방법을 차례대로 따져가며 답을 구해야 합니다. 그렇지 않으면 풀이 과정에서 실수할 가능성이 있으므로 그림을 그리거나 표를 그려 꼼꼼하게 문제를 해결하도록 합니다.

1 배에는 한 번에 5명이 탈 수 있지만, 배를 운전하려면 배에 항상 1명이 있어야 하므로 배가 한 번 왕복할 때마다 4명씩 건널 수 있습니다.
$4\times7+5\times1=33$이므로 7번 왕복하고, 마지막에는 5명이 한 번에 강을 건너게 되므로 33명이 모두 강을 건너려면 배로 강을 $7\times2+1=15$(번) 건너야 합니다.

해결 전략
배에는 항상 운전할 사람 한 명이 타고 있어야 합니다. 배가 한 번 왕복할 때 몇 명이 강을 건널 수 있는지 생각해 봅니다.

왕복 횟수	강가에 있는 사람 수	배에 있는 사람 수	강 건너편에 있는 사람 수	배로 강을 건넌 횟수
처음	33	0	0	0
1	28	1	4	2
2	24	1	8	4
3	20	1	12	6
……	……	1	……	……
7	4	1	28	14
	0	0	33	15

2 함께 있어도 문제가 생기지 않는 동물은 개와 쥐이므로 강가와 강 건너편에 개와 쥐가 같이 있도록 하면서 다음과 같은 순서로 이동합니다.

예)

강을 건넌 횟수	강가	배 위	강 건너편
1	개, 쥐	농부, 고양이 →	
2	개, 쥐	농부 ←	고양이
3	쥐	농부, 개 →	고양이
4	쥐	농부, 고양이 ←	개
5	고양이	농부, 쥐 →	개
6	고양이	농부 ←	개, 쥐
7		농부, 고양이 →	개, 쥐

따라서 뗏목을 최소 7번 움직여서 모두 건널 수 있습니다.

최상위 사고력 강가와 강 건너편에 있는 원주민의 수가 식인종의 수보다 적어지지 않도록 다음과 같은 순서로 이동합니다.

예)

강을 건넌 횟수	강가	배 위	강 건너편
1	원주민 2명, 식인종 2명	원주민 1명, 식인종 1명 →	
2	원주민 2명, 식인종 2명	원주민 1명 ←	식인종 1명
3	원주민 3명	식인종 2명 →	식인종 1명
4	원주민 3명	식인종 1명 ←	식인종 2명
5	원주민 1명, 식인종 1명	원주민 2명 →	식인종 2명
6	원주민 1명, 식인종 1명	원주민 1명, 식인종 1명 ←	원주민 1명, 식인종 1명
7	식인종 2명	원주민 2명 →	원주민 1명, 식인종 1명
8	식인종 2명	식인종 1명 ←	원주민 3명
9	식인종 1명	식인종 2명 →	원주민 3명
10	식인종 1명	식인종 1명 ←	원주민 3명, 식인종 1명
11		식인종 2명 →	원주민 3명, 식인종 1명

따라서 배를 최소 11번 움직여서 모두 건널 수 있습니다.

최상위 사고력

136~137쪽

1 A, B, E, D, C, F

2

개	염소	돼지
사슴	말	토끼

3 5번

4 39분

1 6명의 학생이 책상에 둘러앉아 있는 것을 그림으로 그려서 조건에 맞게 학생들이 앉은 자리를 찾아봅니다.

첫 번째 조건: D는 A와 마주 보고 앉아 있습니다.

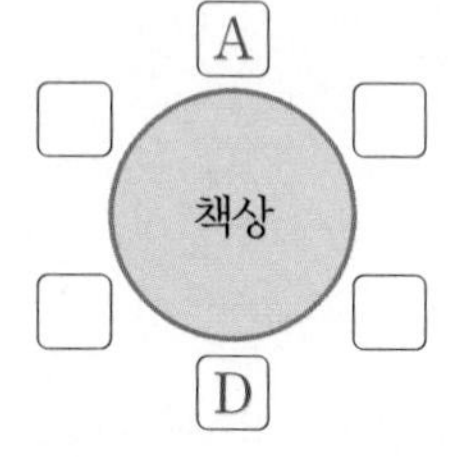

두 번째 조건: C의 오른쪽 방향으로 한 사람을 사이에 두고 E가 앉아 있습니다.

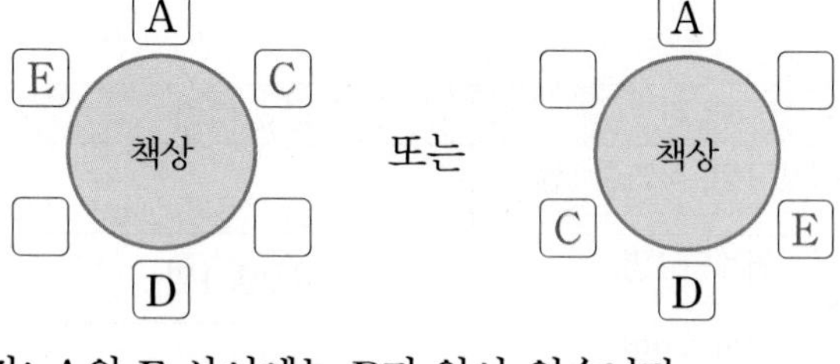

세 번째 조건: A와 E 사이에는 B가 앉아 있습니다.

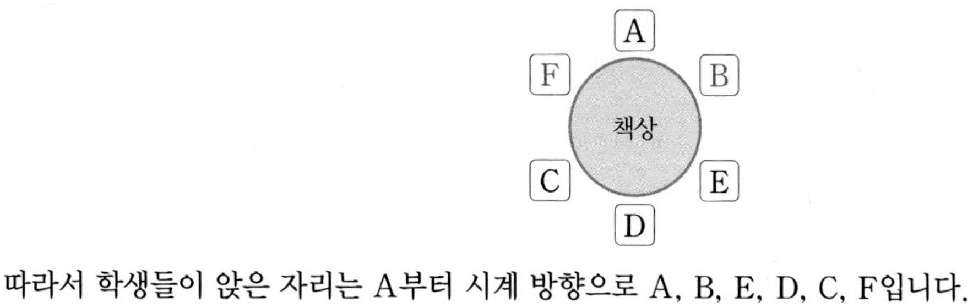

따라서 학생들이 앉은 자리는 A부터 시계 방향으로 A, B, E, D, C, F입니다.

2 두 번째 조건: 토끼와 개는 최대한 멀리 떨어뜨려 놓아야 하므로 다음과 같이 4가지 경우가 나옵니다.

①

토끼		
		개

②

개		
		토끼

③

		개
토끼		

④

		토끼
개		

해결 전략
가능한 경우를 모두 생각한 뒤 조건에 맞게 답이 될 수 있는 경우로 줄여 나갑니다.

세 번째 조건: 돼지는 토끼의 바로 위쪽에 있는 우리 안에 있어야 하므로 ②번과 ③번이 가능합니다.

②

개		돼지
		토끼

③

돼지		개
토끼		

네 번째 조건: 염소는 개의 바로 오른쪽에 있는 우리 안에 있어야 하므로 ②번만 가능합니다.

②

개	염소	돼지
		토끼

첫 번째 조건: 말과 염소는 서로 붙어 있는 우리 안에 있어야 합니다.

②

개	염소	돼지
사슴	말	토끼

3 배에 타고 있는 사람의 무게가 100 kg을 넘지 않게 다음과 같은 순서로 이동합니다.

예

강을 건넌 횟수	강가	배 위	강 건너편
1	어른	아이 2명 →	
2	어른	아이 1명 ←	아이 1명
3	아이 1명	어른 →	아이 1명
4	아이 1명	아이 1명 ←	어른
5		아이 2명 →	어른

따라서 배를 최소 5번 움직여서 모두 건널 수 있습니다.

4 다음과 같은 순서로 이동합니다.

예

다리를 건넌 횟수	다리 앞	다리 위	다리 건너편	걸리는 시간
1	C, D	A, B →		7분
2	C, D	A ←	B	5분
3	A	C, D →	B	13분
4	A	B ←	C, D	7분
5		A, B →	C, D	7분

따라서 4명이 모두 다리를 건너려면 최소 $7+5+13+7+7=39$(분)이 걸립니다.

해결 전략

2명씩 짝을 지어 다리를 건널 때 걸리는 시간이 짧은 사람은 짧은 사람끼리, 긴 사람은 긴 사람끼리 짝을 짓는 것이 시간 낭비가 적습니다.

15-1. 참말과 거짓말

138~139쪽

1 여우 부족　　**2** 5명　　최상위 사고력 상하, 상진

저자 톡! 이 단원에서는 참말과 거짓말 문제를 해결할 때 자주 사용하는 방법인 '가정하여 풀기'에 대해 알아봅니다. '가정하여 풀기'는 어떤 조건을 참 또는 거짓이라고 가정하고 논리적으로 모순이 있는지를 따져 해결하는 방법입니다. 이때 만일 모순된 결론을 얻을 경우 또다시 다른 가정을 하여 참인 결론을 얻을 때까지 반복합니다.

1 ① 원주민이 참말만 하는 부족인 경우: 원주민은 여우 부족 사람이고, 참말을 하는 부족은 여우 부족입니다.
② 원주민이 거짓말만 하는 부족인 경우: 원주민은 사슴 부족 사람이고, 거짓말을 하는 부족은 사슴 부족입니다.
따라서 어떤 경우에도 항상 참말만 하는 부족은 여우 부족입니다.

해결 전략
원주민을 참말만 하는 부족인 경우와 거짓말만 하는 부족인 경우로 각각 나누어 생각해 봅니다.

2 항상 참말만 하는 사람을 T(참말쟁이), 항상 거짓말만 하는 사람을 F(거짓말쟁이)로 놓고 표를 그려 문제를 해결합니다.
마을 사람 5명 중 어떤 사람을 선택하든 "5명 중 4명이 거짓말쟁이야."라는 말에 참말쟁이는 참말을, 거짓말쟁이는 거짓말을 한 것이어야 모순이 없습니다.

① 거짓말쟁이가 0명인 경우	T	T	T	T	T	참말쟁이가 거짓말을 하였으므로 주어진 조건에 모순됩니다.
② 거짓말쟁이가 1명인 경우	T	T	T	T	F	참말쟁이가 거짓말을 하였으므로 주어진 조건에 모순됩니다.
③ 거짓말쟁이가 2명인 경우	T	T	T	F	F	참말쟁이가 거짓말을 하였으므로 주어진 조건에 모순됩니다.
④ 거짓말쟁이가 3명인 경우	T	T	F	F	F	참말쟁이가 거짓말을 하였으므로 주어진 조건에 모순됩니다.
⑤ 거짓말쟁이가 4명인 경우	T	F	F	F	F	거짓말쟁이가 참말을 하였으므로 주어진 조건에 모순됩니다.
⑥ 거짓말쟁이가 5명인 경우	F	F	F	F	F	거짓말쟁이가 거짓말을 하였으므로 조건에 모순되지 않습니다.

보충 개념
모순의 유래
중국 전국시대의 초나라에서 상인이 창과 방패를 늘어놓고 팔고 있었습니다.
"자, 이 창은 어찌나 날카로운지 어떤 방패라도 꿰뚫을 수 있습니다."
이렇게 자랑한 다음 이번에는 방패를 집어 들고 외쳤습니다.
"자, 여기를 보시오. 이 방패는 어찌나 견고한지 제 아무리 날카로운 창이라도 막아낼 수 있습니다."
그때 한 구경꾼이 "그럼, 그 창으로 그 방패를 찌르면 어떻게 되는거요?"하고 물었더니 상인은 아무 대답도 하지 못했습니다.
모순(矛: 창 모, 盾: 방패 순)은 창과 방패라는 뜻으로 앞뒤가 맞지 않는 말이나 행동을 뜻합니다.

① 상하를 여자라 가정하면:

상하는 참말쟁이이므로 상연이와 상은이는 둘 다 남자입니다.

상하가 여자, 상연이와 상은이가 남자이므로 상진이는 여자입니다.

상하	상진	상연	상은
여자	여자	남자	남자

상진이는 참말쟁이이고 '상은이는 남자입니다.'라고 했으므로 모순이 없습니다.

상연이는 거짓말쟁이이고 '상진이와 상은이는 둘 다 남자입니다.'라고 했으므로 모순이 없습니다.

상은이는 거짓말쟁이이고 '상하는 남자입니다.'라고 했으므로 모순이 없습니다.

② 상진이를 여자라 가정하면:

상진이는 참말쟁이이고, 상은이는 남자입니다.

상은이는 거짓말쟁이이고 '상하는 남자입니다.'라고 한 말이 거짓이므로 상하는 여자입니다.

상하는 참말쟁이이므로 상연이와 상은이는 둘 다 남자입니다.

상하	상진	상연	상은
여자	여자	남자	남자

상연이는 거짓말쟁이이고 '상진이와 상은이는 둘 다 남자입니다.'라고 했으므로 모순이 없습니다.

③ 상연이를 여자라 가정하면:

상연이는 참말쟁이이므로 상진이와 상은이는 둘 다 남자입니다. 따라서 상하는 여자입니다.

상하	상진	상연	상은
여자	남자	여자	남자

상하는 참말쟁이이고 '상연이와 상은이는 둘 다 남자입니다.'라고 한 말이 거짓이므로 모순입니다.

또 상진이는 거짓말쟁이이고 '상은이는 남자입니다.'라고 한 말이 참이므로 모순입니다.

④ 상은이를 여자라 가정하면:

상은이는 참말쟁이이므로 상하는 남자입니다.

상하는 거짓말쟁이이므로 '상연이와 상은이는 둘 다 남자입니다.'라고 한 말이 거짓입니다.

상은이는 여자이므로 상연이와 상은이가 둘 다 여자인 경우, 상연이가 남자이고 상은이는 여자인 경우로 나누어 생각합니다.

• 상연이와 상은이가 둘 다 여자인 경우:

상하	상진	상연	상은
남자	남자	여자	여자

상연이는 참말쟁이이고 '상진이와 상은이는 둘 다 남자입니다.'라고 한 말이 거짓이므로 모순입니다.

• 상연이가 남자이고 상은이는 여자인 경우:

상하	상진	상연	상은
남자	여자	남자	여자

상진이는 참말쟁이이고 '상은이는 남자입니다.'라고 한 말이 거짓이므로 모순입니다.

따라서 여자는 상하와 상진이입니다.

15-2. 하나만 참인 조건

140~141쪽

1 ㉯ 상자 **2** ④ 최상위 사고력 토요일

저자 톡! 이 단원에서는 참의 거짓은 거짓, 거짓의 거짓은 참이라는 개념을 이용하여 문제를 해결합니다. 여러 가지 조건 중에서 한 가지 조건만 참인 경우를 가정하여 문제를 해결하기 때문에 참말과 거짓말에서 학습한 '가정하여 풀기' 방법을 사용해야 합니다.

1 ㉮, ㉯, ㉰ 상자에 차례로 보석이 들어 있다고 가정하고 다음과 같이 표를 만들어 문제를 해결합니다.

가정 \ 조건	㉮ 이 안에는 보석이 들어있습니다.	㉯ 이 안은 비어 있습니다.	㉰ ㉮ 상자에 쓰인 글은 거짓입니다.
㉮ 상자에 보석이 들어 있는 경우	참	참	거짓
㉯ 상자에 보석이 들어 있는 경우	거짓	거짓	참
㉰ 상자에 보석이 들어 있는 경우	거짓	참	참

상자에 쓰인 글 중에서 하나만 참이고 나머지 둘은 거짓이라고 하였으므로 조건을 만족하는 경우는 ㉯ 상자에 보석이 들어 있는 경우입니다.
따라서 상자를 한 번만 열어 보석이 들어 있는 상자를 찾으려면 ㉯ 상자를 열어야 합니다.

2 결석한 사람을 지영, 동호, 상현이라고 차례로 가정하고 다음과 같이 표를 만들어 문제를 해결합니다.

가정 \ 조건	지영 저는 결석하지 않았어요.	동호 지영이가 결석했어요.	상현 제가 결석했어요.
지영이가 결석을 한 경우	거짓	참	거짓
동호가 결석을 한 경우	참	거짓	거짓
상현이가 결석을 한 경우	참	거짓	참

지영이가 결석을 한 경우와 동호가 결석을 한 경우 모두 한 사람이 참말을 하고, 나머지 두 사람은 거짓말을 하였습니다.
따라서 위의 두 가지 조건을 동시에 만족하는 것은 ④ 상현이는 결석을 하지 않았습니다.

최상위 사고력 오늘이 차례로 월요일, 화요일, 수요일, 목요일, 금요일, 토요일, 일요일이라고 가정하고 다음과 같이 표를 만들어 문제를 해결합니다.

가정 \ 조건	A 내일은 금요일이야.	B 어제는 일요일이었어.	C A, B는 모두 틀리게 말했어.	D 오늘은 토요일이 아니야.
오늘이 월요일인 경우	거짓	참	거짓	참
오늘이 화요일인 경우	거짓	거짓	참	참
오늘이 수요일인 경우	거짓	거짓	참	참
오늘이 목요일인 경우	참	거짓	거짓	참
오늘이 금요일인 경우	거짓	거짓	참	참
오늘이 토요일인 경우	거짓	거짓	참	거짓
오늘이 일요일인 경우	거짓	거짓	참	참

따라서 오늘이 토요일인 경우 한 사람만 참말을 하고 나머지 세 사람은 거짓말을 하였습니다.

15-3. 정오표

142~143쪽

1

문제	1	2	3	4
정답	×	○	○	○

2 3점

최상위 사고력 8점

저자 톡! 이 단원에서는 학생들이 ○, ×로 표시한 답안과 점수를 보고 각 문제의 정답이나 학생들의 점수를 구하는 문제들을 다룹니다. 각 문제의 정답이 ○, ×로 두 가지 경우밖에 없어 간단해 보이지만 답을 ○ 또는 ×로 가정하여 풀게 되면 문제 해결 과정이 복잡해질 수 있습니다. 따라서 이때는 학생들이 서로 다르게 표시한 문제의 개수와 점수의 합을 이용하여 정답을 추측해 보는 것이 좋습니다.

1 형준이와 진주의 답안을 비교해 보면 2번만 다른데 진주의 점수가 형준이의 점수보다 1점 더 높으므로 2번 문제의 정답은 진주가 적은 답입니다.

문제	1	2	3	4
정답		○		

상호의 점수는 3점인데 2번 문제의 답이 틀렸으므로 1번, 3번, 4번 문제의 정답은 상호가 적은 답입니다.

문제	1	2	3	4
정답	×	○	○	○

해결 전략
점수의 차가 적게 나는 형준이와 진주 또는 상호와 진주의 답안을 비교하여 문제를 해결합니다.

다른 풀이
상호와 진주의 답안을 비교해 보면 1번만 같습니다. 또한 ○, ×문제에서 두 사람의 답이 다른 경우 한 사람의 답은 반드시 맞습니다. 따라서 두 사람의 2번, 3번, 4번 점수의 합은 3점입니다.
1번의 정답이 ○인 경우 상호와 진주 모두 오답이므로 점수의 합은 여전히 3점입니다.
1번의 정답이 ×인 경우 상호와 진주 모두 정답이므로 점수의 합이 5점입니다.
따라서 1번 문제의 정답은 ×입니다.

문제	1	2	3	4
정답	×			

형준이의 점수는 1점인데 1번 문제의 답이 맞았으므로 2번, 3번, 4번 문제의 정답은 형준이가 적은 답과 반대입니다.

문제	1	2	3	4
정답	×	○	○	○

2 지영이와 하진이의 답안을 비교해 보면 2번과 4번의 답이 다르고, 1번, 3번, 5번의 답이 같습니다. ○, ×문제에서 두 사람의 답이 다른 경우 한 사람의 답은 반드시 맞으므로 2번, 4번 점수의 합은 2점입니다.
두 사람의 점수의 합은 모두 8점이므로, 1번, 3번, 5번의 정답은 두 사람이 적은 답과 같아야 합니다.

문제	1	2	3	4	5
정답	○		×		○

소희의 점수가 2점인데 1번, 5번 문제의 답이 맞았으므로 2번, 3번, 4번 문제의 정답은 소희가 적은 답과 반대입니다.

해결 전략
○, × 문제이므로 두 사람의 답안이 다를 때 둘 중 한 사람의 답은 반드시 맞습니다.

문제	1	2	3	4	5
정답	○	○	×	×	○

따라서 민수는 1번, 2번, 5번을 맞혔으므로 민수의 점수는 3점입니다.

다른 풀이

지영이와 소희의 답안을 비교해 보면 2번과 3번이 다른데 지영이의 점수가 소희의 점수보다 $4-2=2$(점) 더 높으므로 2번과 3번의 정답은 지영이가 적은 답입니다.

문제	1	2	3	4	5
정답		○	×		

하진이의 점수는 4점인데 2번 문제의 답이 틀리고 3번 문제의 답이 맞았으므로 1번, 4번, 5번 문제의 정답은 하진이가 적은 답입니다.

문제	1	2	3	4	5
정답	○	○	×	×	○

따라서 민수는 1번, 2번, 5번을 맞혔으므로 민수의 점수는 3점입니다.

최상위 사고력 ① 수지와 경호의 답안 비교하기

문제	1	2	3	4	5	6	점수(점)
수지		○	○	○	○	○	7
경호	×	○	×	×		×	9

수지와 경호가 답을 다르게 표시한 문제가 3개(3번, 4번, 6번)이므로 3문제에 대한 두 사람의 점수의 합은 $2\times3=6$(점)입니다.
또 두 사람은 각각 답을 하지 않은 문제가 한 문제씩 있으므로 수지의 1번에 대한 점수와 경호의 5번에 대한 점수는 각각 1점입니다.
두 사람의 총점의 합은 $7+9=16$(점)이므로 수지의 2번, 5번에 대한 점수와 경호의 1번, 2번에 대한 점수의 합은
$16-(6+1+1)=8$점이어야 합니다.
네 문제에 대한 점수의 합이 8점이어야 하므로 $2\times4=8$에서 네 문제 모두 정답입니다.
따라서 1번, 2번, 5번 문제의 답은 다음과 같습니다.

문제	1	2	3	4	5	6
정답	×	○			○	

② 하영이의 답안 비교하기

문제	1	2	3	4	5	6	점수(점)
하영	×	×	×	○	×		7
정답	×	○			○		

하영이의 답안을 1번, 2번, 5번의 정답과 비교하면 점수의 합은 2점이고, 6번을 답하지 않았으므로 1점입니다.
하영이의 총점은 7점이고 나머지 두 문제(3번, 4번)에 대한 점수의 합은 $7-(2+1)=4$(점)이어야 하므로 3번, 4번 모두 맞아야 합니다.
따라서 3번, 4번 문제의 정답은 하영이가 적은 답입니다.

문제	1	2	3	4	5	6
정답	×	○	×	○	○	

해결 전략

두 사람이 답을 다르게 표시한 문제에는 정답이 반드시 있습니다.

③ 수지의 답안 비교하기

문제	1	2	3	4	5	6	점수(점)
수지		○	○	○	○	○	7
정답	×	○	×	○	○		

수지의 답안을 6번을 제외한 정답과 비교하면 7점입니다.
따라서 6번 문제의 정답은 × 입니다.

④ 초아의 점수 구하기

문제	1	2	3	4	5	6	점수(점)
초아	○	×	×	○	○	×	8
정답	×	○	×	○	○	×	

따라서 초아의 점수는 $2\times4=8$(점)입니다.

다른 풀이

① 수지와 하영이의 답안 비교하기

문제	1	2	3	4	5	6	점수(점)
수지		○	○	○	○	○	7
하영	×	×	×	○	×		7

수지와 하영이가 답을 다르게 표시한 문제가 3개(2번, 3번, 5번)이므로 3문제에 대한 두 사람의 점수의 합은 $2\times3=6$(점)입니다. 또 두 사람은 각각 답을 하지 않은 문제가 한 문제씩 있으므로 수지의 1번에 대한 점수와 하영이의 6번에 대한 점수는 각각 1점입니다.
두 사람의 총점의 합은 14점이므로 수지의 4번, 6번에 대한 점수와 하영이의 1번, 4번에 대한 점수의 합은 $14-(6+1+1)=6$(점)이어야 합니다.
4번 문제의 정답이 ×인 경우 1번, 4번, 6번의 점수의 합이 6점이 될 수 없으므로 4번 문제의 정답은 ○입니다.

문제	1	2	3	4	5	6
정답				○		

② 경호의 답안 비교하기

문제	1	2	3	4	5	6	점수(점)
경호	×	○	×	×		×	9
정답				○			

경호의 답안을 4번의 정답과 비교하면 점수의 합은 0점이고, 5번 문제는 답하지 않았으므로 1점입니다. 따라서 나머지 4문제(1번, 2번, 3번, 6번)의 정답은 경호가 적은 답입니다.

문제	1	2	3	4	5	6
정답	×	○	×	○		×

③ 수지의 답안 비교하기

문제	1	2	3	4	5	6	점수(점)
수지		○	○	○	○	○	7
정답	×	○	×	○		×	

수지의 답안을 5번을 제외한 정답과 비교하면 5점입니다. 따라서 5번 문제의 정답은 ○입니다.

④ 초아의 점수 구하기

문제	1	2	3	4	5	6	점수(점)
초아	○	×	×	○	○	×	8
정답	×	○	×	○	○	×	

최상위 사고력

144~145쪽

1 독일 **2** 검은색, 흰색, 빨간색 **3** 금요일

4

문제	1	2	3	4	5	6	7	8	9	10
정답	○	×	○	○	○	×	×	○	×	×

1 ① A 신문사의 예측 중 '한국 2위'가 맞은 경우

A	한국 2위	○	터키 4위	×
B	브라질 1위	○	한국 3위	×
C	독일 1위	×	터키 2위	×

➡ C 신문사의 예측이 모두 틀리게 되므로 조건에 맞지 않습니다.

② A 신문사의 예측 중 '터키 4위'가 맞은 경우

A	한국 2위	×	터키 4위	○
C	독일 1위	○	터키 2위	×
B	브라질 1위	×	한국 3위	○

➡ A, B, C 3개의 신문사가 예측한 내용 중 한 개씩만 맞혔으므로 조건에 맞습니다.

따라서 이번 대회에서 우승한 나라는 독일입니다.

해결 전략
3개의 신문사가 예측한 내용 중 각각 한 가지만 맞으므로 A가 예측한 내용 중 한국이 2위인 경우와 터키가 4위인 경우를 각각 생각해 봅니다.

2 ① 빨간 옷을 입은 남자가 천사인 경우:
나는 천사가 아니라고 거짓말을 하고 있으므로 모순입니다.
빨간 옷을 입은 남자가 악마인 경우:
나는 천사가 아니라고 참말을 하고 있으므로 모순입니다.
➡ 빨간 옷을 입은 남자는 인간입니다.

② 검은 옷을 입은 남자가 천사인 경우:
나는 인간이 아니라고 참말을 하고 있으므로 논리적으로 맞습니다.
검은 옷을 입은 남자가 악마인 경우:
나는 인간이 아니라고 참말을 하고 있으므로 모순입니다.
➡ 검은 옷을 입은 남자는 천사입니다.

③ 흰 옷을 입은 남자가 악마인 경우:
나는 악마가 아니라고 거짓말을 하고 있으므로 논리적으로 맞습니다.
➡ 흰 옷을 입은 남자는 악마입니다.

따라서 천사는 검은색, 악마는 흰색, 인간은 빨간색 옷을 입고 있습니다.

보충 개념
나는 천사가 아니라고 말할 수 있는 남자 : 인간
나는 인간이 아니라고 말할 수 있는 남자 : 천사, 인간
나는 악마가 아니라고 말할 수 있는 남자 : 천사, 인간, 악마

3 ① 오늘이 일요일인 경우

민수와 지유는 모두 참말만 해야 합니다.

민수는 내일은 토요일(오늘은 금요일)이라고 했으므로 거짓말을 한 것이고, 지유는 어제는 일요일(오늘은 월요일)이라고 했으므로 역시 거짓말을 한 것입니다.

따라서 논리적으로 맞지 않습니다.

② 오늘이 일요일이 아닌 경우

• 민수가 참말을 하고 지유가 거짓말을 하는 경우

민수가 내일은 토요일이라고 했으므로 오늘은 금요일입니다.

금요일은 지유가 거짓말을 하는 날이고 어제는 일요일이라고 한 말이 거짓말입니다.

따라서 논리적으로 맞습니다.

• 지유가 참말을 하고 민수가 거짓말을 하는 경우

지유가 어제는 일요일이었다고 했으므로 오늘은 월요일입니다.

월요일은 민수가 참말을 하는 날이고 내일은 토요일이라고 한 말이 거짓말입니다.

따라서 논리적으로 맞지 않습니다.

따라서 오늘은 금요일입니다.

해결 전략

일요일에는 두 사람 모두 참말만 하고, 일요일이 아닌 경우는 두 사람 중 한 사람만 참말을 합니다.
따라서 오늘이 일요일인 경우와 일요일이 아닌 경우로 가정하여 문제를 해결해 봅니다.

4 ① 정우와 경미의 답안을 비교해 보면 2번, 5번, 6번, 9번이 다른데 정우의 맞힌 문제 수가 경미의 맞힌 문제 수보다 $8-4=4$(개) 많으므로 2번, 5번, 6번, 9번의 정답은 정우가 쓴 답입니다.

문제	1	2	3	4	5	6	7	8	9	10
정답		×			○	×			×	

② 정우와 희상이는 1번, 3번, 4번, 7번, 8번, 10번 문제 중에서 각각 4개를 맞혀야 합니다.

여섯 문제 중에서 네 문제(3번, 4번, 7번, 10번)는 정우와 희상이의 답이 다르므로 정답 수는 4개이고, 두 문제(1번, 8번)는 답이 같으므로 정답수가 $8-4=4$(개)입니다.

따라서 서로 답이 같은 두 문제인

1번, 8번 문제의 정답은 각각 ○, ○입니다.

문제	1	2	3	4	5	6	7	8	9	10
정답	○	×			○	×		○	×	

③ 연주는 1번, 2번, 5번, 6번 문제를 틀렸으므로 3번, 4번, 7번, 10번을 모두 맞혀야 맞힌 문제의 수가 6개가 됩니다.

그러므로 3번, 4번, 7번, 10번의 정답은 연주가 쓴 답입니다.

따라서 정답은 다음과 같습니다.

문제	1	2	3	4	5	6	7	8	9	10
정답	○	×	○	○	○	×	×	○	×	×

해결 전략

○, × 문제이므로 두 사람의 답안이 다를 때 둘 중 한 사람의 답은 반드시 맞습니다.

1 성호, 경태, 민하, 정민, 진경

2

A	B	C	D	E
1등	2등	3등	5등	4등

3 D

4 아이

5 명준, 경호, 상호, 형준

6

	승호	민주	영철
나이(살)	13	10	15
사는 곳	부산	전주	서울

1 ① 성호는 진경이의 바로 옆에 앉아 있으므로 다음과 같이 나타낼 수 있습니다.

또는

② 진경이는 경태 자리에서 한 사람 건너 오른쪽에 앉아 있으므로 다음과 같이 나타낼 수 있습니다.

또는

③ 민하는 정민이의 바로 오른쪽 옆에 앉아 있으므로 다음과 같이 나타낼 수 있습니다.

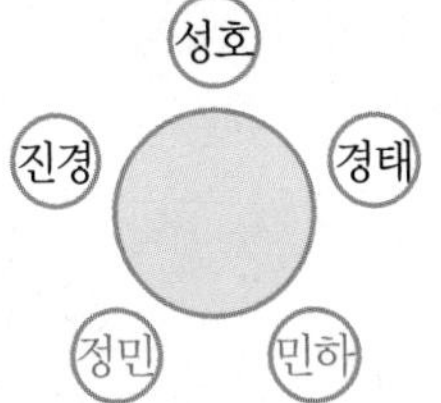
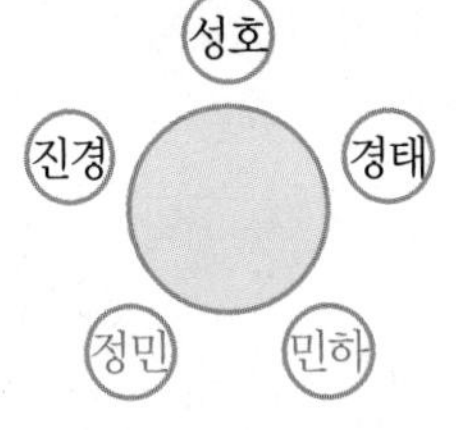

따라서 앉은 자리는 성호부터 시계 방향으로 성호, 경태, 민하, 정민, 진경입니다.

2 A의 예상 중 A가 1등인 경우와 C가 4등인 경우로 각각 나누어 생각합니다.

해결 전략
A, B, C, D, E 중 한 사람의 말을 선택하여 예상한 것 중 하나를 맞혔다고 가정하여 풀어 봅니다.

① A가 1등인 경우

A	A가 1등	○	C가 4등	×
B	B가 2등	○	C가 1등	×
C	C가 3등	○	A가 4등	×
D	D가 3등	×	B가 2등	○
E	E가 4등	○	B가 1등	×

➡ 따라서 A가 1등, B가 2등, C가 3등, D가 5등, E가 4등입니다.

② C가 4등인 경우

A	A가 1등	×	C가 4등	○
B	B가 2등	○	C가 1등	×
C	C가 3등	×	A가 4등	×
D	D가 3등	×	B가 2등	○
E	E가 4등	×	B가 1등	×

➡ A와 B에 의해 C와 E의 예상 결과가 틀렸습니다.

3 전화를 하는 것을 화살표로 나타내어 그림을 그려 봅니다.

① A는 E에게 전화를 했고 D로부터 전화를 받았습니다.

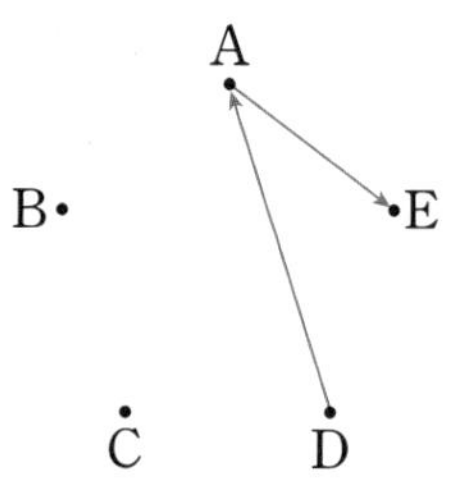

② B는 C에게 전화를 했고 E로부터 전화를 받았습니다.

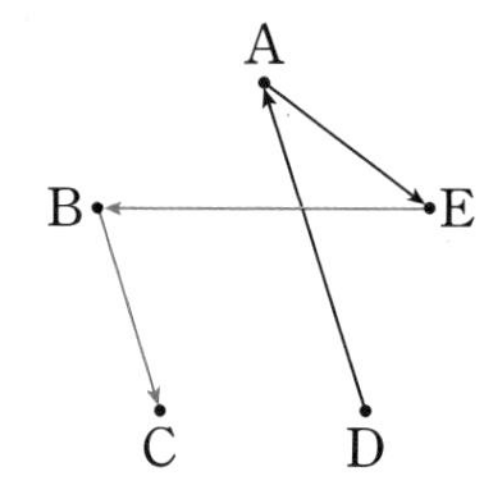

A, B, E는 더 이상 전화를 하거나 받을 수 없으므로 C가 전화를 한 사람은 D입니다.

4 노인, 아저씨, 청년, 아이가 빵을 훔친 사람이라고 각각 가정하여 한 명만 참말을 하는 경우를 찾아봅니다.

빵을 훔친 사람	노인	아저씨	청년	아이
노인의 말	거짓말	거짓말	참말	거짓말
아저씨의 말	참말	거짓말	거짓말	거짓말
청년의 말	거짓말	참말	참말	참말
아이의 말	참말	참말	참말	거짓말

따라서 빵을 훔친 사람이 아이일 때 참말을 한 사람이 한 명이므로 빵을 훔친 사람은 아이입니다.

5 사람은 점으로, 두 사람이 부부이면 실선으로, 부부가 아니면 점선으로 나타내며 다음과 같은 순서로 그림을 그려 봅니다.

첫 번째 조건: 상호와 보연이는 부부입니다. (실선)

두 번째 조건: 경호는 상희와 부부가 아닙니다. (점선)

네 번째 조건: 상희는 형준이의 여동생입니다. (점선)

➡ 상희의 남편은 명준입니다.

세 번째 조건: 정미의 남편은 형제나 자매가 없습니다.

➡ 정미의 남편은 경호입니다.

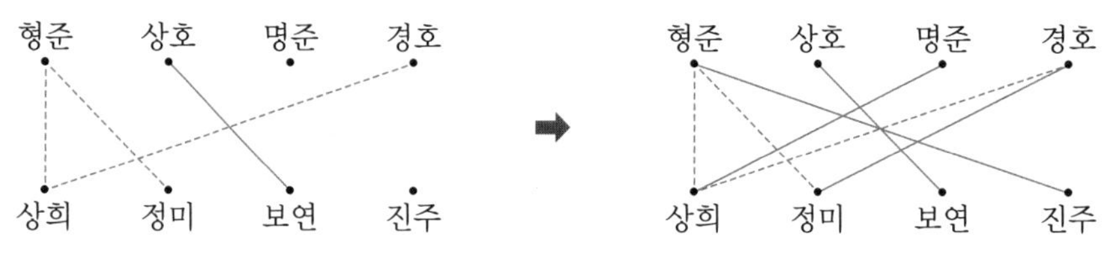

따라서 상희의 남편은 명준, 정미의 남편은 경호, 보연이의 남편은 상호, 진주의 남편은 형준입니다.

다른 풀이

표를 그려 생각해 봅니다.

첫 번째 조건: 상호와 보연이는 부부입니다.

	형준	상호	명준	경호
상희		×		
정미		×		
보연	×	○	×	×
진주		×		

두 번째 조건: 경호와 상희, 형준이와 상희는 각각 부부가 아닙니다.

	형준	상호	명준	경호
상희	×	○	○	×
정미		×	×	
보연	×	○	×	×
진주		×	×	

따라서 명준이와 상희는 부부입니다.

세 번째 조건: 정미의 남편은 형제나 자매가 없으므로 형준이가 아니고 경호입니다.

	형준	상호	명준	경호
상희	×	×	○	×
정미	×	×	×	○
보연	×	○	×	×
진주	○	×	×	×

따라서 상희의 남편은 명준, 정미의 남편은 경호, 보연이의 남편은 상호, 진주의 남편은 형준입니다.

6 이름과 나이, 이름과 사는 곳의 관계를 표 2개를 만들어서 알아봅니다.

첫 번째 조건: 민주는 서울에 살지 않습니다.

두 번째 조건: 승호의 동생의 나이는 11살이므로 승호는 10살이 아닙니다.

세 번째 조건: 승호는 15살이 아니고 서울에 살지 않습니다.

이름 \ 나이	10살	13살	15살
승호	×	○	×
민주		×	
영철		×	

이름 \ 사는 곳	서울	부산	전주
승호	×		
민주	×		
영철	○	×	×

따라서 승호는 13살이고, 영철이는 서울에 삽니다.

네 번째 조건: 전주에 사는 사람의 나이는 10살이므로 승호는 전주에 살지 않습니다.

그러므로 승호는 부산에 살고, 민주는 전주에 삽니다.

따라서 민주는 10살, 영철이는 15살입니다.

이름 \ 나이	10살	13살	15살
승호	×	○	×
민주	○	×	×
영철	×	×	○

이름 \ 사는 곳	서울	부산	전주
승호	×	○	×
민주	×	×	○
영철	○	×	×

Final 평가 1회

01 73　**02** 3명　**03** 35명
04 50　**05** 1600 m　**06** 5개
07 8 %　**08** ①
09 면: 14개, 모서리: 36개, 꼭짓점: 24개　**10** 120 cm^3, 48 cm^3

01 <㉠>은 ㉠보다 큰 수 중에서 가장 작은 자연수를 나타냅니다.
$<12.3\div0.5>=<24.6>$이므로 24.6보다 큰 수 중에서 가장 작은 자연수는 25입니다.

$<3\frac{1}{3}\div\frac{5}{9}\div4>=<\frac{10}{3}\times\frac{9}{5}\times\frac{1}{4}>=<1\frac{1}{2}>$이므로

$1\frac{1}{2}$보다 큰 수 중에서 가장 작은 자연수는 2입니다.

따라서 주어진 식을 계산하면

$$<12.3\div0.5>\times3-<3\frac{1}{3}\div\frac{5}{9}\div4>=25\times3-2$$
$$=75-2=73$$

02 거짓말쟁이를 F, 참말쟁이를 T로 놓고 마을 사람 4명이 모이는 경우를 표를 그려 문제를 해결합니다.
마을 사람 4명 중 어떤 사람을 선택하든 "나를 제외하고 3명은 모두 거짓말쟁이에요!"라는 말에 참말쟁이는 참말을, 거짓말쟁이는 거짓말을 한 것이어야 모순이 없습니다.

해결 전략
거짓말쟁이가 한 명도 없는 경우와 거짓말쟁이가 1명, 2명, 3명, 4명인 경우로 가정하여 모순이 없는 경우를 찾아봅니다.

경우					
① 거짓말쟁이가 한 명도 없는 경우	T	T	T	T	참말쟁이가 거짓말을 하였으므로 주어진 조건에 모순됩니다.
② 거짓말쟁이가 한 명인 경우	T	T	T	F	참말쟁이가 거짓말을 하였으므로 주어진 조건에 모순됩니다.
③ 거짓말쟁이가 두 명인 경우	T	T	F	F	참말쟁이가 거짓말을 하였으므로 주어진 조건에 모순됩니다.
④ 거짓말쟁이가 세 명인 경우	T	F	F	F	참말쟁이는 참말을, 거짓말쟁이는 거짓말을 한 것이므로 조건에 모순되지 않습니다.
⑤ 거짓말쟁이가 네 명인 경우	F	F	F	F	거짓말쟁이가 참말을 하였으므로 주어진 조건에 모순됩니다.

따라서 거짓말쟁이는 모두 3명입니다.

03 수직선을 그려 알아봅니다.

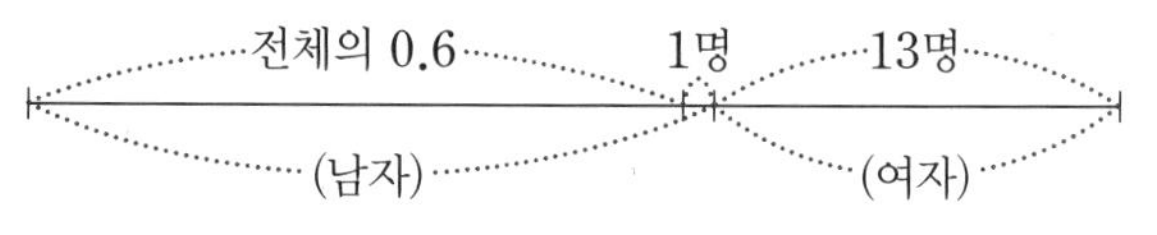

수직선에서 $1+13=14$(명)이 전체의 $1-0.6=0.4$이므로
(진희네 반의 전체 학생 수)$=14\div0.4=35$(명)입니다.

04 정십이면체는 면이 12개, 꼭짓점이 20개, 모서리가 30개로 이루어진 정다면체입니다.
정십이면체의 각 면의 한가운데에 점을 찍은 후 이웃하는 면에 있는 점끼리 선으로 연결하여 새로운 입체도형을 만들면 면, 꼭짓점, 모서리의 수는 다음과 같이 바뀝니다.

	정십이면체	새로운 입체도형
면의 수	12	20
꼭짓점의 수	20	12
모서리의 수	30	30

즉 정십이면체의 쌍대다면체는 면이 20개인 정이십면체이므로
(모서리의 수)+(면의 수)=30+20=50입니다.

해결 전략
정십이면체의 면, 꼭짓점, 모서리가 새로운 입체도형에서 각각 어떻게 바뀌는지 생각해 봅니다.

보충 개념
정다면체의 각 면의 한가운데 점을 찍은 후 이웃하는 면에 있는 점끼리 선으로 연결하여 생기는 새로운 입체도형을 쌍대다면체라고 합니다.

05 ㉮ 오토바이가 ㉯ 오토바이를 만날 때까지 간 시간은 20+60=80(분)이고 ㉮ 오토바이는 1분에 1200 m를 가므로 ㉮ 오토바이가 출발하여 ㉯ 오토바이를 만날 때까지 간 거리는 1200×80=96000(m)입니다.

㉮ 오토바이: 20분, 60분 / 24000 m, 72000 m

㉯ 오토바이는 출발하여 1시간 후에 ㉮ 오토바이를 만나게 되므로 ㉯ 오토바이가 1시간 동안 달린 거리는 ㉮ 오토바이가 ㉯ 오토바이를 만날 때까지 간 거리와 같습니다.
따라서 ㉯ 오토바이가 1분 동안 달린 거리는 96000÷60=1600(m)입니다.

06 주어진 전개도는 정팔면체의 전개도입니다.

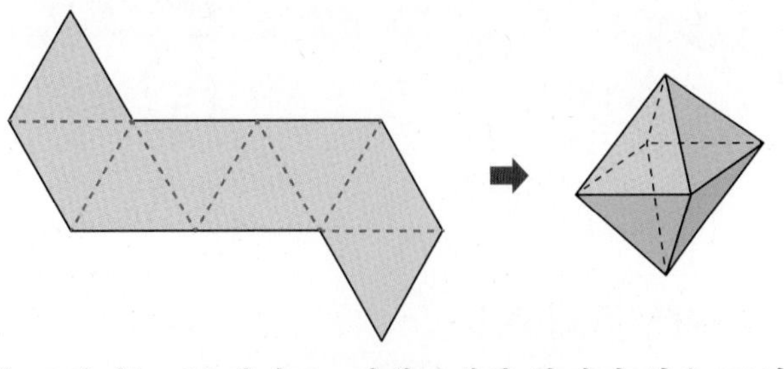

정팔면체의 모서리는 12개이고, 전개도에서 잘리지 않은 모서리는 7개이므로 자른 모서리는 모두 12−7=5(개)입니다.

보충 개념
전개도에서 잘린 모서리는 실선, 잘리지 않은 모서리(접는 모서리)는 점선으로 그립니다.

07 (㉮ 컵의 소금의 양)$=\frac{6}{100}\times100=6$(g)

(㉯ 컵의 소금의 양)$=\frac{10}{100}\times200=20$(g)

(㉮ 컵 50 g에 들어 있는 소금의 양)$=6\times\frac{50}{100}=3$(g)

(㉯ 컵 50 g에 들어 있는 소금의 양)$=20\times\frac{50}{200}=5$(g)

(㉰ 컵의 소금의 양)$=3+5=8$(g)

(㉰ 컵의 소금물의 양)$=50+50=100$(g)

따라서 ㉰ 컵에 담겨진 소금물의 농도는 $\frac{8}{100}\times100=8$(%)입니다.

해결 전략

㉮ 컵과 ㉯ 컵에서 ㉰ 컵으로 소금물을 옮겨 부었을 때 옮겨진 소금의 양과 소금물의 양을 구합니다.

08 ① 정이십면체는 정삼각형 20개로 둘러싸인 다면체이고 정삼각형의 변 2개가 만나 한 모서리가 되므로 모서리는 $3\times20\div2=30$(개)입니다.

② 정다면체의 면의 모양은
정사면체: 정삼각형, 정육면체: 정사각형, 정팔면체: 정삼각형,
정십이면체: 정오각형, 정이십면체: 정삼각형으로 모두 3종류입니다.

③ 오일러의 공식에 의해 모든 구멍이 없고 볼록한 다면체는
(꼭짓점의 수)$+$(면의 수)$-$(모서리의 수)$=2$로 항상 같습니다.

④ 하나의 정다면체에서 각 꼭짓점에 모이는 면의 개수는
정사면체: 3개, 정육면체: 3개, 정팔면체: 4개, 정십이면체: 3개,
정이십면체: 5개입니다.

⑤ 정팔면체의 각 면의 한가운데 점을 찍고 이웃하는 면끼리 선으로 이으면 정팔면체의 쌍대다면체인 정육면체가 생깁니다.

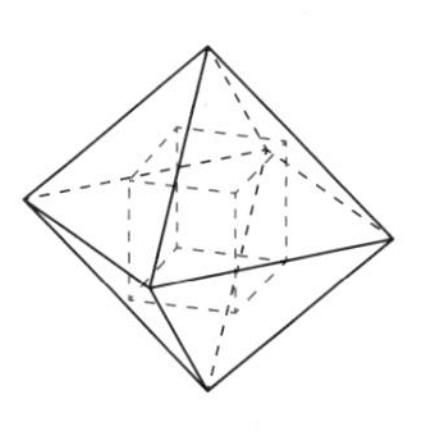

보충 개념

정사면체 정육면체

정팔면체

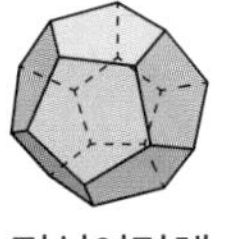

정십이면체

정이십면체

09 • 정팔면체의 면은 8개이고 잘라낸 꼭짓점마다 면이 1개씩 더 생기므로 깎은 정팔면체의 면은 모두 $8+6=14$(개)입니다.

• 정팔면체의 모서리는 12개이고 잘라낸 꼭짓점마다 모서리가 4개씩 더 생기므로 깎은 정팔면체의 모서리는 모두 $12+4\times6=36$(개)입니다.

• 정팔면체의 꼭짓점 1개를 잘라내면 정팔면체의 처음 꼭짓점은 없어지고 4개의 꼭짓점이 새로 생깁니다. 정팔면체의 꼭짓점은 모두 6개이므로 깎은 정팔면체의 꼭짓점은 모두 $4\times6=24$(개)입니다.

보충 개념

	정팔면체
면의 수	8
모서리의 수	12
꼭짓점의 수	6

10 직육면체의 가로, 세로, 높이를 각각 ㉠ cm, ㉡ cm, ㉢ cm라고 하면 겉넓이는 $2\times$(㉠$\times$㉡$+$㉡$\times$㉢$+$㉢$\times$㉠)$=148(cm^2)$,
㉠$\times$㉡$+$㉡$\times$㉢$+$㉢$\times$㉠$=74(cm^2)$입니다.
이 식을 만족하는 ㉠, ㉡, ㉢을 찾아 부피를 구합니다.

㉠	㉡	㉢	㉠×㉡+㉡×㉢+㉢×㉠	부피(cm^3)
1	2	24	$2+48+24=74$	48
1	4	14	$4+56+14=74$	56
2	4	11	$8+44+22=74$	88
4	5	6	$20+30+24=74$	120

따라서 부피가 가장 큰 경우의 부피는 $120\ cm^3$, 가장 작은 경우의 부피는 $48\ cm^3$입니다.

보충 개념
정육면체의 모양에 가까울수록 부피가 큽니다.

최상위 사고력

Final 평가 2회

5~8쪽

01 $36\ cm^2$ **02** 십이각기둥 **03** 25 %
04 24개 **05** 7 **06** 1 km
07 3시 $23\frac{7}{11}$분 **08** 6일 **09** 30
10 3, 2, 4, 5, 1

01 정육면체 모양의 나무 도막의 겉넓이는 $54\ cm^2$이므로 한 면의 넓이는 $54\div6=9(cm^2)$입니다.
정육면체 모양의 나무 도막을 모양과 크기가 같은 두 개의 직육면체 모양으로 자르면 잘려진 직육면체 한 개에서 4개의 면의 넓이는 각각 반으로 줄고, 2개의 면의 넓이는 각각 정육면체의 한 면의 넓이와 같습니다.
따라서 나누어진 직육면체 모양의 나무 도막 한 개의 겉넓이는
$4.5\times4+9\times2=18+18=36(cm^2)$입니다.

다른 풀이
정육면체를 모양과 크기가 같은 두 개의 직육면체가 나오도록 자르면 각 도형에서 잘린 부분의 넓이만큼 겉넓이가 늘어납니다.
정육면체의 겉넓이는 $54\ cm^2$이므로 한 면의 넓이는 $9\ cm^2$이고, 각 도형에서 잘린 부분의 넓이도 한 면의 넓이와 같은 $9\ cm^2$이므로 직육면체 두 개의 겉넓이의 합은
$54+9\times2=72(cm^2)$입니다.
따라서 직육면체 한 개의 겉넓이는 $72\div2=36(cm^2)$입니다.

02 옆면의 모양이 모두 직사각형인 입체도형은 각기둥입니다.
구하는 각기둥을 ■각기둥이라고 하면
(꼭짓점의 수)$=$■$\times 2$, (모서리의 수)$=$■$\times 3$입니다.
입체도형의 꼭짓점의 수와 모서리의 수의 합이 60이므로
■$\times 2+$■$\times 3=60$, ■$\times 5=60$, ■$=12$입니다.
따라서 구하는 입체도형은 십이각기둥입니다.

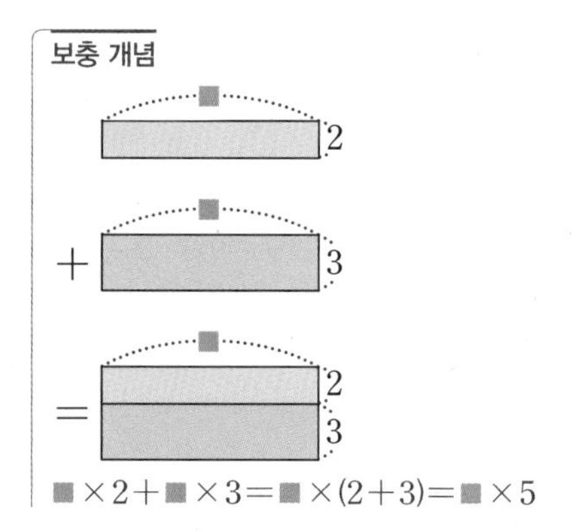

03 처음 삼각형의 밑변의 길이를 ㉠, 높이를 ㉡이라고 하면
(처음 삼각형의 넓이)$=$㉠$\times$㉡$\div 2$
(밑변의 길이를 20 % 줄이고 높이를 □% 늘인 삼각형의 넓이)
$=$(㉠$\times 0.8$)$\times$(㉡$\times 1.$□)$\div 2$
$=$㉠$\times$㉡$\times 0.8\times 1.$□$\div 2$
㉠$\times$㉡$\times 0.8\times 1.$□$\div 2$의 값이 처음 삼각형의 넓이와 같아야 하므로
㉠$\times$㉡$\times 0.8\times 1.$□$\div 2=$㉠$\times$㉡$\div 2$,
$0.8\times 1.$□$=1$, $1.$□$=1\div 0.8=1.25$
따라서 □$=25$이므로 높이를 25 %만큼 늘여야 합니다.

해결 전략
처음 삼각형의 밑변의 길이를 ㉠이라고 하면 길이를 20 % 줄였을 때의 밑변의 길이는 ㉠$\times 0.8$입니다.

04 2개의 면만 색칠된 정육면체는 오른쪽 그림과 같이 꼭짓점을 제외한 모서리 부분에 있는 정육면체입니다.
2개의 면만 색칠된 정육면체는 꼭짓점 부분을 제외하고 가로에 3개, 세로에 2개, 높이에 1개씩 있고, 한 직육면체에 가로, 세로, 높이는 각각 4개씩 있으므로 2개의 면이 색칠된 정육면체는 모두
$(3+2+1)\times 4=24$(개)입니다.

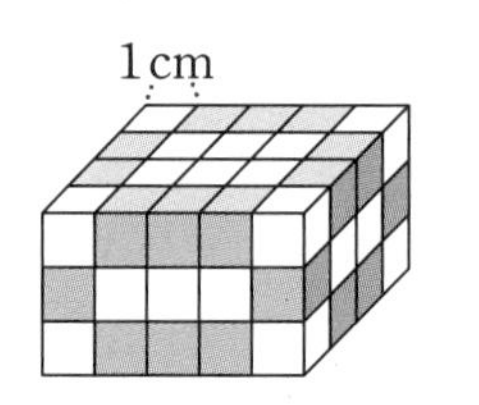

05 정팔면체의 전개도에서 서로 마주 보는 면은 직선방향으로 3개의 모서리를 지나 3번째 면에 있습니다.
즉, 서로 마주 보는 면의 숫자의 쌍은 (2, 5), (3, 6), (4, 8)이므로 마지막으로 남은 두 면 (1, 7)이 서로 마주 보는 면이 됩니다.

다른 풀이
정팔면체의 전개도에서 1이 적혀 있는 면을 오른쪽으로 회전 이동시켜 생각하면 1과 마주 보는 면은 7입니다.

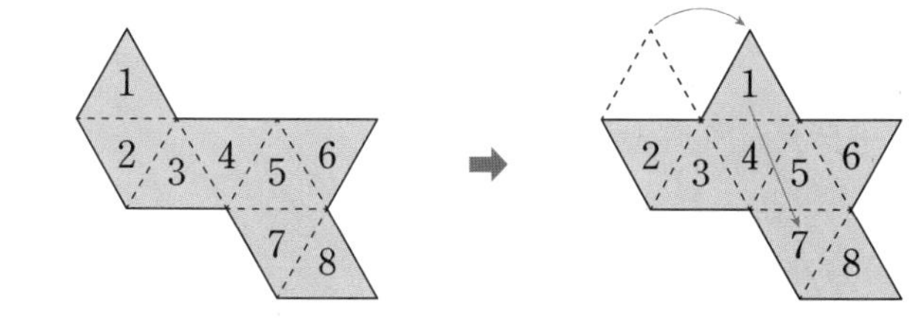

06 집에서 학교까지의 거리를 □km라고 하면

(집에서 학교까지 가는 데 걸린 시간)$=\square\div4=\frac{\square}{4}$(시간)

(학교에서 집으로 돌아오는 데 걸린 시간)$=\square\div5=\frac{\square}{5}$(시간)

학교까지 갈 때보다 집으로 돌아올 때 시간이 3분$\left(=\frac{3}{60}\text{시간}\right)$ 덜 걸렸으므로

$\frac{\square}{4}-\frac{\square}{5}=\frac{3}{60}$, $\frac{\square}{20}=\frac{1}{20}$, $\square=1$

따라서 집에서 학교까지의 거리는 1 km입니다.

> 해결 전략
> (거리)÷(속력)=(시간)입니다.
> 속력의 단위가 시속이므로 분을 시간으로 바꾸어 계산합니다.

07 3시 정각일 때 시침과 분침이 이루는 작은 각의 크기는 90°입니다.
3시부터 시계가 가리키는 시각까지 분침이 시침보다 $90°+40°=130°$ 만큼 더 움직였고 1분 동안 분침은 시침보다 5.5° 더 움직이므로

$130°\div5.5°=130°\div\frac{55°}{10}=130°\times\frac{10}{55°}=\frac{260}{11}=23\frac{7}{11}$(분)이 지나야 합니다.

따라서 시계가 가리키는 시각은 3시 $23\frac{7}{11}$분입니다.

> 해결 전략
> 분침은 1분에 $360°\div60=6°$,
> 시침은 1분에 $360°\div12\div60=0.5°$ 움직이므로 분침은 시침보다 1분에 5.5° 더 움직입니다.

08 전체 일의 양을 1이라 하면

(은정이가 하루에 하는 일의 양)$=\frac{1}{10}$

(목화가 하루에 하는 일의 양)$=\frac{1}{15}$

(둘이 함께 일할 때 하루에 하는 일의 양)$=\frac{1}{10}+\frac{1}{15}=\frac{5}{30}=\frac{1}{6}$

따라서 둘이 함께 이 일을 하면 $1\div\frac{1}{6}=6$(일)만에 끝낼 수 있습니다.

> 해결 전략
> 전체 일의 양을 1이라고 할 때 은정이와 목화가 하루에 할 수 있는 일의 양을 분수로 나타냅니다.

09 주어진 도형은 한 꼭짓점에 정삼각형 1개와 정육각형 2개가 모이므로 한 꼭짓점의 외각의 크기는 $360°-(60°+120°\times2)=60°$입니다.
데카르트 정리에 따라 다면체의 모든 꼭짓점의 외각의 합은 720°이므로 이 도형의 꼭짓점은 $720°\div60°=12$(개)입니다.
또 정삼각형 4개와 정육각형 4개로 둘러싸인 도형이므로 면은 $4+4=8$(개)입니다.
오일러의 공식에 따라 (꼭짓점의 수)+(면의 수)−(모서리의 수)=2이므로 12+8−(모서리의 수)=2, (모서리의 수)=18(개)입니다.
따라서 (꼭짓점의 수)+(모서리의 수)=12+18=30입니다.

> 해결 전략
> 데카르트 정리
> ➡ 모든 꼭짓점의 외각의 합은 720°
> 오일러의 공식
> ➡ (꼭짓점의 수)+(면의 수)−(모서리의 수)=2

10 주어진 조건이 의미하는 것을 생각하며 6가지 조건에 따라 ○표 또는 ×표 하여 등수를 정합니다.

해결 전략
다섯 사람과 등수에 대한 표를 그린 후 ○표 또는 ×표 하여 다섯 명의 등수를 정합니다.

	A	B	C	D	E
1등		②×	⑤×	③×	
2등				③×	
3등					
4등					
5등	①×	③×	⑤×		

① A는 5등이 아닙니다.
② B는 1등이 아닙니다.
③ D는 B보다 더 늦게 들어왔습니다.
➡ D는 1등과 2등이 아니고 B는 5등이 아닙니다.
⑤ C는 1등도 아니고 5등도 아닙니다.

B의 등수로 가능한 것은 2등, 3등, 4등입니다.
조건 ④에서 B의 등수가 2등일 때, 가능한 C의 등수는 1등, 3등이 아니므로 4등입니다.
B의 등수가 3등일 때, 가능한 C의 등수는 2등, 4등이 아니므로 없습니다.
B의 등수가 4등일 때, 가능한 C의 등수는 3등, 5등이 아니므로 2등입니다.
➡ 따라서 가능한 B의 등수는 2등 또는 4등입니다.

• B가 2등인 경우 (빨간색으로 표시)

	A	B	C	D	E
1등	×	×	×	×	○
2등	×	○	×	×	×
3등	○	×	×	×	×
4등	×	×	○	×	×
5등	×	×	×	○	×

C는 1등, 3등이 아니므로 4등입니다. (파란색)
조건 ⑥에서 E와 C는 바로 앞, 뒤로 들어오지 않았다고 하였으므로 C가 4등인 경우, E는 3등, 5등이 아니고 1등입니다.
따라서 A는 3등, D는 5등입니다. (초록색)

• B가 4등인 경우 (빨간색으로 표시)

	A	B	C	D	E
1등	○	×	×	×	×
2등	×	×	○	×	×
3등	×	×	×	○	×
4등	×	○	×	×	×
5등	×	×	×	×	○

C는 3등, 5등이 아니므로, 2등입니다. (파란색)
조건 ⑥에서 E와 C는 바로 앞, 뒤로 들어오지 않았다고 하였으므로 C가 2등인 경우, E는 1등, 3등이 아니고 5등입니다. (초록색)
따라서 A는 1등, D는 3등입니다.
조건 ③에서 D는 B보다 더 늦게 들어왔다고 했는데 D가 B보다 빨리 들어왔으므로 모순입니다.

그러므로 A는 3등, B는 2등, C는 4등, D는 5등, E는 1등입니다.

MEMO